ДЕТЕКТИВ
&Thriller

Читайте книги
мастера психологического
детектива
Татьяны Степановой:

ТАТЬЯНА СТЕПАНОВА

Три богини судьбы

ЭКСМО
МОСКВА
2010

УДК 82-3
ББК 84(2Рос-Рус)6-4
С 79

Оформление серии *С. Курбатова*

Степанова Т.

С 79   Три богини судьбы : роман / Татьяна Степанова. — М. : Эксмо, 2010. — 352 с. — (Детектив&Thriller).

ISBN 978-5-699-40821-4

Катя Петровская — криминальный обозреватель пресс-центра ГУВД — разочарована: никакой загадки в новом деле нет. Роман Пепеляев расстрелял девять человек в центре города, потому что сошел с ума. Но почему после устроенной бойни на глазах целой толпы он не испытывает никаких эмоций? Ни удовлетворения, ни раскаяния, ни апатии. И настолько равнодушен к своей судьбе, что, даже находясь в психиатрической клинике, продолжает кидаться на людей? Причем агрессию вызывают молодые люди определенной внешности. Катя и полковник Гущин, не верящий ни в бога, ни в черта, явственно видят здесь некую чертовщину. И, похоже, не без веских оснований...

УДК 82-3
ББК 84(2Рос-Рус)6-4

ISBN 978-5-699-40821-4

Глава 1

ДЕВЯТЬ СТУПЕНЕЙ

По первой дороге не уйдешь никуда.

По второй дороге не уйдешь никуда.

По третьей дороге... по этой дороге не уйдешь... не сбежишь... не спасешься...

ВЕРНЕШЬСЯ.

Некуда бежать. Стены — потолок, стены — потолок, стены, стены... И пол, холодный как лед.

Девять ступеней вниз. Только эта дорога открыта. Только эта дорога твоя.

Не сбежишь. Не спасешься.

На смятой постели человек в мокрой от пота футболке поднял пистолет, валявшийся на полу, секунду тупо созерцал его, точно видел впервые, а затем сунул дуло в рот и нажал на спусковой крючок.

НЕ СБЕЖИШЬ!!

Выстрела не последовало, хотя патроны в магазине были. Вкус железа во рту, вкус слюны...

Пистолет лежал у кровати, до него легко было дотянуться. Но уйти ВОТ ТАК не получилось. ОНО не желало такого конца. ОНО цепко держало его — он был нужен, он был еще нужен. Он не сделал еще того, что ОНО требовало, ожидало, жаждало в своей бешеной неумолимой ярости.

ОНО появлялось перед ним по ночам и днем, взламывая сухую штукатурку, разбивая кирпич стен, вспарывая старый линолеум, сплющивая в лепешку обувные коробки, привезенные с закрывшегося недавно вещевого рынка. ОНО заполняло собой все пространство, показывая себя в разных обличьях, в разных своих ипостасях, медля и угрожая, добиваясь полной покорности, полного подчинения.

Смятые обувные коробки... разбитый калькулятор... бритва, кредитка, ключи от машины, пистолет...

И посреди всего этого вздыбленные словно землетрясением плиты пола. Нет, разбитое надгробие, камень могильный, который так и не был поставлен — там...

Где поставлен? Кому?

Мраморная статуя... Живая, нет, конечно же, мертвая... не существующая нигде, только, наверное, в его воспаленном мозгу, но такая реальная, осязаемая...

Статуя в виде ангела с поникшими крыльями. Вместо лица, вместо глаз — багровая рана, бурые потеки на мраморном теле, вибрирующем от боли...

Он видел это перед собой — прямо перед собой у кровати. И за окном, и на стенах, и отраженным в зеркале. ОНО заставило его встать и приблизиться к зеркалу. А потом схватилось когтистой мраморной лапой за одно из собственных крыльев и с чудовищной силой рвануло его, выворачивая в суставе, с хрустом дробя кости. Мраморное крыло, покрытое чешуей, — оторванное крыло упало к его босым ногам, обрызгав ступни чем-то горячим и липким. И он закричал, видя свое отражение в зеркале — не себя, нет, своего двойника, который, впившись в собственную руку, со звериной яростью выкручивал ее в суставе, пытаясь оторвать, вырвать с корнем... Оторвать, вырвать, ломать, помогая себе ножом и зубами, превратившимися в клыки...

ОНО наблюдало за ним с довольной ухмылкой... ОНО добивалось полного подчинения, полной власти. А такую власть давала только боль — эта длящаяся день за днем, ночь за ночью пытка.

Когда он охрип от крика, когда сердце его готово было разорваться, ОНО сжалилось... Нет, просто чуть ослабило хватку. ОНО не хотело убивать его — пока, потому что он был нужен. Он еще не исполнил своего предназначения в полной мере.

Шурша чешуей по разбросанным по полу обувным коробкам, ОНО ползло к нему, сжавшемуся в комок в узком ущелье между кроватью и зеркалом.

Он, еще не опомнившийся от боли, втянул голову в плечи. Нет... нет, не сейчас, ну пожалуйста, нет, не сейчас...

ОНО накрыло его собой, как ночь накрывает землю, забив рот вонючей чешуей, чтобы он больше не мог ни кричать, ни стонать, стиснуло в кольцах объятий и повлекло за собой.

Девять ступеней...

Всего девять ступеней вниз...

Только эта дорога открыта...

Только эта дорога, и кто-то уже выбрал ее для себя.

Смятая постель, обувные коробки от пола до потолка, зеркало в простенке, мужские кроссовки, кредитка, ключи от машины...

Вот тут у кровати был пистолет.

Теперь его нет.

Девять ступеней вниз...

На полу возле зеркала среди сплющенных обувных коробок — окровавленное крыло, покрытое змеиной чешуей, в электрическом свете распадающееся на части...

Глава 2
ЖЕРТВЫ

Такого теплого ясного вечера на Старом Арбате не случалось давно. Возле Театра имени Вахтангова золотая Турандот купалась в сверкающих на солнце струях фонтана, окруженная толпой горожан и туристов, собравшихся в ожидании театрализованного представления уличных мимов и клоунов. В роли мимов и клоунов выступали студенты театральных вузов — пестрая банда в невероятных париках и костюмах двигалась по Арбату. Рыжий мим дудел в саксофон, его собрат, наряженный сексапильной брюнеткой в корсете и розовой пачке, бил в литавры, позаимствованные в театральном оркестре.

Голуби, вспугнутые шумом, взметнулись с мостовой, закружили над статуей Турандот, над фонтаном, над крышами, а потом снова чинно уселись на бетонных плитах стройки, вплотную примыкавшей к зданию театра. Возведено было уже три этажа железобетонных конструкций, опутанных арматурой, огороженных хлипким забором. Над всем этим торчал кран, но рабочих в этот час на стройплощадке уже не было. Арбатским голубям, оккупировавшим бетонные проемы, никто не мешал наблюдать с верхотуры за уличным действом.

Туристы и просто прохожие стекались к фонтану, привлеченные звуками музыки. Театральная банда встала на якорь у дверей Дома актера. Саксофонист выкаблучивался как мог, появилась пара гитар, импровизированный ударник. Мимы начали разыгрывать сценки, и зрители, толком ничего не понимавшие в уличном перформансе, встречали их шумом и аплодисментами. Кто-то из туристов фотографировал, кто-то снимал на видео.

— Это гей-парад?

— Что вы, это просто актеры, студенты.

— А чего ж парни с накрашенными губами, в юбках?

— А почему нет? Прикольно же!

— Ой, девчонки, а я вон того блондинчика по телику видела в сериале... Эй, это вы на «СТС» хохмили? Нет? Ну очень похож...

— Отойдите, не видите, я снимаю...

— Понаехали тут! На своем собственном Арбате уж и шагу не ступить...

— Э-э... простите великодушно, это конгресс дураков?

— Какого хрена!

— А зачем они все такие ряженые?

Актеры танцевали. В вечернее небо над фонтаном взметнулись шары. Внезапно голуби, гревшиеся в закатных лучах на бетонных плитах стройки, взмыли вверх. Их кто-то спугнул с насиженного места.

Все внимание собравшихся на маленькой площади перед фонтаном было поглощено представлением. На стройку никто не смотрел — на шершавые бетонные блоки, зияющие проемы, ощетинившиеся железными штырями.

В ту сторону, щурясь от солнца, бившего прямо в глаза, глянул мельком только продавец сувениров, скучавший у своей палатки. Уличный перформанс отвлек всех потенциальных покупателей. Майки с надписью «СССР», армейские ушанки с кокардами, вязаные варежки и матрешки, которые обычно шли нарасхват у доверчивых иностранцев, сейчас сиротливо лежали, висели, качались на ветру, невостребованные.

Весь вечерний Арбат смотрел на представление. А торговец сувенирами, ненавидевший артистов, этих сволочей конкурентов, упрямо и тоскливо пялился в противоположную сторону — на фонтан, на забор, облепленный афишами, на витки ржавой арматуры, на испуганных голубей...

Сначала он подумал — ему ЭТО мерещится. ТО, ЧТО ОН УВИДЕЛ в бетонном проеме третьего этажа строящегося здания.

На самом краю бетонной плиты стоял человек. В его руке был пистолет, и он целился сверху прямо в толпу — в студента, наряженного в корсет и розовую балетную пачку.

Бах!

Это был не выстрел. Ударили медные литавры театрального оркестра.

Торговец сувенирами зажмурился. Потом открыл глаза. И не узрел того, что видел секундой раньше. Бетонная площадка была пуста.

ПОМЕРЕЩИЛОСЬ... Торговец невольно вытер вспотевший лоб. Слава богу, померещилось... И привидится же такое, вот черт... А все жара... Торчишь на улице день-деньской, бабки с приезжих выжимаешь... ушанки армейские, матрешки... вот черт...

Он отвернулся от стройки и потихоньку начал сворачивать свой сувенирный ларек. Театральная банда входила все больше и больше в раж. Студенты отрывались от души, веселились сами и хотели развеселить Арбат. Они не получали денег за этот уличный карнавал, и поэтому желание веселиться и веселить было искренним. Долой скуку! Долой кислые, озабоченные, хмурые, злые морды! Да здравствует саксофон, да здравствует розовая пачка! Губная помада! Старый котелок, стоптанные каблуки, рыжий парик, да здравствует ментик гусарский с оторванным аксельбантом и мятая шляпка, славная шляпка из итальянской соломки!

Женюсь, женюсь, какие могут быть игрушки...

Взвейтесь кострами, синие ночи, мы пионеры, дети...

Но вы, но вы, мои случайные подружки...

А нам все равно, пусть боимся мы волка и...

I love you Dolly...

Близится эра светлых годо-о-о-в, клич пионера — всегда будь...

ЭТОГО НЕ УВИДЕЛ НИКТО ИЗ СОБРАВШИХСЯ НА ПЛОЩАДИ У ФОНТАНА. Даже бдительный торговец сувенирами, который посчитал, что ВСЕ ЭТО ему померещилось.

По железному каркасу строительной арматуры, нависавшей над забором, ловко и бесшумно, как акробат, в мгновение ока спустился человек и смешался с толпой. Выбранная им ранее позиция наверху на строительной площадке его не устроила. Цели были слишком далеко. Нужен был близкий, максимально близкий контакт.

Человек широко расставил ноги, упираясь крепко в плиты мостовой. Он что-то сказал сам себе негромко, но в шуме фонтана это слышала только статуя — золотая Турандот — бесстрастная и лукавая.

Она не могла, да и не собиралась никого предупреждать. Она лишь наблюдала сквозь прозрачные струи.

Человек вскинул руку — цели были прямо перед ним.

Такие вечера вспоминаешь потом долго-долго... И жалеешь о них, о чем жалеешь? Да так, просто так...

У полковника милиции Федора Матвеевича Гущина было самое сентиментальное и самое меланхоличное на свете настроение. Первые дни лета, семейство дражайшее — супруга и теща — на югах, в тихой Анапе, где вот уже третий сезон подряд снимают у знакомой хозяйки комнату в получасе ходьбы от моря. Сын — курсант Высшей школы милиции — в мае месяце женился. Обалдуй. Не мог дотерпеть уж, курс последний кончить... Сейчас не до отца, молодожен, ешкин корень...

А тут старый товарищ из министерства позвонил под конец рабочего дня. И ну соль на раны сыпать, а потом соблазнять адски. Как там настроение, Федя? Как раскрываемость в конце месяца? Как там ваш доблестный областной уголовный розыск? Пашет? Устал пахать? Зашиваетесь вконец — ну-ну... А не хочешь ли под занавес, на излете, перед пенсией, которая уже не за горами, перейти к нам в министерство? Должность солидная, тихая гавань, кабинет окнами на французское посольство, и зарплата как-никак побольше. Есть смысл обсудить предложение?

Встретились обсудить за коньячком под шашлычок на Арбате в грузинском ресторане, что, как горные сакли, громоздился уступами в переулке прямо за новехоньким торговым центром.

Вот так посидеть широко именно в грузинском ресторане ПОСЛЕ «пятидневной войны» — в этом был свой кайф. Федор Матвеевич Гущин аж плечи расправил и после каждой рюмки вытирал платком лысину. Демонстрируем все... А кому, скажите? Шиш под одеялом... А кому? Сидим все в одной общей ж... извините, подвиньтесь, а тоже еще... Ну а ты что скажешь мне, старый мой министерский кореш?

Министерский только кряхтел, закусывая чахохбили. Эх, да что там, Федя... был союз нерушимый, была страна, и какая страна... А теперь... «Пятидневная война» — дожили, называется... Кавказ подо мною... Живут ведь все там столетиями на одном пятачке среди гор, и вот поди ж ты — режут друг друга, взрывают. Дикость, а культурные вроде люди, цивилизованные, когда-то вообще одним народом считались — великий, могучий, советский... А теперь кланы, родо-племенной строй... Порядок нужен, дисциплина, а где это все? Где?! Слыхал, как хриплый очкарик Шевчук поет: «Я умереть за родину готов, но у меня тара-ра-ра семья и дети»... Так-то, друг, не на одном Кавказе все по швам трещит. Вон слыхал про майора-то, начальника ОВД? Китель надел, достал пистолет и давай... и давай одиночными прицельно... в супермаркете. Как после такого майора в глаза-то смотреть, как отвечать людям — почему, за что... Никогда ничего подобного, сколько мы с тобой служим, сколько министров пережили, сколько проверок с рук сбыли долой, сколько сил, нервов службе отдали, сколько убийств раскрыли, сукиных детей этих на нары определили — и все получается коту под хвост. Один майор пришел, вынул пушку, перестрелял, и все в тартарары.

НЕ ВСЕ. РАЗБИРАТЬСЯ НАДО.

Федор Матвеевич Гущин аж стукнул по столу кулаком, так что шашлык подпрыгнул и тарелка с лобио в грузинском-то ресторане, где все забрано светлым деревом, где сакли громоздятся по уступам горным, где свисают с потолка связки лука и сладкие чурчхелы, где тихо и стройно поет в динамике хор заздравный «Мравалжамиер».

Надо, Федя, надо. Надо разбираться, только вот поди разберись...

Сам черт не разберется...

Насчет перевода в министерство, в тихую гавань, даже после коньяка под шашлычок Федор Матвеевич Гущин, несмотря на все хитрые посулы, будировать тему не стал. Обождет... может, позже, когда уж совсем станет тяжко, невмоготу, да и здоровье пока еще позволяет...

Расстались, обсудив все насущное и не очень — от политики до министерских сплетен кто куда назначен и кто чей, расстались умиротворенные.

Такие вечера, господи ты боже мой, не так уж и часто выпадают в жизни. Редкое удовольствие, наверное, потому и жалеешь потом, вспоминаешь в своем одиночестве в прокуренном кабинете, где только-только прахом пошло совещание...

Вечер тихий...

Семейство на югах...

Один...

Арбат старый...

Музыка, джаз...

Дамы красивые... Сколько красивых, оказывается, бродит... А в машине едешь, ни хрена не замечаешь, все спешишь — новое убийство, банк ограбили, башку кому-то снесли...

Сколько женщин, однако, бродит вечерами по Арбату, одиноких, симпатичных...

И все куда-то туда семенят каблучками — в сторону фонтана, там музыка...

Полковник Гущин достал из кармана щегольского пиджака сигареты, неторопливо, с достоинством прикурил, ощущая запах дыма, запах вечернего воздуха, аромат кофе, доносящийся из многочисленных арбатских кофеен.

Оглянулся на грузинский ресторан — мир вашему дому, генацвале, и...

ВЫСТРЕЛ!

А следом за ним еще один, а потом еще и еще. И еще.

Позже, когда ВСЕ ЭТО уже стало достоянием уголовного дела, возбужденного по факту КРОВАВОЙ БОЙНИ у фонтана, всему происшедшему нашлось даже слишком много свидетелей и очевидцев.

И все в один голос твердили: ничто не предвещало. Никто и подумать-то не мог. Просто стояли на Арбате у театра, у фонтана, слушали музыку, смотрели на актеров — потешные такие пацаны, ряженые, и вдруг...

Что было сначала, а что потом? Что было первым, а что вторым? Вой саксофона, крик боли, грохот литавр и еще какой-то звук, который в толпе поначалу приняли за хлопок петарды. Но это была не петарда.

Актер в корсете и розовой пачке внезапно дернулся и рухнул навзничь как подкошенный. Из пробитого горла фонтаном ударила кровь.

И только тут все разом оглохшие, онемевшие зрители, вся эта толпа туристов, актеров, музыкантов, зевак увидела ТОГО, КТО СТРЕЛЯЛ.

Он был самой обычной наружности. Среднего роста, коротко стрижен и вроде молод. Он стоял, широко расставив ноги, подняв руку с пистолетом, — стоял прямо в толпе зрителей. От актера в розовой пачке его отделяло каких-нибудь пять шагов.

Но и тогда еще толком никто ничего не понял. Все просто обалдели, замерли. Человек с пистолетом повернулся и выстрелил в голову саксофониста. Потом сделал несколько шагов вперед и выстрелил еще раз — в актера с длинными светлыми волосами, собранными в хвост, одетого в гусарский ментик.

И только после этого арбатская площадь огласилась криками. Люди подались назад. Кто-то упал в фонтан, кого-то смяли, прижали к забору стройки. Все бросились в разные стороны, толкая друг друга, сбивая с ног.

Человек с пистолетом повернулся как робот, выбирая новые цели. Теперь он стрелял как в тире — пах! Пах! Пах! И каждый выстрел находил свою цель.

Один из прохожих — крепкий мускулистый мужчина лет сорока, не поддавшийся общей панике, подскочил к стрелку сзади и попытался схватить его руку с пистолетом. Но стрелок был силен и проворен: он ударил пистолетом, как кастетом, наотмашь. Мужчина упал на мостовую. Он закрылся руками, уверенный, что следующая пуля будет его. Но стрелок, подскочив к нему, лишь с силой ударил его ногой по голове. И отвернулся, как будто разом потерял интерес.

Его внимание привлекла другая цель — актер в пестром женском платье, совсем еще молоденький паренек, похожий на румяную девушку. Прогремел выстрел — пуля попала ему в живот. Двое его товарищей-актеров подхватили раненого под руки и потащили прочь, пытаясь скрыться в охваченной ужасом, бегущей толпе.

Стрелок последовал за ними. У него кончились патроны в магазине, и он сноровисто и быстро перезарядил пистолет.

Выстрелом в голову убил одного из актеров, тяжело ранил второго и направился к пареньку в женском платье, стонавшему в луже крови.

Все это происходило уже на опустевшем Арбате, все разбежались, попрятались кто куда — набились в кофейни, в ювелирный магазин, в аптеку — ту самую, старую, знаменитую, что на углу.

Сквозь витрины аптеки люди видели, как стрелок неспешно, как-то даже отрешенно двигался по направлению к своей раненой беспомощной жертве. Словно старался продлить удовольствие...

И тут откуда-то сбоку, со стороны переулка, занятого грузинским рестораном, на него налетел полный лысый мужчина — тоже самый обычный с виду и, кажется, уже в годах.

Выстрел! Пуля ударилась о карниз здания — мужчина в броске попытался выбить оружие из рук стрелка. Но это было не так-то просто.

Полковник Гущин ринулся на выстрелы, доносившиеся с площади перед театром. Он грузно бежал, расталкивая толпу, устремлявшуюся ему навстречу, — прочь, прочь, спасайся кто может.

Как он помнил, там, в арбатских особняках, было немало ювелирных магазинов, был и банк. И поначалу он решил, что это ограбление.

А потом увидел всю картину — трупы на мостовой, кровь — у фонтана, брошенную впопыхах кем-то сумку, медные тарелки-литавры, саксофон и... ЕГО, того, кто держал пистолет и медленно шел к скорчившемуся парнишке, обеими руками зажимавшему рану на животе.

Лица людей за витриной аптеки как маски. Это было последнее, ясное, отчетливое, что видел, что помнил полковник Гущин потом, позже. Стекло, много чертова стекла...

Удар! От удара в челюсть стрелок отлетел в сторону, но пистолета не выронил. Выстрелил уже не целясь. Нет, вовсе не в полковника Гущина, пытавшегося его задержать. А в раненого актера, лежавшего на мостовой.

Промах! Еще один выстрел! Пуля попала раненому в ногу, и он заорал от боли, забился в судорогах.

«Кто-нибудь, да помогите же ему! Вытащите его оттуда!» — это истошно на весь Арбат закричала какая-то женщина со второго этажа, где помещался итальянский ресторан, может быть, повар или официантка. Но никто не полез под пули.

Гущин подскочил к стрелку, но получил удар ногой в живот. Тот был молод и силен, и он не желал сдаваться. Снова используя пистолет как кистень, он ударил Гущина по голове. Но промахнулся, попал в плечо.

«Не стреляет в меня... Почему в меня не стреляет?!»

Гущин схватил его за руку, рванул на себя, заломил, применив болевой прием, потом ударил и еще ударил. Но у него было такое ощущение, что все его приемы и удары его противник не ощущает, не чувствует боли.

То, что он очень силен, что он намного сильнее и что он хочет убивать... что он вот-вот вырвется и снова выстрелит, — в этом уже не было никакого сомнения. И тогда Гущин, заревев от ярости как раненый медведь, используя свой немалый вес и свое потерявшее боевую форму немолодое тело, бросил себя на стрелка — как бросали себя на войне на дзот, на амбразуру. Бросил, закрывая собой все и всех, каждую секунду ожидая последнего выстрела — в грудь, в живот.

Но выстрела не последовало, может быть, потому, что у стрелка кончились патроны?

Не удержавшись в броске на ногах, оба они, и стрелок, и Гущин, с размаху влетели прямо в витрину аптеки, высадив ее.

Грохот, звон, осколки, крики людей... Мраморный пол... Гущин, оказавшийся сверху своего противника, ударил его по голове, схватил за волосы.

В глазах стрелка, которые были всего в нескольких сантиметрах от него, он не увидел ничего — никакого выражения, ни страха, ни боли, ни бешенства. Абсолютно пустые глаза...

Он ударил его по руке, выбив пистолет — и тот отлетел к прилавку.

— Ублюдок! Что ж ты наделал, гад!!

Гущин выкрикнул это, задыхаясь, замахиваясь, награждая ЕГО... этого... новым сокрушительным ударом.

Никакого ответа. Пустой взгляд... Что-то неживое, страшное... Уплывающее, ускользающее... Словно тиной, подернутое мутной непроницаемой пленкой.

Глава 3

ЦВЕТ МАРЕНГО

В зал на втором этаже привезли образцы драпировочных тканей и штор, и Старшая Хозяйка сказала:

— Мне нравится цвет маренго, он успокаивает, расслабляет.

— Может быть, все же фиолетовый? — вкрадчиво спросил дизайнер.

— Это цвет смерти.

— Но черный...

— Черный мы и так с сестрами носим слишком часто, почти постоянно.

Дизайнер умолк, понимающе кивая. Он знал историю этого дома — из слухов, из сплетен, из статеек в желтой прессе — и поэтому не стал настаивать на своем. Да он и не смел настаивать, даже не пытался — Старшая Хозяйка всегда умела заставить его профессиональный вкус подчиниться ее вкусу богатого заказчика.

— Мне нравится маренго, сестры тоже его одобряют, нам всем будет комфортно работать в таком декоре. — Старшая Хозяйка прошлась по залу, прислушалась к звукам в глубине дома, потом выглянула в окно.

Небольшой и тем не менее просторный, очень аккуратный особняк выходил окнами на Малую Бронную. Он имел маленький внутренний двор, отгороженный от улицы кованой решеткой. Особняк не был новоделом, когда-то давно, в первые годы революции, в нем заседали анархисты, затем в середине тридцатых он был подарен Сталиным старому писателю, вернувшемуся из эмиграции. Во времена «оттепели» старых жильцов сменил известный журналист-международник, женатый на англичанке. А потом, в середине семидесятых, в особняке особым распоряжением Моссовета поселили женщину с детьми, женщину, о которой тогда — в семидесятые — да и потом шушукалась на кухнях вся Москва.

Ее звали Саломея. И портрет ее украшал зал, уставленный диванами и креслами, где ждали своей очереди на сеанс все те, кто попадал в этот тихий особняк по предварительной записи — за месяц, за два месяца, а то и больше.

— Мне тоже нравится цвет маренго, Руфина, — послушно сказал дизайнер. — А ковровое покрытие тогда будет винного цвета?

— Винного? А где образец? Я хочу посмотреть образец.

К Старшей Хозяйке всегда и везде обращались исключительно по имени — Руфина. Таково было правило. По именам «в миру» звали и ее сестер — Среднюю Хозяйку и Младшую Хозяйку. Августа и Ника были их имена. Отчества и фамилия как-то с этими именами не сочетались. А потому правило было непреложным всегда и везде — на сеансе, при обсуждении деловых вопросов и при других обстоятельствах — только имена: Руфина, Августа и Ника.

Когда-то их мать, Саломею, вся Москва знала тоже только по имени, а все остальное для обывателей было тайной.

— Винный подойдет, но я хочу в узоре ковров что-то азиатское — афганское или тибетское, — Руфина бросила взгляд на статую медного Будды, как будто поставленного на караул возле широкой двустворчатой двери.

Дверь распахнулась, и на пороге показалась Средняя Хозяйка, Августа, — высокая жилистая женщина лет сорока с пышной стрижкой. Она была в мягком струящемся костюме из черного кашемира — дорогом и стильном. На груди ее висел золотой амулет.

— Мы закончили, он уезжает, — сказала она, голос у нее был слегка хриплым, наверное, оттого, что она курила.

Руфина снова подошла к окну. У кованых ворот ее дома стоял бронированный «Майбах», и в него, заботливо поддерживаемый охраной, садился не старый еще, но явно увечный мужчина восточной наружности.

— Вы с Никой подняли ему настроение, — усмехнулась Руфина.

— Он привез готовый к подписи контракт и акции, просил, чтобы мы считали информацию и сказали о перспективах. И потом у него большие проблемы с сыном... Тот судится с бывшей женой из-за детей. Хочет, чтобы они остались в их мусульманской семье, а она требует, чтобы они учились в Англии и жили там...

— Вы подняли ему настроение, — повторила Руфина, провожая взглядом тронувшийся с места «Майбах». — По их вере, кажется, им запрещено обращаться за советами к таким, как мы... Если бы он приехал к нам тогда, до этого злополучного покушения, до взрыва, то... Бегал бы сейчас... бегал бы как молодой, еще бы и гарем новый завел.

В зал неслышной поступью зашла третья, младшая из сестер-хозяек: Ника. Она была самая красивая, но даже человеку, впервые попавшему в этот дом и ничего не знавшему о его обитателях, с первого же взгляда становилось ясно: эта женщина в свои тридцать с небольшим — дитя неполного разума.

Она была темноволосой и кудрявой, и тоже в черном: в маленьком атласном платьице, оголявшем одно плечо. Ноги ее были босые. Она плюхнулась в кресло и начала болтать ими, ничуть не стесняясь дизайнера.

— Такой трудный... он такой трудный для чтения, — щебетала она тоненьким детским голоском. — И во всем сомневается, так сомневается. Хотя так хочет верить, так этого хочет, такой глупый... А ведь он же такой умный, такой богатый и такой глупый, все сомневается, сомневается... Как можно сомневаться, когда я это ему говорю, когда я вижу. И Августа тоже видит. Правда, Августа?

— Правда, ты молодец, девочка.

— Такой трудный, даже голова заболела.

— Тебе нехорошо? — тревожно спросила Руфина.

— Хочу малины.

Ника — тридцатилетнее дитя, нисколько не стесняясь дизайнера, раздвинула стройные свои ножки, продемонстрировав отсутствие белья, и почесала промежность. Встала, потянулась и сказала вроде бы без всякой связи:

— Я видела, что он скоро умрет, но я не стала этого ему говорить. Вы же не разрешаете мне говорить такое.

Она исчезла так же бесшумно, как и появилась. Дизайнер кашлянул.

— Руфина, так мы определились с выбором? Цвет маренго для драпировок, обивки и штор и ковровое покрытие... я понял, что вы хотите.

— Да, дорогой, когда привезете и начнете делать?

— Закажу сегодня же, а привезут, наверное, на следующей неделе, как доставят. Я сразу вам позвоню.

Когда он ушел, Руфина снова машинально пролистала альбом с образцами тканей.

— Он показывал в ноутбуке, как все будет выглядеть, — сказала она сестре.

— Тебе понравилось?

— Да.

— Делай как считаешь нужным, — сказала Средняя Хозяйка — Августа.

— Что еще сказал Багдасаров?

— Ну, он в основном нас слушал... Впрочем, у него деловое предложение. Он хочет, чтобы мы открыли салон, и знаешь где? В ЦУМе. Сейчас, на волне кризиса, это модно, это актуально, вон в Лондоне, в универмаге «Селфридж», что-то такое есть... сеансы гадания, и тут же магазин.

— Мать этого бы не одобрила.

— Мать практически в подполье была большую часть своей жизни, — Августа обвела глазами зал, — а потом тут торчала безвылазно. Багдасаров серьезно предлагает нам подумать над его предложением о ЦУМе.

— Кто туда поедет?

— С Рублевки поедут.

— С Рублевки и сюда едут, а там ведь надо будет платить за аренду и что-то отдавать универмагу. Зачем нам это?

— Вообще-то да.

— Тут у нас не Лондон, — заметила Руфина.

Она швырнула альбом с образцами тканей на низкий столик, инкрустированный перламутром. Выпрямилась. Они с Августой были похожи, только облик Руфины — сорокавосьмилетней, старшей — казался мягче, она сильно была склонна к полноте, хотя и вечно сидела на диетах. И волосы ее светлые были собраны сзади и прихвачены заколкой. А наряд был тоже черным: длинное платье и роскошная накидка от Кензо.

По слухам, по сплетням, по статейкам в желтой прессе, по интервью вся Москва знала, что сестры Руфина, Августа и Ника — сестры-медиумы, знаменитые ясновидящие сестры-Парки вот уже одиннадцать лет одеваются преимущественно в черное, нося траур по брату, без вести пропавшему, и по матери — великой Саломее, которая не смогла перенести этой страшной утраты.

— Уходишь? — спросила сестру Руфина.

— У меня клиент на три тридцать. Секретарь записала его снова, ну того... ты помнишь...

— Опять этот урод? Еще один урод?

— Несчастное создание.

— А оно может платить, это создание?

— Ты же знаешь, Руфина, что нет. Чем платить с такой пенсии?

— Зачем ты с такими якшаешься?

— Ну, скажем, мне интересно. И потом, это ведь не один урод, а целых два урода...

— Все надо проветривать потом, весь дом, так воняет всегда после!

Августа — Средняя Хозяйка, средняя сестра-Парка — только махнула рукой: а, отстань.

Через пять минут внизу, в холле, раздались голоса — нет, точнее, шум странный и нечленораздельный, то ли мычание, то ли хриплые гортанные выкрики. Руфина вышла на лестницу, но спускаться не стала.

Там внизу, в холле, Августа лично встречала нового клиента, привезенного в дом к сестрам-Паркам пожилой матерью откуда-то то ли из Шатуры, то ли из Орехова-Зуева. Это был грузный парень, распространявший вокруг себя тяжелый смрад, но это Августу совершенно не шокировало. С жадным вниманием, с каким-то даже болезненным, алчным любопытством она взирала на это создание — по сути своей являющееся сросшимися сиамскими близнецами: две ноги, две руки, а вот дальше что-то невообразимое — голова, слепленная по прихоти природы, а может, из-за пьяного зачатия из двух человеческих голов, где все смещено, искорежено — нос, три глаза и огромный, похожий на пасть рот.

Создание мычало и жестикулировало, пытаясь что-то сказать. Но и так все было понятно — оно приехало (в который уж раз) к ясновидящий Августе узнать, что уготовила ему судьба. В надежде на грядущее счастье и хорошие перемены.

Глава 4

СРОЧНЫЙ ВЫЗОВ

— Ой, как хорошо, что это ты, наконец-то освободилась! Они уже тут, долбят стенку вовсю. Их трое, и все здоровенные мужики, представляешь? А я совсем одна. Я боюсь!

Этими словами, произнесенными тревожным шепотом, Анфиса Берг встретила Катю Петровскую, по мужу Кравченко, на пороге собственной квартиры.

Катя — капитан милиции, криминальный обозреватель Пресс-центра ГУВД Московской области, весь этот погожий июньский день провела, как раб на галерах, на совещании в МВД на Житной. Накануне подружка Анфиса звонила ей и слезно умоляла «прибыть завтра незамедлительно, потому что у меня...».

Нет-нет, сердечные неурядицы — вечные спутники доброй толстой Анфисы — на этот раз были ни при чем. Просто в доме, где жила Анфиса, еще в мае начался капитальный ремонт, и вот к началу июня строители добрались и до ее уютной, всего два года назад отремонтированной квартиры.

— Стояк будут менять, это ли не зверство? — Анфиса буквально затащила малость опешившую Катю в прихожую. А в прихожей-то — батюшки-светы: пол застелен полиэтиленом, и от пыли — не какой-нибудь, а самой настоящей цементной пыли — не продохнуть. Скрежет противный уши режет, а потом — БУМ-М-М! БАХ!

— Боже, стенку в ванной ломают и в туалете! — Анфиса прислонилась к вешалке. — Я не могу, Катя, я просто не могу больше... Тот ремонт мой, ну ты помнишь... это же катастрофа была, столько денег... Я плитку такую красивенькую подобрала итальянскую, — Анфиса всхлипнула, — все так аккуратненько было... Положили, приклеили и герметиком... А теперь... Кать, там три лба здоровых с кувалдой и слушать ничего не хотят. Все долбят, рушат. Я пускать не хотела, а они — в суд на вас домоуправление подаст, потому что стояки менять во всем доме обязательно, старые, мол... В суд вас вызовем. По судам затаскаем! Имеют они право?

— Подожди, не реви, — Катя прислушалась к грохоту в ванной. — Сейчас разберемся, что они там имеют...

Анфиса рыдала, уткнувшись в вешалку среди пыли и разорения. А Катя... после совещания в министерстве, где столько умных коллег высказало столько умных, весьма умных, но, увы, мало осуществимых на практике идей, которые надо было затем подать в ведомственной прессе поприличнее... Короче говоря, она была усталой и злой как черт. И еще очень голодной. А такой настрой весьма кстати в разборках с коммунальщиками.

— Вы что тут за безобразие творите? — Катя кавалерийским наскоком распахнула дверь ванной и...

Вместо зеркала, вместо белоснежной итальянской раковины, которую Анфиса выбирала долго и тщательно, вместо новехонькой плитки, что она драила мочалкой с моющими средствами каждый день, зиял страшнейший пролом в стене, и оттуда трое дюжих мужиков выкорчевывали что-то ржавое.

— Не отвинтим никак, заржавело. Автоген тут нужен, деушка, — жизнерадостно сообщил один из коммунальщиков Кате, потерявшей дар речи, видимо принимая ее за хозяйку квартиры. — Щас автогенчиком чикнем и потом новый приварим.

— Да вы же тут все разбили, мама моя, — Катя, как и Анфиса прислонилась... не к вешалке, к двери ванной. — Тут же был новый ремонт, столько всего... А как же потом?! Кто это все будет в порядок приводить?!

Она даже растерялась — разрушения в ванной были слишком масштабными.

— А, ниче, плитку принесем, залепим — иништяк! Только, конечно, такую не подберем, вон белую кафельную производства незалежной — это пожалуйста. А сейчас автогенчиком поработать придется.

— Ну что там? — шепотом спросила Анфиса, когда Катя вернулась.

— Анфис, ты только не волнуйся. Дело житейское...

— А чего у тебя такое лицо?

— Анфис, они все раскурочили, там вот такая дыра, — потрясенная Катя развела руками на всю длину.

— Ой, а что у тебя такое лицо? Ты только не волнуйся... Я сейчас валокордина тебе накапаю, — Анфиса кинулась на кухню, семеня своими короткими толстыми ножками, — Катюша, это у тебя от неожиданности шок. Я-то уж привыкла с этим чертовым ремонтом, притерпелась, а ты...

БУМ! БАХ! Загрохотало в ванной кувалдой по стенам. Прощай, евроремонт, прощай, итальянская плитка!

Потом подружки сидели в комнате, вздрагивая при каждом новом ударе. Катя выпила-таки валокордин. Прислушивалась к шипению автогена, которым резали стояк. А когда с грохотом и скрежетом по новенькому паркету к ванной покатили на ужасной тележке кислородные баллоны для сварки, она не выдержала:

— Да что же это такое происходит?! Какой это, к черту, капитальный ремонт?! Тут же жить невозможно стало. Вода у тебя есть?

Анфиса горестно покачала головой.

— И канализация не работает, — она снова всхлипнула, — с сегодняшнего дня. Сказали, включат вроде на днях. Я соседку с нижнего этажа встретила, а она меня спрашивает — интеллигентная такая дама, она в консерватории преподает: Анфисочка, простите великодушно, но... такая проблема у меня... как ходить в туалет? Может, вы что присоветуете?

— Многие на дачи уезжают, лето ж, — жизнерадостно посоветовал возникший на пороге комнаты коммунальщик. — Хозяюшка, у вас попить чего не найдется, а то от пыли в горле першит.

Анфиса... добрая Анфиса налила ему, конечно же, чаю... Пей, пролетарий, знаю ведь, не твоя это злая воля — весь этот коммунальный бардак.

— Вот что мы будем делать; — Катя, малость взбодренная валокордином и все еще голодная как волк (есть в этом кошмаре было просто невозможно), скомандовала: — Ну-ка давай собирайся. Без разговоров. Сейчас они тут отпилят эту свою трубу, уйдут. Все равно ведь конец рабочего дня. А мы с тобой поедем ко мне. И ты будешь жить у меня. А сюда приезжать — контролировать.

— Но, Кать, как же я квартиру оставлю?

— А как ты будешь без воды и канализации эти дни? Давай собирайся, сейчас я вызову такси, и забудем весь этот капремонт на сегодня как страшный сон.

— Кать, я...

— У меня знаешь какие дома пирожные? — выдвинула Катя последний, самый веский аргумент, — пальчики оближешь. И чай я тебе заварю — этот твой любимый со сливками и карамелью.

Толстушка Анфиса собирала сумки. В ванной пилили стояк — пилите, Шура, или как там вас, пилите! Такси приехало через пять минут. Катя была довольна. Это вам не совещание в министерстве, где скука смертная и надо все равно сидеть, подставив диктофон, строчить в блокноте, записывая умные бесполезные мысли. Это вам — живой процесс, на который можно влиять своей собственной волей.

— А я не помешаю? — Анфиса уже не сопротивлялась, просто беспокоилась из деликатности. — Твой муж... Вадик, он все еще не...

— Он за границей вместе со своим работодателем. — Катя пока не хотела касаться этой весьма больной для себя темы — отношений с «Драгоценным В.А.», как именовался муж ее, Вадим Андреевич Кравченко, на домашнем жаргоне.

— А вы, значит, еще с ним не...

— Ты успеешь сделать свой ремонт, — заверила ее Катя.

Добрая Анфиса только вздохнула. Потом они сидели в прихожей. Ждали, когда отвалят садисты-коммунальщики. И те ушли как ни в чем не бывало, потому что день рабочий кончился, оставив после себя пролом в стене, тучи пыли, битую плитку, пустые краны и лишенный воды унитаз.

Анфиса закрыла дверь разоренной квартиры. Погладила дерматин — не скучай, милый...

Катя, торжествуя, что все проблемы так легко удалось решить по крайней мере на сегодня, погрузила подругу в такси и уже хотела садиться сама, как вдруг у нее зазвонил мобильный.

— Капитан Петровская?

— Да, я.

— Это дежурный по Главку. Вы еще на совещании?

— Нет, что-то случилось?

— Просили вас вызвать.

— Что произошло?

— В Москве серьезное происшествие. Неизвестный открыл стрельбу по прохожим на улице. При его задержании, как нам докладывают, пострадал Гущин Федор Матвеевич... Товарищ полковник наш пострадал...

— Еду! — Катя сунула Анфисе ключи от квартиры. — Адрес знаешь, устраивайся. Я скоро буду, а если задержусь, то...

Она махнула таксисту и, только когда он уже отъехал, сообразила, что они могли подвезти ее туда, куда ее так спешно вызывали, — на работу, на Никитский, 3.

Глава 5

«КАК РАСТАЯЛ...»

Смеркалось. Во внутреннем дворике особняка на газон, на маленькие клумбы ложились густые синие тени. Пока Августа занималась своим клиентом, старшая сестра Руфина и младшая сестра Ника сидели в шезлонгах во внутреннем дворе. Ника уплетала спелую малину, розовый сок тек по ее подбородку, но она словно и не замечала.

Но вот сеанс предсказаний, видимо, закончился. Горничная промелькнула в окнах первого этажа, включая кондиционеры на полную мощность.

— Увезли уродов, — Руфина вздохнула. — Наконец-то. Не поймешь, он один или их двое.

— У него внутри все чешется, — буркнула Ника с набитым ртом.

— Что?

— Чешется, горит. Я вижу... читаю... У него в мыслях только это одно сейчас.

— Этого еще не хватало.

— Трахаться хочет. Был маленький — стал большой. Он вырос, и его мать... Я знаю, что Августа им скажет и что его мать сделает, — младшая сестра Парка Ника — тридцатилетнее дитя облизнула губы розовым язычком. — Я знаю, что предложит Августа, она всегда это им предлагает.

Руфина резко встала, отпихнула шезлонг ногой. И пошла в дом.

— Вера, откройте окна везде, — приказала она горничной — приходящей поденно, тихой как мышь, мелькающей по дому как призрак. — Здесь кондиционер бесполезен, впустите воздуха, свежего воздуха.

Потом она пошла к Августе и не нашла ее в спальне. Августа была внизу, стояла в зале возле портрета матери — великой Саломеи.

— Я знаю, чего ты хочешь, — резко, даже излишне резко сказала Руфина. — Но я больше этого не позволю. Где угодно, только не здесь. Сюда больше этот сросшийся ублюдок не приедет. И если ты хочешь его, то...

— Отчего ты так жестока? — спросила Августа. — Это же люди... несчастные, искалеченные судьбой. Надо быть милосердной, надо уметь сострадать.

— И ты еще заикаешься о сострадании? Обернись.

— Что?

— Обернись. Ты видишь ее? — Руфина указала на портрет. — Это наша мать.

Августа послушно обернулась и долго, очень долго смотрела на портрет. Великая Саломея на нем была изображена молодой — в полный рост у зеркала в серебряной венецианской раме. На ней было черное платье до полу, в руках хрустальный шар, с которым она не расставалась; его помнили все, кто приходил, приезжал к ней, кто приглашал ее к себе — читать, рассказывать, видеть, обещать, предостерегать, предупреждать.

Краски на портрете были яркими, чувствовался этакий советский «кич» восьмидесятых. Некоторым, впервые попавшим в особняк на Малой Бронной, мерещилось, что это портрет кисти Глазунова или Шилова. Но это было не так. Портрет великой Саломеи рисовал совершенно другой художник. Саломея выбрала его сама, и только потому, что увидела и предсказала его раннюю безвременную кончину — смерть от несчастного случая, трагическую и нелепую, на железнодорожном полустанке. «Он уже никого не нарисует после меня, и это хорошо», — сказала она. И ее старшая дочь Руфина — очень молодая еще тогда — запомнила эти слова на всю жизнь.

Портрет был нарисован на пике славы и популярности ее матери в определенных кругах. О Саломее говорили, нет, в основном судачили по тогдашнему советскому обычаю на кухнях, что она «как Ванга», сравнивали ее с Джуной. Но она не была ни Вангой, ни Джуной. Она была другая.

«Ядовитая божественная Саломка эпохи заката развитого социализма в СССР» — так совсем не по-деловому писал о ней американский «Таймс» в 1977-м. Все воспоминания старшей, Руфины, начинались именно с этого времени, когда их с матерью перевезли и поселили в этом доме на Малой Бронной. Откуда перевезли? Руфина этого не помнила, нет, помнила, конечно, но постаралась забыть. Зачем ворошить прошлое? Мать, великая Саломея, волей судьбы большую часть жизни прожила втайне, инкогнито, хотя здесь, в особняке, и тогда и после побывало много, очень много известных людей.

Несколько раз ее возили в Кремль — еще тогда, в семидесятые, потом и в ЦКБ. Нет, она никогда не была целительницей и никого не лечила, как Джуна. Ее вызывали совсем по другим вопросам. Да-да, совсем по другим...

Когда Москву посетил Рейган... она встречалась с ним. К ней часто приезжали люди из ЦК. Особенно после катастрофы на Чернобыльской АЭС. Тогда сеансы были особенно долгими — мать запиралась с посетителями на несколько часов. Руфина помнила это. Тогда никто не знал, что делать, — не знали на самом верху, все боялись. Все очень боялись. Паника и растерянность, почти паралич, коллапс, а по радио и по телевизору — сплошное вранье. Саломею просили о консультации — просили так настойчиво, как не просили никогда прежде: «прочитать», увидеть, проконсультировать, предостеречь, сделать прогноз... Будет ли эффективен «саркофаг», что делать с городами, пораженными радиацией, какие грядут последствия. И главное — будут ли народные волнения, бунты в пораженной зоне, стоит ли держать в боевой готовности войска.

Хрустальный шар... Этот нежный, прозрачный кристалл... Руфина помнила его, в те дни он всегда был в руках матери, она не выпускала его, точно он был живой...

А потом... потом было еще много всего. И слава матери только росла, росла. Прием во французском посольстве и две великие ясновидящие — мать и Мария Дюваль. Тот милый мальчик, которому она предсказала олимпийское «золото» в фигурном катании, если он будет много тренироваться... Факсы, факсы, бесчисленные факсы, что ей слали в дни заседания Верховного Совета... И потом из администрации Ельцина... Тогда тоже никто ни черта не знал — как что будет и чем все закончится... Большой кровью, малой кровью... Саломею заставляли смотреть, «читать», видеть, консультировать, предупреждать. Она составляла личный гороскоп Самому. И многим, которые тоже ни черта не знали, но хотели так много от жизни. И она составляла гороскопы и читала, не щадя ничьих амбиций, предрекая то удачу, то крах. И за это ее стали потихоньку... Нет, все было по-прежнему, слава, шепоток за спиной, негласная охрана, дипломаты, иностранные журналисты, стремящиеся получить интервью «постсоветского феномена».

А потом пришла БЕДА. И Саломея — великая, божественная, ядовитая Саломка эпохи заката развитого социализма, внештатная сивилла краха, пифия реформ и всего, всего, всего, всего... не справилась с этой БЕДОЙ.

— Мать умерла, — сказала Августа, отводя взгляд от портрета на стене.

Если приглядеться повнимательней, на камине под портретом в простой черной траурной рамке стояла маленькая фотография. На ней был изображен юноша лет двадцати шести. Черный пиджак, белая рубашка, овальное лицо с немного тяжелой нижней челюстью, красивые серые глаза, широкие брови и светлые волосы — длинные, хиппово распущенные по плечам...

В дверь позвонили.

— Кто-то еще по записи? — спросила Руфина.

— Та супружеская пара. Ну ты помнишь... О них звонили... Надо встретить их как подобает. — Августа направилась в зал.

Через пять минут горничная провела туда мужчину и женщину лет пятидесяти. Он в дорогом костюме, она — вся с ног до головы в «Луи Вюитон», но сгорбленная как старуха, с серым заплаканным лицом.

В зал пришла Ника. Уселась первой в кресло у окна, повернув его так, чтобы лицо ее не было видно посетителям.

— Здравствуйте, это наша младшая... Очень сильный медиум, она поможет нам, — сказала Руфина. — Вы что же, прямо с самолета?

— Я смог вырваться только на один день, — мужчина в дорогом костюме кашлянул, усаживая жену на диван напротив сестер-Парок. — Большое спасибо, что согласились принять нас.

— Наш долг помогать людям. В этом назначение нашего дара, — скромно сказала Августа. — В общих чертах мы уже в курсе вашей проблемы. Вы привезли фотографию или вещи... что-то такое, что было его, с ним...

— Я хочу узнать только одно — он жив или нет, — женщина прижала к груди сумку «Луи Вюитон». — Мой сын... Ему же всего девятнадцать!

— Вещи, пожалуйста, или фотографию дайте, — настойчиво повторила Августа.

— Вот, вот, много фотографий. Он так любил фотографироваться. Это вот когда он был во Франции. А это когда они... когда мы отдыхали на Канарах...

— Достаточно одной, но где только он, — Августа забрала фото и передала его Нике.

Та вгляделась в снимок. Положила его на колени — нет, на голые ляжки, обнажившиеся бесстыдно.

Она не поправила свое черное платье-коротышку, она вообще не придавала значения таким вещам. Потом она накрыла лицо изображенного на снимке рукой и откинула голову на спинку кресла. Как будто задремала.

— В общих чертах мы знаем, но расскажите снова — очень сжато, — сказала Руфина.

— Ну что рассказывать, я откомандирован в Узбекистан нашей корпорацией, там большие инвестиционные проекты в энергетику, — мужчина снова кашлянул. — Жена была со мной, а сын учился в Москве на втором курсе в университете имени Губкина. Он и приехал-то к нам туда всего на несколько дней. А потом они с другом собирались лететь в Эмираты. Прямо из Ташкента.

— Ему было девятнадцать лет?

— Да, второй курс. В то утром все было как обычно. Он встал...

— Подожди, ты не знаешь, тебя не было, ты находился в офисе. Я была с ним, я, — лихорадочно перебила его супруга. — Он встал, и мы завтракали. Вечером нас пригласили... Ну это неважно, президентские скачки... это неважно... Сын... он был все время со мной. Понимаете — совершенно незнакомый ему, чужой город. Ташкент, вы знаете, что сейчас такое Ташкент? Мы жили в квартале... ну, в правительственном квартале, резиденция корпорации... Там охрана и все такое прочее... Это же теперь заграница, и потом, это Азия... Он никого не знал там, в этом городе, — я точно это знаю, он прилетел к нам всего двое суток назад. И вот когда мы сидели с ним на веранде в саду, ему вдруг кто-то позвонил по мобильному. Я и внимания не обратила, думала, что это кто-то из Москвы. Он встал, поцеловал меня и сказал: «Мама, я сейчас, на пару минут». И вышел. И я ничего не почувствовала, не встревожилась, вы понимаете? А потом я спросила у охранника, потому что сына все не было, и охранник сказал, что он вышел за ворота резиденции и пошел по улице — в чем был, в джинсах, в майке. На нем даже кроссовок не было, просто такие кожаные шлепки, испанские...

— И с тех пор вы его больше не видели? — спросила Августа.

— Он пропал. Наш сын... господи, что мы только не делали, где только не искали, кого только не подключали — там, в Узбекистане, и здесь, — мужчина говорил сдержанно, но давалось это ему тяжело. — Я все что мог... полиция, частные детективы... Обращался к тамошнему духовенству... В правительство, в администрацию... Наш сын... Никаких вестей, ноль. Вот уже целый год мы не знаем ничего о нем.

— Помогите нам, умоляю, на вас вся наша надежда, последняя надежда, — женщина уже плакала. — Я не знаю, я схожу с ума... Если он умер, погиб, убит... Скажите мне это, и я... Другие матери, потерявшие сыновей, могут хотя бы прийти на могилу и поплакать там, а я... я даже этого не могу. КАК РАСТАЯЛ... вы понимаете меня?!

— Ника, — тихо окликнула сестру Руфина.

Нет ответа.

— Ника, что?

Молчание. Супруги повернули головы в сторону младшей сестры-Парки, но лица ее им не было видно.

— Она не находит контакта, — сказала Руфина.

— Но вы должны нам помочь! — У женщины, видимо, уже начиналась истерика. — Вы должны меня понять как никто другой. Я говорю — мой сын как растаял! Ничего за целый год... Вы... я же знаю, мне говорили, у вас самих было то же самое — у вас, в вашей семье. Мы с мужем навели справки, прежде чем обратиться, прилететь сюда к вам. Несколько лет назад ваш брат... господи, мне говорили, мне называли его имя, но я забыла... Ваш брат — молодой, совсем еще юноша, он ведь тоже пропал, без вести пропал. КАК РАСТАЯЛ...

— Его звали Тимофей. — Руфина помолчала секунду. — Да, вы правы, ваши источники информации не солгали вам. Наш брат пропал без вести одиннадцать лет назад, и с тех пор мы носим траур, оплакивая, безмерно оплакивая эту утрату.

— Извините, мы не хотели... простите мою жену, она не соображает, что говорит. И не было никаких источников информации, поверьте, — мужчина сжал руку жены. — Милая, так нельзя, вот так, как ты делаешь, — так нельзя!

— Но они должны понять нас, наше горе...

— Не иметь контакта — это не значит плохо, — сказала Августа. — Наша сестра связалась с НИМИ и... контакта не последовало. Может быть, это означает, что среди НИХ вашего сына нет.

— Я не понимаю... с кем это с НИМИ? — спросил мужчина.

— С мертвыми. Видите, она не отвечает нам, она там сейчас, среди них, ищет, но не находит. Ника?

Нет ответа. Внезапно младшая сестра-Парка пошевелилась в кресле. Сестры следили за ней напряженно. Мужчина хотел что-то снова спросить, но они обе лишь подняли руки, призывая к молчанию.

В зале наступила гнетущая тишина.

Руки Ники безвольно свесились вниз, фотография соскользнула с колен. Казалось, она уже не дремлет, а глубоко спит в своем кресле. Но это было не так. На ее пухлых измазанных малиной губах в пузырьках слюны трепетало какое-то слово.

Руфина встала, подошла к креслу и нагнулась, ловя его.

— Со-о-о-мма... Она говорит «сомма». — Руфина повернулась к супругам: — Это слово подсказали ОНИ. Вам это что-то говорит?

Женщина лишь заморгала испуганно, непонимающе, а вот ее муж... Он резко поднялся с дивана.

— Что вы хотите этим сказать? — спросил он. И в его голосе, до этого встревоженном, зазвучали нотки металла. — Как это понимать? Вы что, издеваетесь?

— Это слово вам знакомо, — заметила Августа.

— Я неплохо знаю Восток, и я... так еще в старину на Востоке в древних текстах обозначался наркотик... опий, сомма... Вы что же это, хотите сказать, что мой сын, что наш мальчик был законченный наркоман?!

— А разве вы с женой этого не знали? Это открытие для вас?

— Вы что себе позволяете?! Пойдем отсюда, они... Я говорил тебе, к таким, как они, нет смысла обращаться, это все обман, ложь и вымогательство денег. — Мужчина потянул свою супругу с дивана. — Как вы смели... Да вы знаете, кто я?.. Какую должность я занимаю... и вы посмели открыто назвать моего сына, моего единственного сына наркоманом? Отбросом?!

— Среди мертвых сестра его не нашла, — Августа обращалась не к нему, а к матери, потерявшей сына. — В этом надежда для вас. Ищите его в общинах... они порой живут такими общинами... и вне вашего уклада... Везде, где легко достать наркотики, где они дешевы... Если есть возможность и если есть желание — ищите. Если сможете принять его таким, каким он стал, точнее, каким он был уже с пятнадцати лет.

Глава 6

«ОБ ЭТОМ НАДО ПИСАТЬ, ТОЛЬКО ВОТ ЧТО?»

Нужно время, чтобы осмыслить некоторые происшествия, только вот никто точно не может сказать — сколько этого самого времени потребуется, чтобы действительно понять, ЧТО ЖЕ СЛУЧИЛОСЬ.

Катя приоткрыла дверь кабинета Федора Матвеевича Гущина. Вроде бы все как и прежде, как и месяц, как неделю назад. С того срочного вызова вечером в Главк, когда она всучила растерянной Анфисе ключи от своей квартиры, прошла неделя.

В кабинете Гущина только что закончилась оперативка, и было сильно накурено, холодом веяло от включенного на полную мощь кондиционера. Гущин, отвернувшись от двери к окну, разговаривал с кем-то по телефону. Катя прислушалась — с женой старик наш беседует. В розыске говорят — жена его сейчас где-то на море отдыхает, и он ей так и не сказал о том, в какую переделку попал неделю назад.

О мужчины! Не устаю удивляться вам никогда.

К счастью, в тот вечер все обошлось. Порезы от стекла — этим будет памятно для полковника Гущина то громкое задержание на Старом Арбате. Порезы от стекла... Звонок от дежурного по Главку перепугал Катю не на шутку, и она мчалась в Главк, готовясь к самому худшему. Но все обошлось. Полковник Гущин провел в одиночку, наверное, самое трудное в своей жизни задержание вооруженного преступника и остался жив. Только поранился о стекла витрины аптеки там, на Арбате.

Катя прикрыла дверь кабинета, пусть поговорит, может, после жениных слов малость душой оттает? А то его после такого задержания просто задергали — Петровка, прокуратура, информационные каналы, радио, телевидение. Ну с последними-то в основном пресс-служба Главка имела дело, в том числе и она, Катя. Что-то мололи языком, отбояривались — в основном то, что делом о расстреле на Старом Арбате занимаются столичная прокуратура и МУР. И поэтому все вопросы, господа, пожалуйста, туда, в эти уважаемые организации, они вам все прокомментируют лучшим образом. Но средства массовой информации жаждали комментария непосредственного очевидца и участника событий, человека, который задержал ЕГО — того, кто стрелял.

Они оба — и ОН, и Гущин — были в первых строчках информационных выпусков недели, на первых полосах газет. И если с полковником Гущиным все относительно ясно, то с тем, другим, было ничего не ясно.

Только имя, одно только имя...

— Екатерина, входи, чего там под дверью скучаешь?

Катя вошла. Несмотря на холод от кондиционера, после беседы с супругой полковник Гущин взмок, вытирал платком ярко блестевшую лысину.

— Чутье у вас, скажу, как у акул, — хмыкнул он.

— У кого это у «вас», Федор Матвеевич?

— Да у женщин, у кого ж еще. Вон моя клуша в Анапе сидит, загорает, а твердит об одном: «Что у тебя там, Федя? Я же чувствую, что-то с тобой стряслось».

— Федор Матвеевич, она Первый канал смотрела, передавали.

— Ох, черт, точно... С тещей они там, та и на море-то не ходит, торчит день-деньской у телевизора как приклеенная... Говоришь, и по Первому передавали?

— По всем каналам всю неделю. Это дело среди главных новостей.

— Садись, что стоишь-то? — Гущин указал на стул. — Знаю, зачем пришла.

— Правильно, — Катя кивнула, — вы у нас сейчас главный герой. И я такой материал упустить не могу. «Криминальный вестник» мне каждый день звонит, просят, чтобы я сделала с вами интервью по результатам задержания.

— В гробу я видал их интервью.

— Я понимаю, Федор Матвеевич. Но и вы меня поймите. Во-первых, такое задержание, такой материал не каждый день, а я профессионал, меня для этого тут в Главке держат. А во-вторых...

— Ну что во-вторых?

— Я искренне и глубоко восхищаюсь вашим мужеством. Вы людей спасли, своей жизнью рисковали. Я хочу об этом написать, я должна.

— Ох, лиса-лиса, — Гущин снова вытер лысину платком. Откинулся на спинку кожаного начальственного кресла. По его лицу Катя поняла, что выбрала самый верный подход к полковнику. — Кого я там спас... Четыре трупа, пятеро в больнице в тяжелейшем состоянии.

БОЙНЯ... Так об этом происшествии на Арбате говорили по телевизору. Четверо убитых, пятеро раненых — всего девять жертв.

— Если бы не вы, пострадавших было бы намного больше, — сказала Катя. — ОН... этот... ОН же продолжал стрелять, пока вы его не остановили, рискуя собой.

— Давай повременим с интервью, а? Честное слово, не могу... нехорошо это сейчас, не к месту... Не понятно пока ничего с этим ублюдком — то ли безумный он, то ли наркоман, то ли черт его знает кто.

Я когда выстрелы там услышал, подумал — магазин ювелирный грабят. Пока добежал туда... Видишь, брюхо какое нажрал, — Гущин хлопнул себя по животу, по пиджаку. — Годков бы пятнадцать скинуть, разве я бы так туда бежал? А он за эти секунды девять человек положил... Четыре трупа... Из пятерых раненых неизвестно еще кто выживет. И все молодежь, я же видел их потом, когда «Скорые» приехали... Все молодые... Простить себе не могу, что опоздал настолько. А ты интервью, какое, к лешему, мне сейчас интервью?!

Катя молчала. Да, настаивать на своем бесполезно.

— Вы ЕГО на допросах в прокуратуре видели? — спросила она после долгой паузы.

— Один раз. Очную ставку нам следователь проводил. Сидит в наручниках, рядом двое из МУРа, следователь и я... Сказал я, что это он, тот самый. Тот самый, мол, который... Знаешь, столько я лет работаю, столько уже в розыске уголовном, а чудна мне порой, бредом кажется эта наша следственно-процессуальная бюрократия. Все вроде так и надо, все вроде в рамках кодекса, пока тебя самого не коснулось.

— Федор Матвеевич, а ОН что сказал на очной?

— Он молчит.

— Молчит?

— Ага, молчит. А чего так удивляешься? Самая верная беспроигрышная тактика пока для него молчанка. Все они молчат. Слышала, наверное, с чем это арбатское дело сейчас сравнивают напрямую?

Катя кивнула. О сравнениях она слышала и по телевизору, и не только. Коллеги Гущина в уголовном розыске и прокурорские вспоминали другой «расстрел» — в супермаркете, ставший настоящим шоком, от которого Москва еще не успела опомниться. Дело бывшего начальника ОВД «Царицыно», тридцатидвухлетнего майора милиции, открывшего стрельбу из пистолета по людям.

— Вирус, что ли, это такой сейчас в воздухе летает? — Гущин покачал головой. — Такая злоба... животная злоба... И вроде ведь самый обычный, каких тысячи... Не судимый, проверили его вон сразу в МУРе по всем учетам. Не замечен, не привлекался... Вполне добропорядочный... Торговец какой-то, вроде обувью импортной торговал.

Катя поняла: Гущин говорит не о майоре из супермаркета, а о СВОЕМ противнике.

— Я знаю только его имя и фамилию, — сказала она. — Роман Пепеляев. Но мы должны разобраться в этом деле, хотя бы потому, что вы принимали в его задержании непосредственное участие. Федор Матвеевич, разве вам самому не хочется в этом во всем разобраться? Пусть это и не наше дело по подследственности, пусть московское, но неужели вы сами не хотите понять причину, по которой этот человек убил и ранил столько людей? В этом надо разбираться. Об этом надо писать.

— Тебе бы лишь писать в газеты свои.

— Об этом нужно писать, — повторила Катя. — Только вот что? Неужели вам самому, столько лет проработавшему в розыске, не хочется все досконально и точно узнать?

— Досконально... Ты его глаза не видела там. Когда он целился... И потом, в той аптеке... Ладно, тебя, видно, не переспоришь, вся пресс-служба наша тебя всегда как стеной подпирает. В четыре часа подходи сюда в розыск, если свободна будешь от писанины своей, могу взять тебя с собой туда.

— Куда? — Катя не верила своим ушам. В прокуратуру, а может, в Матросскую Тишину, где содержат арбатского убийцу?

— МУР обыск проводит в доме, где, по их данным, он обретался в последние месяцы. По месту прописки-то глухо все, не появлялся даже. Так вот установили они за неделю этот новый адресок. Ну и я хочу подъехать туда, своим глазом глянуть, как там и что в этом его логове.

Глава 7
ЛОГОВО

Ровно в четыре, чтобы не передумали и, не дай бог, не уехали без нее, Катя спустилась во внутренний двор Главка, где обычно стояла служебная машина полковника Гущина. Он и его шофер курили во дворе.

Катя села сзади, открыла сумку, украдкой проверила: диктофон при ней, фотокамера тоже. В ходе обысков, конечно, категорически запрещено снимать и записывать, но бывают же исключения? Дело арбатского убийцы ведет Москва, и, наверное, это единственный раз, когда она, областной сотрудник, может оказаться рядом с какой-то важной и «многое объясняющей» информацией. А поэтому только на свою память — пусть и профессиональную — полагаться не стоит.

Так казалось Кате тогда. ОНА И ПРЕДСТАВИТЬ НЕ МОГЛА, ЧТО ЖДЕТ ИХ ВСЕХ, КАКИЕ СОБЫТИЯ СТОЯТ НА ПОРОГЕ.

Сели и поехали, Катя приготовилась ехать долго. Гущин ведь сказал — «логово». Логово убийцы... а это всегда где-то далеко, на отшибе — гараж, бункер, гнилой сарай, превратившийся в руины цех старой фабрики, бойлерная где-то там... на улице Вязов...

Выехали из Никитского переулка на Тверскую, на Пушкинской свернули на Страстной бульвар, потом на Петровку, въехали в Малый Каретный и остановились под стеной, окружающей столичную милицейскую цитадель.

— Коллегу захватим, — пояснил Гущин, набрал номер сотового. — Ну ты где? Я тебя жду.

Из проходной появился очень низенький и очень толстый мужчина — ровесник Гущина в черном костюме с портфелем. Тесный ворот сорочки душил его. Пухлые щеки румянились, как яблоки наливные. Эта совсем не героическая внешность принадлежала человеку, которого Катя моментально узнала, потому что видела его много раз на совещаниях в министерстве и, не столь часто, там же, на брифингах. Начальник отдела убийств МУРа полковник Елистратов.

— Наши уже там, и лаборатория ЭКУ тоже, наверное, на месте, а я тебя, Федя, жду, как договорились, — Елистратов полез в машину, отдуваясь, как морж. — Ох и жара сегодня... что ж дальше-то будет. А я гляжу, ты не один, с эскортом дамским.

— Здравствуйте, я капитан милиции Петровская, — Катя представилась скромнехонько. Полковник Елистратов, так же как и Гущин, были знаковыми фигурами розыска, старыми товарищами и старыми соперниками. Москва и область...

— Леш, быстро вы с адресом-то этим, — одобрительно буркнул Гущин. — Повезло, признайся честно?

— То есть как это повезло? Работали, время даром не теряли, — хмыкнул Елистратов и скомандовал: — Тут налево и вниз, к Старой площади. В течение суток фамилию установили при полном отсутствии данных и контакта с его стороны. Прописку пробили, он с Твери сам, только вот уже восемь лет там не живет, в Москве обретается.

Катя поняла, что говорят об арбатском убийце.

— Роман Григорьевич Пепеляев, тридцати двух лет, уроженец Твери, закончил там среднюю школу и два курса экономического факультета Тверского университета, потом был отчислен за прогулы, — полковник Елистратов полез в портфель. — В Твери у него квартира, после смерти матери досталась, но он там не живет. В Москву, сволочь, перебрался — людей тут у нас как зайцев стрелять...

— Как данные-то установили, он же молчит вглухую? — спросил Гущин.

— Работаем, стараемся, — Елистратов покосился на притихшую Катю. — Паспорта при нем, когда ты его там, в аптеке, в пол впечатал, естественно, никакого не было и прав водительских. В кармане только визитку нашли, фирменного обувного магазина. Через этот магазин и вышли на его персональные данные. Сразу мои сотрудники туда поехали с его фотографией, ну и опознали в нем некоего Романа Пепеляева — оптового поставщика.

— Бизнесмен, что ли, он?

— Оптовик. Так, мелочь... В одном месте закупал — обувь, кожгалантерею, потом по магазинам пристраивал. Как это сейчас у них называется-то... баер, что ли... типа челнока, но малость посолиднее.

Катя слушала, боясь пропустить хоть слово. Они стояли в плотной пробке на Лубянской площади. И она не следила за дорогой.

— Не судимый, ранее ни в чем таком никогда, как говорится... Тридцать два года — другие женятся в это время, детишек заводят, а он... — Полковник Елистратов достал из портфеля маленький ноутбук. — Вот он какой у нас...

Катя смотрела на монитор. Съемка была сделана в кабинете во время допроса. Но голос был слышен только один — голос следователя. Тот, кому он задавал вопросы, сидел, сгорбившись на стуле, безвольно опустив скованные наручниками руки.

Роман Пепеляев... Красивая фамилия у НЕГО, звучная. Катя не могла оторвать взгляда от человека в наручниках. Самый обычный, молодой. Лицо только вот у него какое... Глаза ввалились, скулы выступают. И никакого выражения на этом лице... Словно губкой стерли...

Тот майор, стрелявший в супермаркете, потом, ПОСЛЕ ВСЕГО, хотя бы реагировал, от камер закрывался, когда его в суд вели по коридору, пусть молчал, но хоть как-то реагировал, а этот такой... И бесстрастностью, невозмутимостью ЭТО не назовешь, это что-то иное.

— Тяжело на него смотреть, правда? — Елистратов обращался к Кате. — Чувствуется что-то... чертовня... Я уж сколько в розыске, всяких перевидел на своем веку, а тоже что-то того... глаза хочется отвести, не знаю, как это и назвать... чертовня, одним словом.

— Кажется, он ненормальный, — сказала Катя.

— Федор Матвеевич, как по-твоему? Шизик он?

Гущин, повернувшись с переднего сиденья, глянул на экран ноутбука — мельком, будто нехотя. И ничего не ответил.

— Приехали, тут направо, в Никитники.

— Здесь знак, въезд только с Варварки, товарищ полковник, — возразил Елистратову шофер.

— Давай проезжай, вон за церквушкой машины стоят и автобус ЭКУ.

Катя вышла. Надо же, Никитники — крохотный переулок-тупичок. Самый центр Москвы, до Ильинки, до Красной площади, до Кремля рукой подать. И от Главка, что в Никитском переулке, можно спокойно дойти пешком, прогуляться. Там вот Политех, бульвар, а здесь известная на всю Москву церковь семнадцатого века со знаменитым иконостасом. И где-то здесь, в этом милом, залитом солнцем переулке-тупичке, ЕГО ЛОГОВО?

К ним уже спешил сотрудник в форме капитана:

— Алексей Филлипович, — обратился он к Елистратову, — здравия желаю, товарищ полковник, — поздоровался с Гущиным, — мы представителя их фирмы сюда вызвали, аренда помещения на них записана, хотя фактически арендовал он, Пепеляев. Только вот ключи...

— У меня ключи, — Елистратов снова, как фокусник, полез в портфель и достал связку ключей, упакованную в пластиковый мешок для вещдоков. — Вот единственное, что при нем в тот вечер на Арбате было, кроме пистолета и запасных обойм. Да ты сам, Федор Матвеевич, знаешь, первый же его там обыскал.

Связка ключей на кожаном ремешке и ключница на «молнии». Катя вгляделась — самая обычная вещица, логотип какой-то... «Furla» — фирменная ключница, недешевая, Пепеляев — торговец обувью и кожгалантереей — мог себе такую позволить.

ИТАК, ЗНАЧИТ, ОН — ТОРГОВЕЦ ОБУВЬЮ. ОБЫЧНЫЙ ТОРГОВЕЦ ОБУВЬЮ И НИЧЕГО БОЛЬШЕ?

— В Твери кто-нибудь у него из родственников есть? Знакомых? — спросил Гущин.

— Троюродный брат есть, они давно не общались, мать умерла несколько лет назад. Соседей опросили, потом кое-кого из его бывших однокашников нашли. Наши туда сразу махнули, в Тверь-то. Так вот все про него только хорошее одно — Рома Пепеляев... Но общались с ним кто пять лет назад, кто два года назад, — Елистратов щурился, — но все лишь одно хорошее, добрые слова... И соседи тоже. Вежливый, мол... Думали, сразу сдаст квартиру, потому как сам-то в Москве постоянно, а он не торопился, мол, все, какие были, предложения не устраивали его — то приезжие с Кавказа, то семейство с ребенком маленьким, то платить не могут столько, сколько просит. Разборчивый, выгоды искал... Разве так сумасшедшие себя ведут?

— А почему его из института исключили, вы говорили, — спросила Катя.

— За прогулы, сессию не сдал. Его бывшие однокашники вспоминают — он уже тогда чем-то приторговывал, бизнес свой небольшой начинал. Трудно было совмещать. Только давно это было. Он и в Москве тогда еще не жил. Вон дом-то. Весь первый этаж — это их аренда под склад.

— Может быть, кто-то там в Твери знал его лучше, чем бывшие одноклассники и соседи? — Кате не терпелось все выяснить. — Возможно, девушка была?

— Мы что, по-вашему, работать со свидетелями не умеем?

— Простите, я просто спросила.

— Федор Матвеевич, а это что, сотрудница твоя? — Елистратов повернулся к Гущину. — А то, знаешь, дело все же наше целиком, посторонние нежелательны.

«Сейчас скажет, что я из Пресс-центра, — подумала Катя, — и погонит МУР меня взашей».

— Брось, не ерепенься, — Гущин подтолкнул московского коллегу вперед. — Я сам хотел спросить — связи-то хоть были какие у него по жизни?

— Конечно, мы поинтересовались этим в первую очередь. Были связи — и в̆ институте, и так. Не комплексовал он по этой части и успехом у противоположного пола пользовался. Только опять же это данные по прошлой тверской его жизни, с которой он вроде как в расчете был полном. А про московские его дела и связи и спросить не у кого. Разве вот у того, кто нас у дверей встречает? Менеджера фирмы их торговой?

Менеджера поначалу Катя и не заметила, столько народа толпилось возле дома, столько машин милицейских. Едва они подъехали, Никитники тут же перегородили лентой: проезд транспорта временно закрыт. Дом располагался в самом конце переулка. Желтое трехэтажное строение, узким клином прилепившееся к серому гранитному массиву административных зданий, фасадом выходящих на Славянскую площадь.

Дом был старый и явно нуждался в капитальном ремонте. На двух верхних этажах окна были кое-где забиты картоном, лепнина карниза осыпалась, краска стен облупилась и облезла. Дом выглядел бы совершенно запущенным, если бы не первый этаж, весьма резко контрастировавший с общим архитектурным упадком.

— Здание вроде памятник какой-то исторический, — сказал Елистратов. — Бумаги на него есть в Москомнаследии и в Москомимуществе, вроде горело оно несколько лет назад, потом подрядчик появился, хотели реставрировать. Потом лопнуло все в связи с кризисом. Кое-как отделали первый этаж, он от пожара сильнее всего пострадал, и сдали помещение под склад. Здравствуйте, спасибо, что приехали, скажите, а здесь дорогая аренда? — Этот вопрос он задал уже менеджеру, которого Катя «не заметила», — парню лет двадцати пяти в деловом костюме при очках.

— Мы сами думали, что дорого будет, это же самый центр, — голос у менеджера уже был взволнованный, хотя пока его ни о чем «таком» еще не спрашивали. — Наша фирменная оптовая сеть, мы... Ну, больших проблем у нас нет, но время такое, сами понимаете, экономить приходится на всем. Но это помещение очень удобно расположено — как склад это просто идеально, мы экономим на перевозках, мы работаем с торговыми сетями в ГУМе, ЦУМе, на Тверской. Можно просто погрузить товар в багажник и в салон обычной легковой машины. ОН так и делал...

— Значит, выгодная аренда была и недорогая? — уточнил Елистратов.

— Да, мы и сами удивились, но все дело в том, что дом фактически в аварийном состоянии, здесь никто не живет, тут когда-то давно был пожар, и с тех пор здание переходило из рук в руки. А для склада это идеально. Когда ОН нашел это помещение и позвонил нам, мы сразу же согласились арендовать.

— Значит, это помещение нашел сам гражданин Пепеляев? Под склад?

Они все уже стояли у дверей. Вся оперативная группа с Петровки, полковник Гущин, Катя, понятые, все ждали, когда Елистратов откроет изъятыми ключами склад и даст старт обыску. Но Елистратов, казалось, не замечал всеобщего нетерпения.

Первый этаж действительно был отремонтирован. Это сразу бросалось в глаза. Дверь дома... Когда-то это было обычное московское парадное, теперь же деревянные створки заменили на крепкую железную дверь. На окнах — точнее, это были витрины — имелись внутренние металлические жалюзи. Они были опущены, так что с улицы невозможно ничего рассмотреть.

— На магазин похоже, до склада вашего здесь, что, магазин был? — Елистратов держал в руках ключи.

— Да, что-то вроде, но он сгорел, и потом помещение пустовало, — ответил менеджер. — Мы сделали кое-какой ремонт за свой счет — дверь, жалюзи, сами понимаете, это необходимо в целях безопасности, ну от воров хоть какая-то защита. Мы ведь экономили на стороже. ОН... Пепеляев фактически сам выполнял обязанности по охране товара, он ведь жил здесь.

— Ага, это уже интересно, — улыбнулся полковник Елистратов и отомкнул замок входной двери. — Зафиксируйте в протоколе, дверь не заперта, только захлопнута, замок автоматический. Приступайте к осмотру и обыску. Федор Матвеевич, заходи, давай вместе все тут оглядим.

Катя вошла внутрь одной из последних. Тихонько включила в сумке диктофон, пусть пишет. Камеру тут сейчас, кажется, не достать, слишком уж заметно будет. Эксперты вон и так на фото, на видео снимают.

Как здесь душно... никогда, наверное, никто не проветривал... Чем-то пахнет... Катя едва не вылетела вон. В спертом воздухе висела тяжелая смердящая вонь.

Один из экспертов быстро прошел куда-то в глубь сумрачного помещения.

— Так и есть, товарищ полковник, так я и думал.

— С уборной, что ли, проблема? — спросил Елистратов.

— Тут за перегородкой раковина и биотуалет. В нерабочем состоянии — то ли свет вырубился во время процесса переработки, то ли заело... Отсюда и запах такой.

— Дверь откройте настежь, работать здесь невозможно!

Струя свежего воздуха, впущенная с улицы, рассеяла смрад, и сразу стало легче. Катя пересилила себя: раз приехала смотреть «логово», нечего в обморок падать — гляди!

Но ничего такого она сначала не увидела. Голый потолок, голые стены, кое-как выкрашенные чем-то серым. Кое-где на потолке еще заметны пятна копоти и сажи. Очень много контейнеров и коробок с обувью. Часть из них стоит аккуратными пирамидами вдоль стены напротив двери. Часть просто хаотично навалена в углу. Яркие обувные коробки, обувь разная: и дорогая — итальянская, французская, и дешевая китайская.

— С Черкизона небось привезли и свалили тут, — буркнул полковник Гущин. — Это ж надо, столько добра...

Среди этого складского хаоса мебель как-то терялась. Катя увидела шкаф у стены. Сыщики его открыли — он тоже сверху донизу был набит коробками. Еще была пара деревянных стульев и что-то типа тахты или дивана. Грязная обивка, скомканный плед, подушка с яркой, но сильно засаленной наволочкой. Все это было сбито, вздыблено.

— Тут, значит, он ночевал, — Гущин обернулся к менеджеру. — Сколько же он здесь прожил?

— Три месяца без малого. ОН сам нашел для нас это помещение, мы ему даже бонус за это выплатили. Пока шел ремонт, он жил на съемной, точнее, комнату снимал где-то в Чертаново. А потом переехал сюда. Сказал, что тут удобнее, в самом Центре, оборудовал тут себе жилое помещение.

— Не больно оно жилое. Биотуалет вон и тот вырубился.

— Здесь у него что-то вроде кухни, — объявил эксперт из-за перегородки.

Катя прошла мимо обувных коробок, мимо дивана, мимо шкафа. Деревянная перегородка отделяла от основного пространства небольшой закуток. С внешней стороны перегородки на вешалках висела мужская одежда, тут же стояла пара чемоданов. За перегородкой — стол, еще два стула, электрическая плитка, посуда, сковородки — кажется, все из ИКЕА, относительно новое, но уже запущенное, плохо мытое. Из маленького холодильника эксперты извлекли заплесневелый хлеб, масло, колбасу, копченую рыбу, сметану, овощи — все испорченное, сгнившее.

— Не ел он, что ли, совсем? — Елистратов брезгливо понюхал продукты. — Чтоб в холодильнике все так испортилось... Сколько же это времени лежало? У нас он неделю после задержания всего, а тут срок продуктам истек месяц назад.

На закопченной сажей, некрашеной кирпичной стене висело узкое пыльное зеркало. Катя прошла мимо — в нем отражалась вся эта затхлая комната, весь этот хлам.

Обувные коробки... Как много коробок...

— На раме пятна, и тут на стене тоже что-то есть... Ну-ка свет сюда дайте, — эксперты занялись кирпичной кладкой.

— Возле тахты, на полу, у стены, тоже что-то... пятна, похожие на кровь...

Катя отошла к окну-витрине. Один из оперативников поднял стальные жалюзи, впуская в помещение склада свет. Много света...

— Экспресс-анализ подтверждает — кровь.

— Товарищ полковник, взгляните сюда!

В потоках света, льющегося сквозь окна-витрины, тяжелый смрад снова словно сгустился. Катя ощущала тошноту. Ей хотелось выбраться отсюда прочь. Зря она поехала тешить свое пустое любопытство.

— Тут на стене что-то кровью нарисовано непонятное.

В потоках солнечного света были видны лишь пятна копоти и еще что-то — на стене, на кирпичной кладке на уровне среднего человеческого роста — темный зигзаг... Бурая размашистая линия с резкими изгибами... не понять, не разобрать.

— Сфотографируйте, скопируйте, возьмите пробы на анализ ДНК.

Катя, совершенно сбитая с толку, подошла к полковнику Гущину, тот очень мрачно и чрезвычайно пристально вглядывался в обстановку жилища Романа Пепеляева.

— Федор Матвеевич, почему здесь повсюду следы крови? Может, он тут кого-то убил до того, как отправился на улицу с пистолетом?

Гущин, не отвечая Кате, посмотрел на Елистратова. И по тому, как многозначительно они переглянулись, Катя поняла: они оба чего-то недоговаривают.

Глава 8
КОМПЛЕКС НЕПОЛНОЦЕННОСТИ

— А все же хорошо без них. Тихо, спокойно, — Анфиса, развалившись на диване, положила ноги на пуф из ротанга. — Несуетно, правда?

Катя, вернувшись домой, застала подругу на кухне — Анфиса постепенно обживала пространство, переиначивая все — от плиты до холодильника — на собственный лад.

— Как дела на коммунальном фронте? — спросила Катя.

— Сегодня срезали батареи, — Анфиса гремела кастрюльками. — Потолок пробили, паркет взломали, обещали новые приваривать со вторника по четверг. К отопительному сезону, сказали, сделаем, хозяйка. Я там с ними в квартире весь день проторчала, потом только заскочила в один журнал, несколько снимков им продала.

Анфиса профессионально занималась фотографией и этим зарабатывала себе на жизнь.

— А потом в супермаркет заехала за продуктами... И вот сижу, тебя жду с ужином.

После ужина на диване перед телевизором и родилась та сакраментальная фраза о том, что «все же без НИХ хорошо».

— А долго ли еще Вадик твой будет за границей? — спросила Анфиса после паузы, потому что Катя эту тему про НИХ не поддержала. — И чего там столько времени торчать?

— Его работодатель лечится, со здоровьем у него плохо.

— Да черт с ним, с этим работодателем, — Анфиса фыркнула. — Мало, что ли, на свете работодателей? Этот умрет, другой найдется... Ладно, вы мне только смотрите — никаких разводов.

— О разводе пока речь не идет.

— Ну если не идет, то и горевать нечего. Отдохнешь малость от своего «Драгоценного». Паа-а-думаешь какой, — Анфиса сделала ногами, задранными вверх, несколько «фитнесовских» движений. — Хорошо без них, без мужиков — тихо, мирно. Хочу — в пижаме целый день, хочу — ем, хочу — сплю... Хочу — снова жир наращиваю. Хочу — зарядочку для бодрости — раз, два, раз, два, горе не беда. — Она накинулась на Катю и начала ее тормошить: — Плюнь, все образуется... И нечего быть такой сосредоточенной на этом вопросе. Я вот тоже зацикливалась, ну ты помнишь мою историю — свяжешься с женатиком, не развяжешься вовек. А сейчас в себя пришла. Одной тоже неплохо. Неплохо ведь одной, — Анфиса неожиданно всхлипнула. — А, все, ерунда, давай плюнем и не будем сосредотачиваться на этом вопросе.

— Да я, собственно, не об этом сейчас думаю, — сказала Катя.

— То есть как не об этом? А я всегда только об этом — о нем, о своем, черт бы его взял... А о ком ты думаешь?

— Помнишь, меня срочно вызвали на работу? — спросила Катя и рассказала подруге.

— Стрельба на Арбате... Да об этом всю неделю только и говорят, только и пишут, — Анфиса подпрыгнула на диванных подушках. — Ничего себе... И это ваш дядька полковник того подонка задержал? Ничего себе... Ну, ну, продолжай...

Катя продолжила, рассказ получился недлинный.

— А это у тебя что в руках? — спросила Анфиса. — Я еще на кухне заметила, ты что-то в пальцах крутишь — бусина?

Катя передала предмет подруге. Это был темный плотный шарик, вязкий, липкий на ощупь.

— Это я там нашла, на полу возле окна, — сказала она. — Смотрю, что-то лежит, не пойму, что это такое.

Анфиса колупнула шарик ногтем, понюхала — он издавал слабый терпкий аромат.

— Кажется, это какое-то восточное благовоние, шарик для курильницы, судя по всему, то ли смола ароматическая, то ли еще какое-то снадобье. — Она снова понюхала. — Я такие в магазине «Путь к себе» видела, их в курильницы закладывают и кадят. Зачем ты его оттуда взяла — из этого чертова логова?

Странно, Анфиса употребила то же самое слово о ЕГО жилище, как и полковник Гущин. Точно они сговорились...

— Там склад обуви, — ответила Катя. — Этот человек... Роман Пепеляев, он был оптовый поставщик. Конечно, грязно там у него, и запах ужасный, там с туалетом что-то... Но, в общем-то, обычный склад, приспособленный под временное жилье. Знаешь, сейчас в Москве многие приезжие так живут, квартиру дорого снимать, вот и пользуются какими-то служебными, рабочими помещениями, так и менеджер их фирмы нам пояснил.

— Никитники от Кремля в двух шагах, выбрал себе место для своей норы, гад. Я по телевизору слышала — девять человек он там, на Арбате, прикончил.

— Четверо были убиты на месте, и еще пятерых он тяжело ранил.

— Девять человек! Как и тот, ваш... ну не ваш, конечно, а тот майор, милиционер из Царицына. У того тоже, кажется, девять жертв. И как же скоро весь этот ужас снова повторился. Тогда ночью в магазине, а в этот раз на Арбате, на Старом Арбате, где я тысячу раз... где мы с тобой, Кать, миллион раз ходили, гуляли, где всегда столько народа! Тогда все ролик про майора показывали — стоит посреди зала торгового в супермаркете в форме и спокойно так, неторопливо обойму перезаряжает... А этого Пепеляева не снял никто, как он там, на Арбате, перезаряжал?

— Там свидетелей много, насколько я знаю, их сейчас всех по обстоятельствам происшествия допрашивают. Наш Гущин Федор Матвеевич, он случайно там оказался поблизости, он его и обезвредил. И теперь он тоже свидетель.

— Я не понимаю, прости, может, у меня мозги по-другому устроены, но я отказываюсь понимать, — Анфиса горячилась, — жил себе поживал парень... До тридцати двух лет дожил, зла никому никакого, и вдруг берет пушку, обоймы и идет убивать людей. Причем никто из тех, по ком он стреляет, никогда прежде с ним не то что знаком не был, не то что что-то ему дурное сделал, даже и не слышал ведь, не подозревал о его существовании. В чем причина, я тебя спрашиваю? Ты вот — сотрудник милиции, юрист, журналист, криминальный обозреватель — кого мне еще спрашивать, кроме тебя? Ответь, в чем причина?

— Я пока не знаю, мне хочется понять, но я не уверена в успехе.

— А тебя ведь не только я, но и другие спросят — и про майора из супермаркета, и про этого Пепеляева — торговца обувью. Он что, псих?

— Нет, пока данных таких нет, ему назначена психиатрическая экспертиза.

— Майору тоже экспертизу назначали и, кажется, вменяемым его признали, если я не путаю... Значит, не псих? Тогда почему стрелял по людям? Чуть ли не в день своего рождения после банкета... Пепеляев часом тоже не в тот ли самый день на охоту вышел, когда родился?

— Нет, он родился в марте, это сейчас установлено.

— Значит, он по знаку Рыбы, так это слабенький знак, водный, контролируемый, ведомый, — Анфиса прикусила губы. — С Рыбами-мужиками связываться себе дороже... Маменькины сынки, хлюпики... Это вон Скорпионы инфернальные личности, из них маньяк-убийца вполне может сформироваться, а из Рыб... А что про него, про этого Пепеляева, свидетели говорят, знакомые? Что он за человек?

— Понимаешь, мало о нем пока известно. У нас все сведения о времени, когда он жил в Твери, и там только положительные характеристики. А тут в Москве вроде как и не было у него близких, друзей, знакомых. Лишь коллеги по фирме. Менеджер его, кстати, опять же положительно характеризует. — Катя вспомнила, что там, на месте, во время обыска рассказывал представитель обувной фирмы. — Он работал с ними около четырех лет, закупал товар. Менеджер говорит — опытный, энергичный сотрудник, всегда можно было на него в деловом плане положиться. Внешне выглядел всегда очень аккуратно, даже щеголевато, что, кстати, странно, если вспомнить, в какой грязи он жил там, на этом складе. Но это тоже было временно, по словам менеджера — он жил там всего три месяца. Сам нашел это помещение с арендой и предложил фирме, предложил также побыть там в роли сторожа-охранника на этом складе.

— Сейчас таких охранников полно, — кивнула Анфиса, — но в людей-то они на улице ни с того ни с сего не стреляют!

— И у менеджера об этом Пепеляеве скудная информация — общались они только по работе. К тому же менеджер месяц был в отпуске, так что они в последние недели с Пепеляевым не встречались.

— Может, личные проблемы были у этого урода? — предположила Анфиса. — Вон у майора, как в газетах пишут, жена-красотка — тыр-пыр... Гипертрофированный комплекс неполноценности. Знаешь, сейчас все подобные случаи именно так в прессе и подают — пришел мужик с ружьем в супермаркет где-нибудь в Алабаме или школьник с пистолетом в колледж, опять же в Штатах, грохнул человек десять ни с того ни с сего, и во всем его гипертрофированный комплекс неполноценности виноват. Я, мол, такой, а вы все такие — и я вам, гадам, за все мщу. За что мщу? Вот этот Пепеляев — он же приезжий, так, я правильно поняла? Может, здесь в столице у него что-то не складывалось? Может, и менеджер этот вам врет с перепугу? Они его уволить хотели, или в долгах он у них увяз, ну и обозлился на всех. Нет, нелогично... Тогда бы шел в фирму и палил бы там. А то явился на Арбат, где молодежь гуляет, там ведь что-то вроде театрализованного карнавала в тот вечер было, я по телику слышала...

— Возможно, причина в комплексе неполноценности, а может, он вдруг внезапно с ума сошел... Нет, не знаю, а гадать не хочу. — Катя снова взяла в руки липкий ароматический шарик. — Они что-то темнят,

Анфиса. Начальник «убойного» с Петровки, и Гущин тоже... Знаешь, у меня такое чувство, что наш Федор Матвеевич, хоть и задержал его там в одиночку, а... нет, не побаивается все это вспоминать, а как будто отодвигает это от себя сейчас, словно не хочет анализировать и разбираться.

— Но об этом же преступно умалчивать! Надо причины вскрывать, — всплеснула руками Анфиса. — Это же как язва, как зараза — один взял пистолет, второй взял пистолет. Начальник *столичного* отдела милиции — в это только вдуматься надо! И этот второй — мирный торгаш... Я, может, его балетки покупала, и вдруг он взял и убил четверых ни с того ни с сего, а пятерых ранил. Можно, конечно, награждать орденами тех, кто таких вот убийц задерживает, собой рискуя. Можно этого вашего полковника Гущина наградить. Но всем этим наградам без точного, ясного ответа, почему это произошло, в чем причина и как этого в будущем избежать, грош цена. И не одна я так говорю. Это многие сейчас говорят. И кто, как не вы — милиция, нам на все эти вопросы ответит. Ну хотя бы на один конкретный вопрос: почему этот Пепеляев убил столько человек на Арбате?

— Анфиса, что я могу? Я вот тоже Гущина убеждала, а приехала туда, на этот склад, и как-то сразу растерялась. Понимаешь, он — этот человек, убийца, молчит. Они всегда молчат, может быть, это такая форма защиты у них, я не знаю... Но без его показаний ответить на вопрос, почему убил, какой был мотив, нельзя. Можно только предполагать, гадать, версии строить. Но все равно это не будет полной правдой. Правду знает лишь он — убийца.

— Ты его видела?

— Только на видео, оперативная съемка в ходе допроса.

— Так необходимо посмотреть на него вживую. — Анфиса потянулась к журнальному столику, достала пухлый конверт со снимками. — Я фотограф, Катя, и я знаю: человек в жизни и человек на пленке — это две большие разницы. Как часто мы стараемся ухватить самую суть характера, и как редко это у нас получается. Смотришь в объектив на того, кого снимаешь, и все про него вроде понимаешь, а когда делаешь снимок и проверяешь, что вышло, на пленке сплошная лажа, ненатурально. А в таких делах все должно быть натуральным, первичным.

Катя кивнула. Умница-путаница Анфиса, кажется, подала дельную мысль. Катя подумала: нет, пока Пепеляев содержится в камере Матросской Тишины, поглядеть на него вживую вряд ли удастся. А вот если его переведут в Центр судебной психиатрии, тогда что-то можно будет предпринять.

Глава 9
ГАСТРОНОМ № 1

В этот день звезды вроде бы не предвещали ничего экстраординарного, и тем не менее кое-что произошло.

Стеклянный купол, под ним залитое солнцем пространство огромного магазина, полосатые тенты над зеркальными витринами, в них все отражено — бодрая суета, группы японских туристов, внимающие экскурсоводам, и две женщины в черном, неторопливо, с достоинством шествующие к гостеприимно распахнутым дубовым дверям.

Две женщины среднего возраста, хорошо одетые, холеные, с одинаковыми мягкими сумками «Соня Рикель».

Сестры Руфина и Августа специально приехали в ГУМ в гастроном № 1, они любили этот магазин с момента его открытия.

— Знаешь, я все думаю над тем предложением. Помнишь, я говорила насчет салона, — Августа смотрела по сторонам, — ты с ходу отвергла, а ведь все же дельная мысль. Только здесь было бы лучше, удобнее. Много народа, приезжих, здесь аура другая.

— Гастроном оживил тут все, как-то сразу все задвигалось, зашевелилось, — Руфина усмехнулась. — А то было как в музее: бутики, витрины... Нет.

— Что нет? — спросила Августа с легким раздражением.

— Нет, идея с салоном нам не подходит. Да и никто в ГУМе этого нам не разрешит. Слушай, я сразу в кондитерский отдел. А ты посмотри там... выбери какого-нибудь хорошего вина.

Августа послушно кивнула. Сестры вошли в гастроном и разделились. Руфина направилась прямо к витринам с тортами и пирожными — в самый конец линии. Да, ей нравился этот магазин. Идея была совсем неплоха, и ведь кому-то пришла она в голову. Возможно, кто-то бывал в Лондоне и видел тамошний универмаг «Харродс» — там тоже имелся гастрономический отдел. Но здесь, в шаге от Красной площади, под бой курантов, все получилось как-то по-своему, почти по-домашнему, на давно уже забытый, отринутый лад.

Аромат ванили...

Витрина с пирожными — песочные корзиночки с жирным кремом: «розочка», «грибочки», пирожное «Ленинградское», пирожное-«картошка»...

Что-то сладкое, почти приторное и безумно нежное, как материнский поцелуй...

Руфина застыла перед витриной. Со стороны могло показаться, что вот — женщина на пороге пятидесятилетнего рубежа стоит в центре гастронома и выбирает, выбирает, что повкуснее. Звезды не сулили сегодня даже воспоминаний детства, но вот не чаешь, где найдешь — воспоминания нахлынули вместе с запахом ванили.

Песочные корзиночки: «розочки», «грибочки» на блюде кузнецовского фарфора. Мать купила кузнецовский сервиз «по случаю» в антикварном. Когда переехали в Москву и начали обживать дом — особняк на Малой Бронной, надо было обзаводиться всем — приличной посудой, хрусталем. Денег тогда у матери уже на все это хватало, даже вдоволь было чеков для магазина «Березка», заменявших валюту. Странно, но магазин с таким названием, где продают модную обувь и разные там фишки, теперь в двух шагах от их дома на Малой Бронной. Но та, старая советская «Березка» была почище всех этих новых навороченных бутиков. Или ей сейчас так только кажется?

Прошлое, как, оказывается, просто его вспомнить, прочувствовать каждой клеткой, оно никуда не ушло, не делось. И хотя сейчас в настоящем — обеспеченный быт, приглашенный дизайнер-декоратор, французские шторы цвета маренго и «Мерседес», который так ловко водит сестра Августа, прошлое... оно все равно кажется почти волшебной страной. Там... где-то там...

Песочные корзиночки-пирожные на блюде кузнецовского фарфора, кофе по-турецки, батарея бутылок на низком журнальном столике — джин, виски, мартини, мать с крашеными волосами цвета воронова крыла, с аккуратной укладкой... Салон мать посещала на Кузнецком Мосту, и эта была какая-то особая парикмахерская, куда ездили актрисы МХАТа и жены дипломатов. Мать в голубом платье джерси. А напротив нее — два британских журналиста, кажется, с Би-би-си, и очень известный, модный тогда советский поэт, женившийся на итальянке, — она тоже тут, сидит в кресле, курит в углу. Мать только что предсказывала ей судьбу тэт-а-тэт за закрытыми дверями. Кажется, предсказала развод, но перед ним несколько вполне счастливых лет с «русским». Какой это год? 1978-й или 1979-й? Какой тогда была она, Руфина? Нет, не вспомнить сейчас... В памяти всплывает другое: мальчик, спускающийся по лестнице, — лет восьми, светловолосый, очень живой, смышленый и миловидный, в джинсовом комбинезоне. Вот он уже на последней ступеньке, а вот перед зеркалом. Теперь на месте зеркала там, в зале, большой портрет матери...

Мальчик долго смотрит на свое отражение, потом плетется в гостиную, где мать, великая Саломея, с гостями, с клиентами.

— Руфина, забери брата! Руфочка, где ты, долго тебя звать? Сокровище мое, я занята сейчас, мама занята, я приду к тебе позже, и мы вместе почитаем на ночь, а сейчас, пожалуйста, не мешай. Руфина, забери же Тима, займи его, поиграйте вместе!

Руфина слышит этот голос из прошлого — как ясно он звучит, даже эхо летит тут, в этих залах, заново отделанных, таких «советских» залах гастронома № 1. Брат Тим, Тимофей, он был младше ее, как и бедная сестра Ника, гениальная в своем паранормальном даре победоносная дурочка Ника.

В каком же году это было? Корзиночки-«розочки», торт «Птичье молоко» — за ним тогда стояли километровые очереди в кулинарию ресторана «Прага». Сейчас этот торт можно купить везде, но вкус у него другой. И лишь здесь, в гастрономе, вкус тот же... почти тот же... Почему? Только они одни помнят настоящий рецепт?

Брат Тимофей всегда любил пирожные, обжирался сладким, как...

— Мне, пожалуйста, разных пирожных, ассорти, — Руфина наконец-то сделала выбор, обратив ясный взор свой на продавщицу в крахмальной наколке. — Вот таких три, таких два, ореховый рулет...

— Один рулет?

— Нет, три... потом вот это творожное, и этих, с кремом...

Ага, вспомнила, это было незадолго перед приездом к ним в дом цыгана. В Москве знали его под кличкой Бриллиантовый мальчик. О нем потом столько всего писали, столько плели... И про дочь генсека, и про его поступление в Большой театр... «Бриллиантовый мальчик» приехал в тот вечер к их матери Саломее. И она спросила его: «Отчего ты пришел ко мне? Ступай к своей цыганской гадалке». Но он хотел слышать ее слова, и она ему что-то сказала, опять же за закрытыми дверями, с глазу на глаз. Что-то такое, что ему совсем не понравилось, что привело его в ярость, и он ударил ее — великую Саломею. Поговаривали, что часто по пьяной лавочке он поколачивал и дочь генсека, которая была как кошка в него влюблена.

Такой мать свою Руфина видела впервые. Саломею всю трясло. У нее была ссадина на переносице, но она ее словно не замечала. «Бриллиантовый» давно смылся, а она все сжимала кулаки. А потом закрылась у себя в комнате и не выходила до середины следующего дня. А когда вышла, то они все — дети — были напуганы... На руках матери появились бинты, и кровь проступала на белой марле. И потом она сразу пошла в ванную отмывать те предметы, которыми часто пользовалась во время своих сеансов, — серебряную чашу и блюдо, произведение дагестанских серебряных дел мастеров из аула Кубачи.

— Мама, помочь?

— Закрой дверь!

Мать обернулась и резко рванула дверь ванной на себя, но она, Руфина, тогда еще очень юная, успела заметить, что вода на дне ванны цвета мясных помоев.

С ним, с этим цыганом, потом произошло несчастье. Правда, не так скоро, через несколько лет. С другим человеком несчастье произошло быстрее.

— А есть у вас яблочный мармелад? Ну тот самый, помните, что резали такими большими ломтями? — Руфина улыбнулась продавщице и получила в ответ улыбку.

А ВОТ ЭТОТ СЛУЧАЙ, когда мать снова была вне себя, произошел гораздо позже. Это было уже при Андропове. Как-то сразу все стало в их доме иначе, непривычно. Иностранцев как ветром сдуло. И не приезжали больше толстые тетки с перманентной завивкой в бархатных пальто, отделанных ламой, все как одна в одинаковых финских сапогах — «цековские жены». Они боялись засветиться в церкви и крестили своих детей и внуков тайком, «из-под полы» где-нибудь в глухих сельских приходах в дальнем Подмосковье или вообще в глубинке, чтобы ненароком не донесли, не написали в ЦК. А вот к ясновидящей Саломее ходить не боялись, потому что она была «разрешена» и «принята» на самом верху.

Но при Андропове это как-то все разом оборвалось. Больше того — однажды в их доме появились двое в серых костюмах, похожих на униформу: «Велено кончать всю эту вашу самодеятельность».

— Кем велено?

— Догадайтесь с трех попыток. Вам все понятно? Велено кончать. Иначе двадцать четыре часа на сборы и вон из Москвы. Мы вас предупредили.

Мать после их ухода сидела в зале. Там с ней был только Тимофей. Она уже тогда особо выделяла его. Потом она ушла к себе и снова надолго заперлась.

Среди ночи их разбудил ее страшный вопль. Но они не спустились вниз, сидели по своим комнатам в темноте, тревожно прислушиваясь, зная, что нельзя беспокоить ее там, в ее полуночном затворничестве, и нельзя зажигать света — нигде, во всем доме. Иначе — беда.

Мать вышла на следующее утро, и на руках ее снова были бинты. Пятна крови пестрели на ковре, их потом отмыли с порошком. Две любимые материнские канарейки (их клетка была в комнате) сдохли, не пережив той ночи. Тимофей закопал их трупики во внутреннем дворе.

А через пару дней по Москве пополз слух, что Андропов помещен в ЦКБ, что-то очень серьезное с почками. Из больницы, как известно, больше он не вернулся.

ЗАЧЕМ ВСЕ ЭТО ВСПОМИНАТЬ?

КТО ЗНАЕТ — ЗАЧЕМ...

Дубовые панели, сияющие витрины, жирный крем, приторный, как поцелуй...

Августа тем временем ходила вдоль винных стеллажей, выбирая вино и коньяк. В этом отделе больше всего было иностранцев и вообще мужчин. Один — полноватый, крепкий, ровесник по возрасту, — кажется, поглядывал в ее сторону с интересом.

— Советую взять армянский.

— Спасибо за совет.

— Вашему мужу понравится.

— Я не замужем. А вы не видели тут где-то на стеллажах «Массандру» и этот... все время забываю, как он назывался... портвейн «Красного камня»?

Мужчина прошел к дальнему стеллажу.

— Вот здесь, пожалуйста.

— Еще раз большое спасибо.

— Простите... мы не встречались раньше? Вы мне кого-то напоминаете...

Он был крупным мужчиной, хотя и не таким высоким, как хотелось бы, и, кажется, ужасно стеснялся. У него были слегка оттопыренные уши, что делало его похожим на школьника, переминающегося у классной доски с ноги на ногу. «Мы не встречались раньше?» — классический прием съёма. Однако на «съёмщика» обеспеченных дам он не был похож. Мясистое лицо обрамляла аккуратная модная бородка, вместо ботинок — кроссовки.

— Люблю сюда приходить, — сказал он Августе. — Хлеб здесь очень вкусный.

— Да, точно, и пирожные.

— Однако все дорого.

— И не говорите.

— Берут и за место, потому что ГУМ, и вообще за... не знаю, за память, что ли... за удовольствие детство вспомнить, — незнакомец указал на горку, сложенную из синих банок сгущенки. — Везде можно купить, но только тут стоишь и вспоминаешь, как лет этак тридцать назад тайком от матери варил вот такую банку... Чтоб была сгущенка-варенка, а она ка-ак у меня бабахнула, словно граната, и к потолку прилипла.

— Надо же... А я на печенье «Юбилейное» здесь всегда смотрю. В детстве это было что-то вроде хлопьев — разломаешь на кусочки и молоком зальешь, сладко, объеденье.

— Вы очень элегантная женщина. Вы, наверное, спортсменка?

— Совсем нет.

— У вас такая спортивная фигура. Я сам раньше спортом занимался — боксом. Ну а теперь только на силовых тренажерах.

— Что вы говорите...

— У нас свой небольшой бизнес семейный... Я в Подмосковье живу. А вы москвичка?

— Да.

— А тут, в ГУМе, сейчас москвичей мало. Москвичи — настоящие москвичи — сейчас по домам сидят.

— Ну почему? С чего это вы взяли?

— Так, наблюдение жизни. Меня зовут Петр... Петя как-то уж и не по возрасту, а ваше имя?

— Августа. Можно Августина.

— Вы очень элегантная и красивая. А могу я спросить...

— Простите, мне надо идти, вон моя сестра.

— Это кто еще такой? — спросила Руфина, когда они вышли из гастронома.

— Понятия не имею. Сколько коробок ты набрала!

— Так что же ты ждешь? Помоги.

— Давай отнесем это все в машину, потом вернемся, походим тут еще по магазинам, а после кофе выпьем где-нибудь, — Августа забрала у старшей сестры почти все покупки — она была сильной, ей было не тяжело.

— Хорошо, только надо не опоздать домой. У нас сегодня прием с четырех часов.

Уходившись по ГУМу так, что они уже не чуяли под собой ног, купив черные замшевые туфли для Руфины и несколько пар трусов для сестры Ники, они зашли на второй этаж, в кафе над самым фонтаном, сели за столик на галерее и сделали заказ.

— Я есть хочу до смерти, — Августа смотрела меню, — а у них тут только салаты, омлеты... Ничего мясного. Слушай, надо следить, чтобы она носила белье аккуратно.

Руфина кивнула. Речь шла о Нике.

— То есть чтобы она вообще всегда его носила. А то ведь она часто забывает.

— Что ты от нее хочешь? Ты же знаешь ее.

— За столько лет можно было понять, что надо носить трусы, когда в доме толчется с утра до ночи столько народа, — Августа хмыкнула. — Я, что ли, обязана следить за ней?

— И я не обязана.

— Ты ей сестра.

— А ты тоже не... Ладно, я поговорю с ней, внушу ей. Мы должны на какие-то вещи закрывать глаза, не травмировать ее по пустякам, иначе она сорвется, помнишь, как было в тот раз... А если она сорвется, то пострадает наше общее дело, которое, кстати, кормит нас, приносит нам деньги.

— Смотри-ка, а он тоже тут, — усмехнулась Августа. — Этот тип... поклонник из винного отдела. Вон за тем дальним столиком, и сюда смотрит.

Руфина достала из сумки модные очки, нацепила их и, нисколько не смущаясь, обернулась, разглядывая назойливого незнакомца.

— Ничего, вроде солидный, и по возрасту тоже... Живот пивной.

— Петр.

— Успел уже имя свое сказать тебе?

— Успел, успел, — Августа обернулась и помахала поклоннику.

И, словно только дожидаясь от нее поощрения, он быстро поднялся из-за столика и подошел к ним:

— Здравствуйте еще раз.

— Вот это моя сестра Руфина, — сказала Августа.

— Очень приятно... Петя, — мужчина совсем засмущался, зарумянился, но быстро взял себя в руки. — Извините, я подумал... Вот там внизу в театральной кассе билеты были. Я купил два... хорошие места... Я подумал, а вдруг вы не откажетесь. Вот — это для вас, — он буквально всучил Августе билет.

— Да что вы, зачем?

— Хотелось бы продолжить знакомство. Очень хотелось бы.

— Какой спектакль, на какое число?

— На завтра, начало в семь, я буду ждать вас у театра.

— Так какой все-таки спектакль? — вмешалась Руфина, третья лишняя.

— Балет, я не знаю, я спросил, есть что в Большой на хорошие места, кассир предложила вот это... Только это новая сцена, ничего?

— А старой мы, наверное, и не дождемся, — усмехнулась Августа. — Спасибо за билет.

— Балет «Корсар», — Руфина рассмотрела название спектакля уже в машине, когда они отъезжали от ГУМа. — Завтрашний спектакль. Пойдешь?

— А почему нет?

— Думай, что делаешь.

— Я всегда думаю, сестра.

— На кой черт тебе этот бородатый кретин?

— Может быть, найду ему применение... Ты ведь не разрешаешь мне...

— Ладно, с тобой все равно спорить бесполезно, ты всегда все делаешь по-своему.

— Да, уж такая я на свет уродилась, — усмехнулась Августа и прибавила газа.

Серебристый «Мерседес» — гордость сестер-Парок — рванул в сторону набережной, странное дело — в этот час свободной от пробок. Августа обожала быструю езду.

Глава 10
ЛАРИСА ПАВЛОВНА

Домой на Малую Бронную сестры не опоздали. Первой в этот день клиентке было назначено на половину пятого. Августа даже успела сытно пообедать бифштексом с жареной картошкой.

Клиентка оказалась чрезвычайно толстой женщиной — с белыми крашеными волосами, густой челкой, закрывавшей лоб, и огромным количеством бижутерии. Несмотря на то что она нещадно красилась и явно молодилась, выглядела она на свои годы — за шестьдесят. Приехала к дому сестер она на «Шевроле», причем сама была за рулем с сигаретой в зубах.

— Записана как Лариса, — сказала Руфина сестре. — Проблемы все те же — пропажа без вести близкого ей человека. Ну почему они все с этим идут именно к нам...

— Я позову Нику и прослежу, чтобы с трусами на этот раз было все в порядке, — Августа направилась к лестнице на второй этаж. — Разберись пока без меня.

По приглашению горничной клиентка Лариса ждала в зале, с сигаретой она так и не рассталась. Руфина, войдя, приветливо с ней поздоровалась, подвинула мраморную пепельницу — чувствуйте себя как дома, я понимаю, как вы взволнованы.

— Итак, я слушаю вас очень внимательно, сейчас придут мои сестры, и мы начнем работать над вашей проблемой. — Руфина оценивала посетительницу: явный мандраж, хочет верить во все и одновременно во всем сомневается. Натура подозрительная, недоверчивая и одновременно легковнушаемая. Что ж, это как раз и неплохо.

— Я пришла к вам, потому что, с одной стороны, мне не к кому больше обратиться по этому вопросу, — голос у клиентки был прокуренный, скрипучий, — а с другой — вы лучшие в своем деле, я читала в газете... Не помню в какой... может, даже в «Комсомольце», про вашу матушку. Когда я была еще молода, все говорили о ней как о новой Джуне... Ванга, Джуна и Саломея. А это правда, что она лечила Брежнева?

— Брежнев умер, кто бы его ни лечил, от смерти вылечить нельзя.

В зале появились Августа и Ника. Ника выглядела бледной и какой-то вялой. Ноги ее были голы, она куталась в черное мохеровое пончо.

— А вы будете все втроем мной заниматься? — полюбопытствовала клиентка Лариса. — Ишь ты как.

— Представьтесь и расскажите нам о себе немного, ну что хотите, — попросила смиренно Августа.

— Ну я... что я... Лариса Павловна меня звать, была я замужем несколько раз — неофициально, правда, но это не имеет значения, у меня взрослые дети, с материальной точки зрения я вполне обеспеченная женщина, у меня свой бизнес, так что я оплачу все расходы, если что... если вы отыщете его для меня.

— Так, снова поиски, — Руфина кивнула. — Близкий вам человек?

— Был... точнее, и сейчас им остался, иначе бы я не пришла к вам.

— Ваш родственник?

— Он... нет, он мне не родственник, он... — клиентка Лариса Павловна глубоко затянулась сигаретой и смяла ее в пепельнице.

ИСКРЕННЕ ВОЛНУЕТСЯ — отметила про себя Руфина.

— Он мой любовник, точнее, был им когда-то.

— Будет лучше, если вы все же расскажете нам о нем сами, наши вопросы вас, как я вижу, нервируют, — сказала Августа и повернула кресло к окну, жестом приглашая сестру Нику садиться, начинать.

Ника снова села спиной к клиентке. Казалось, она была где-то далеко, ничего не слушала из того, что говорили в зале. Мягкий вечерний свет золотил ее волосы, делая слегка расплывчатым овал лица, — Ника в этом неверном обманчивом свете казалась моложе своих лет.

Вот веки ее дрогнули, она чуть подалась вперед, потом назад и начала мерно покачиваться в кресле словно темный маятник и что-то еле слышно напевать.

— Она что... это так надо? — шепотом осведомилась Лариса Павловна.

— Не беспокойтесь, наша сестра уже отправилась в путь. Она поможет вам, как и мы. Рассказывайте,— поощрила Руфина.

— Ну что особо рассказывать-то... Жили мы с ним, я души в нем не чаяла. Все ему, все для него. У меня, понимаете, уже тогда была проблема — возраст, а он молодой, здоровый... Здоровый бугай. Счастливы мы были несмотря ни на что. Я счастлива была, с сыновьями — они уже у меня тогда совсем взрослые стали — как-то все это улаживала. Им не шибко нравилось, но терпели, потому что любили, уважали маму Лару — меня то есть. А потом в один день все разом и кончилось, как отрезало. Пропал он, не вернулся ко мне. Да, вам же имя надо... Евгений имя ему.

— И как давно ваш Евгений пропал? — спросила Августа.

— Одиннадцать лет назад.

— Однако срок, — покачала головой Руфина.

— А в каком месяце это было? — снова задала вопрос Августа.

— Летом, да разве в месяце дело, — Лариса Павловна обернулась к ней, — Женька... он же муж мой был, последняя моя любовь и так со мной поступить — бросить, уйти!

— Так вы уверены, что он вас бросил? — Августа смотрела на Нику — как она там в своем «путешествии». — Отчего же вы, записываясь на прием, сказали, что «пропал без вести»?

— Так нет его нигде, и вестей о себе, мерзавец, не подает.

— Может быть, он за эти годы уже успел жениться, семью завел? Одиннадцать лет большой срок, — Руфина старалась говорить как можно мягче.

— Это мне без разницы, я только хочу найти его, в глаза ему поглядеть, — Лариса Павловна всхлипнула, скривила густо накрашенный рот. — Я за эти годы... думала — забуду, нет, не могу. Хочу найти, в глаза ему посмотреть, спросить, как же ты мог, Женька, я ж так тебя, подлеца, любила!

ФАЛЬШИВИТ — отметила про себя чуткая, как барометр, Руфина. ИСКАТЬ ЧЕРЕЗ СТОЛЬКО ЛЕТ СБЕЖАВШЕГО ЛЮБОВНИКА? СОВСЕМ, ЧТО ЛИ, ОНА СПЯТИЛА?

— Я все же не понимаю, дорогая моя, зачем вам все это нужно? Бередить старую рану... Не проще ли забыть?

— Да не могу я забыть! Извелась вся, вон похудела даже, — Лариса Павловна хлопнула себя по выпуклому животу. — Я чего к вам пришла? Вы ж это... ищете пропавших — по фотографии, по вещам. Я в газете читала, может, и моего найдете? За гонораром я не постою и вообще за расходами. Хочется найти, встретиться с ним, может, до чего и договоримся.

— Вы надеетесь, что ваш друг вернется к вам? — спросила Августа.

— А почему нет? Как там у него жизнь сложилась? А я женщина обеспеченная.

— Ну хорошо, спорить тут нечего, раз вы так этого желаете, — Августа тоже говорила с клиенткой мягко. — Вы принесли нам его снимок или...

— Карточки у меня его нет. Были, конечно, но за одиннадцать лет не знаю куда делись. А из вещей — вот, нате.

Она нырнула с головой в огромную кожаную сумку, долго рылась там и наконец достала свернутый мужской ремень — кожаный, с тяжелой пряжкой.

Августа взяла ремень и, не разматывая, осторожно вложила плотную кожаную массу в ладонь Ники. Та какое-то время была неподвижна, потом накрыла вещь другой ладонью, откинулась на спинку кресла и опять словно бы задремала.

Сеанс начался.

— Вспомните тот день, когда Евгений пропал, то есть ушел, — попросила Руфина.

— Скажите уж прямо — бросил меня. А ведь я одиннадцать лет назад еще о-го-го была. С весом, конечно, всегда у меня проблема, но он полных любил, сам говорил: есть за что подержаться. А в тот день... да обычный был день, самый обычный. Ждала я его к вечеру, а он не приехал. И ни звонка, ничего, как отрезал. Я искала его, думаете, не искала? Искала, — Лариса Павловна достала новую сигарету. — Но в Москве его не было, это точно. Куда-то подался соколик. Может, на юга, может, и того дальше.

— Но вы уверены, что он жив? — спросила Августа.

— Алкашом он не был, наркоманом тоже, это они загибаются, а он здоровый бугай... Я тогда и в больницы звонила — думала, может, в аварию попал. Нет, просто сбежал, живет себе где-нибудь, в ус не дует, — Лариса Павловна вдруг спохватилась, словно сказала что-то лишнее. — А может, как раз и плохо ему, жизнь не сладилась, а тут я — вот, мол, сокол, помню нашу с тобой любовь.

— И вы через столько лет простите ему?

— А как по-вашему — стоит простить?

Но Августа не успела ответить. Со стороны кресла послышался какой-то странный звук — то ли хрип, то ли клекот, невозможно было представить, что ТАКОЙ ЗВУК может издавать человеческое горло.

Руки Ники — со скрюченными, сведенными судорогой пальцами, взметнулись над головой. Кожаный ремень с пряжкой, распустившийся на всю длину, трепетал в ее руках как живой. Точно коричневая змея. Ника обернулась — лицо ее дергалось, глаза вылезали из орбит, она силилась что-то сказать, но язык не повиновался ей. Внезапно резким движением она обвила ремень как змею вокруг своей шеи. Секунда — и она резко дернула за концы, затягивая на своем горле петлю.

Августа и Руфина бросились к сестре, та рухнула на ковер, извиваясь и хрипя, все сильнее и сильнее затягивая на своем горле ремень-удавку.

— Руки ей держи! — крикнула Руфина, прижимая тело младшей сестры к полу.

Огромным усилием Августа впечатала правую руку сестры в паркет, одновременно силясь разжать ее мертвую хватку, отпустить ремень, ослабляя петлю.

— То самое, чего я так боялась! — Руфина и сама уже задыхалась — от борьбы, от тревоги, от неожиданности. — Это припадок... у нее припадок!

Глава 11
ЧЕЛОВЕК ЗА СТЕКЛОМ

— Ему что-то мешает. И я бы хотел узнать, что это такое.

Это было произнесено в белом больничном коридоре, вполголоса, однако таким тоном, что Катя запомнила эту фразу надолго.

Посетить Центр судебной психиатрии оказалось не так уж и сложно. Арбатского убийцу Романа Пепеляева отправили на судебно-психиатрическую экспертизу сразу после предъявления ему «рабочего» обвинения. Видимо, следователь прокуратуры не считал для себя возможным продвигаться в расследовании дальше без официального заключения о психическом состоянии

Пепеляева. Катя позвонила Левону Михайловичу Геворкяну — ведущему специалисту центра, которого знала и по прежним делам, и по лекциям, иногда он читал их в Главке во время служебных занятий.

«Хочу на него взглянуть» — конечно, это было не лучшей фразой, но как-то половчее соврать у Кати не вышло. К тому же профессор Геворкян знал ее как облупленную. Однажды даже заметил: «Голубушка, любопытство тоже в каком-то роде психическая аномалия». Позже Катя узнала, что Геворкяну звонил и полковник Гущин. А с полковником Гущиным они вместе съели не один пуд соли.

— Все жаждут на него взглянуть. Студенты-практиканты так и рвутся, — это Геворкян сказал Кате, приехавший в центр, встречая ее на проходной, более похожей на военный блокпост. — Хотелось бы, конечно, умерить весь этот ненужный ажиотаж вокруг его персоны, но пока это невозможно.

— С моей стороны это не праздный интерес, Левон Михайлович, я хочу сделать об этом происшествии статью. Вы же знаете, Пепеляева там, на Арбате, обезвредил именно Федор Матвеевич, — Катя постаралась, чтобы это вышло у нее как можно солиднее.

Но мудрый Геворкян лишь прищурился: конечно, конечно, и тем не менее, голубушка...

— Он по-прежнему молчит? — спросила Катя.

— Нет, отчего же.

— Начал давать показания? — Катя тут же нырнула в сумку за блокнотом. — Неужели? Как вам удалось? На всех допросах в прокуратуре он молчал, насколько мне известно.

— Он молчал на первых двух допросах. Потом были произведены очные ставки с несколькими свидетелями, находившимися в тот вечер на Арбате. Вот тут, в присланных вместе с постановлением о назначении экспертизы материалах... в частности, очная ставка с гражданином Зуевым... так... Здесь много написано, — Геворкян надел очки. — Это уличный торговец сувенирами. Он показал, что сначала видел Пепеляева на верхнем этаже строящегося здания, расположенного возле театра. У него в руках был пистолет, и он целился... Вот тут этот торговец говорит: «Он целился прямо в толпу». Но выстрелов сверху не последовало, и свидетель потерял его из виду. А через несколько минут началось... то, что началось, вы знаете, Екатерина. Вся Москва знает.

— На этих очных ставках Пепеляев говорил?

— Нет.

— Так, значит, он все-таки отказался от показаний? А у вас здесь начал...

— Ну, то, что он говорит нам здесь, я бы не взял на себя смелость назвать ПОКАЗАНИЯМИ. — Геворкян снял очки. — Он был к нам доставлен в крайне неудовлетворительном состоянии, пришлось принимать срочные меры медицинского характера.

— Но... доктор, я не понимаю, — Катя насторожилась. — Конечно, во время задержания Пепеляев пострадал, там такая ситуация была... Удивительно, как его вообще не линчевали.

Геворкян листал материалы.

— Значит, любопытно на него посмотреть, — сказал он. — М-да... а ведь простое дело с точки зрения уголовного процесса. Факт убийств налицо, оружие изъято, более двух десятков свидетелей, опознавших его. Виновность в суде будет доказать несложно. Так что же вас, коллега, в этом простом деле смущает?

— Это, по-вашему, простое дело? — Катя даже встала. — Это — простое?

— Что вас беспокоит?

— Мотив. Самое главное — мотив. Почему?

— А если мы так никогда этого и не узнаем? Что, так уж трудно с этим смириться?

— Мне кажется, Левон Михайлович, вам как профессионалу, как врачу намного труднее с этим смириться, чем мне. Я просто хочу написать статью для газеты, максимально достоверную. И меня интересует мотив этого преступления.

— Вас интересует... Душевный порыв, мгновенный импульс... жгучий интерес. Неужели движение души важнее разума? А что говорит разум на все это? Он труслив и осторожен, порой он предостерегает от таких вот мгновенных импульсов. Вам и мне «интересно», но, возможно, мы никогда так ничего и не узнаем. И быть может, это только к лучшему.

— Я не понимаю вас.

— Гущин сказал мне, что вы присутствовали при обыске по месту его проживания. Я бы тоже хотел взглянуть на его жилище. Это какой-то склад?

— Дом, развалина рядом со Славянской площадью. Там кое-как отремонтирован только первый этаж, был магазин когда-то, судя по всему, а теперь обувной склад. Пепеляев там жил, потому что дорого квартиру было снимать, так нам в его фирме объяснили. Запущенное, грязное помещение, хотя одежда, которую он носил, содержалась им в относительно пристойном виде. В принципе там нечего было смотреть — рухлядь какая-то и сплошные обувные коробки. Одна деталь, я думаю, крайне важная. Знаете, какая? Застарелые следы крови — на вещах, на полу. На стене даже кровью что-то нарисовано. Какая-то абракадабра. Во время обыска все это было зафиксировано, снято. Я подумала: уж не прикончил ли он там кого до того, как пошел расстреливать? Но... не знаю, они эту версию как-то и рассматривать не стали, хотя обыск провели очень тщательно. И вообще у меня там сложилось

впечатление, что Елистратов из МУРа и все его сотрудники, которые дело ведут, что-то темнят.

— Следы крови... это уже интересно, — Геворкян
что-то отметил себе. — Надо будет уточнить, чтобы
нам прислали копию заключения биологической экспертизы.

— А зачем это вам?

— Я думаю, что это его кровь, но пусть будет подтверждение.

— Его кровь? — Катя насторожилась.

— После той очной ставки с торговцем сувенирами они там, в прокуратуре, снова попытались его допросить. Тут вот у меня копия этого допроса, можете
ознакомиться.

Катя взяла ксерокопию бланка допроса. Так, все
напечатано... следователь сам заполнял «шапку» бланка. Имя, фамилия, год рождении, место рождения...
Адрес прописки... регистрация... Прописан в Твери, место регистрации — Москва, Северо-Западный
округ... Значит, отвечал Пепеляев на вопросы, пусть
общие, стандартные, но отвечал! Вопрос следователя: «По какому адресу проживаете в настоящее время?» Есть ответ, он записан: «Снимал однокомнатную
квартиру возле станции метро «Тимирязевская», затем
переехал в квартиру на Люблинской улице». Вопрос
следователя: «Когда это было?» Ответ: «Это было в
прошлом году».

Вопрос: «Где проживаете в настоящее время? Как
давно?»

На этом коротенький протокол обрывался. Внизу
на бумаге какие-то пятна, отчетливо зафиксированные
ксероксом.

— Как пояснил мне следователь, он задал этот вопрос — традиционный вопрос — Пепеляеву несколько раз. И ему показалось, что тот собирается ответить.

Но он не ответил, он прокусил себе руку до кости. Пришлось вызывать врача и накладывать швы.

— Швы?

— Следователь сказал: «Он вцепился себе в кисть как гиена, я ничего подобного в жизни не видел, мы все еле с ним справились, не то бы он пальцы себе откусил». — Геворкян встал из-за стола. — Пепеляев прибыл к нам в центр в крайне неудовлетворительном состоянии, в ходе осмотра мы обнаружили на его теле множественные раны — в основном это резаные ножевые раны и укусы. Видимо, речь идет о длительном самоистязании, если, конечно, не будет доказано чье-то вмешательство со стороны.

— Он сумасшедший, — Катя покачала головой. — Вот оно все откуда идет. Причина убийств — его безумие.

Геворкян — ведущий специалист Центра судебной психиатрии — посмотрел на Катю и ничего не сказал.

— Но я все же могу его увидеть? — спросила Катя.

— Да, раз уж потрудились сюда приехать. Он сейчас в одном из наших специализированных боксов. Идемте.

Они шли по длинному белому коридору. Их обогнала целая процессия студентов — все в халатах, ужасно серьезные, деловые. Геворкян поздоровался с их куратором.

— Веду их сначала в семнадцатую, а потом, конечно же, в третий, — на ходу бросил тот.

Все как водится в научных учреждениях — работа, практиканты, лекция с демонстрацией...

И тем необычнее прозвучали слова Геворкяна в коридоре, показавшемся Кате еще более пустым и гулким после студенческого косяка.

— Когда с ним основательно поработали врачи, он какое-то время чувствовал себя значительно лучше.

Это был ясный момент его сознания. Я имел с ним беседу, и он сказал, что слышит голоса.

— Сумасшедший, так я и знала. Псих, — Катя была в глубине души жестоко разочарована.

Геворкян набрал электронный код доступа возле двери в отделение.

— Он ищет контакта с нами, хочет что-то сказать. Ему что-то мешает. И я бы хотел узнать, что это такое.

Отделение выглядело тоже вполне обычно для Центра судебной психиатрии, только в маленьких окнах, выходивших во внутренний двор, стояли пуленепробиваемые пластиковые стекла да на медицинских постах вместе с медсестрами дежурили дюжие медбратья с военной выправкой.

Коридор и здесь был узкий и белый, стерильный. Двери, двери, за ними какие-то помещения, кабинеты или боксы — не разобрать. Тут было очень тихо, видимо, все звуки глушила мощная звукоизоляция. Везде под потолком были укреплены камеры видеонаблюдения. Пульт помещался тут же за перегородкой, там тоже сидела охрана. Геворкян попросил Катю подождать и зашел туда, разговаривал с охранниками — не было слышно о чем, затем долго и внимательно смотрел в монитор.

Судя по всему, боксы, где содержались подозреваемые, круглосуточно находились под видеоконтролем, прежде чем зайти в бокс, следовало понаблюдать за его обитателем.

Но вот Геворкян вышел и махнул Кате: за мной. Они свернули еще в один гулкий коридор и поднялись по лестнице. Впереди замаячила дверь, и, чтобы открыть ее, снова потребовалось набрать код электронного доступа.

Еще один коридор и...

Кате, когда она старалась не отстать, чудилось, что все будет как в фильме «Молчание ягнят» — боксы, толстые железные решетки и одна камера в самом конце коридора, отгороженная пуленепробиваемым, крепким как сталь стеклом, за которым ОН — чудовище.

От неожиданности она даже попятилась — стекло, это самое пуленепробиваемое стекло, было прямо перед ней. Бокс был не «в конце коридора», а первый от начала.

Узкое пространство, забранное светлыми матами, посредине медицинская кушетка, чуть поодаль табурет, крепко привинченный к полу. Поток солнечного света, льющийся в окно под самым потолком. И в столбе этого света — темная фигура.

Человек на фоне белой стены... Человек за стеклом.

В первую секунду у Кати поползли по спине мурашки. Но потом... буквально через минуту, пригляделвшись, освоившись, она снова была жестоко разочарована.

И это — ОН? Это и есть арбатский убийца?

Роман Пепеляев стоял у стены, привалившись к ней плечом. На нем была серая больничная пижама — брюки явно велики, они висели, куртка с закатанными рукавами. Левая его рука была забинтована целиком, так что вместо кисти торчала белая культя из марли и ваты. На правой руке бинты были на запястье.

Он был самый обычный на вид — такого встретишь на улице или в метро и сразу отвернешься, потому что ничто не зацепит глаз — белесые волосы, стриженные ежиком, угловатая фигура. На фоне стены Кате был виден его профиль — худое лицо, скулы, обтянутые кожей, нос с горбинкой. Хотя он не лежал и не сидел на кушетке, а стоял, на лице его было какое-то сонливое выражение. Глаза полузакрыты — он или дремал, вот так, привалившись боком к стене, или о чем-то настолько глубоко задумался, что, казалось, не замечал ничего вокруг.

Они с Геворкяном стояли, отделенные от него лишь стеклом, а он даже не повернул головы — сонный, онемелый, полумертвый в своем стерильном аквариуме.

Внезапно дверь — боковая (Катя ее не сразу и заметила среди этой режущей глаз белизны) — бесшумно отворилась, и в бокс зашел пожилой врач, коллега Геворкяна. Геворкян нажал на стене какую-то кнопку, и Катя услышала шипение во вделанном в стену динамике:

— Ну, Роман Григорьевич, как мы сегодня?

Сонное выражение на лице человека за стеклом не изменилось. Но в динамике прозвучал его негромкий ответ:

— Сносно. Жив.

И голос у него тоже был совсем обычный. Мужской молодой баритон, только по этому голосу и можно было определить его возраст. Катя вспомнила — Пепеляеву ведь всего тридцать два года, но выглядит он сейчас... на сколько же он выглядит? На сорок? На сорок пять? На пятьдесят? И лишь этот голос — безликий, лишенный эмоций, относительно еще молодой.

— Поработаем сейчас с вами, не возражаете? Это тест, похожий на тот, что был в прошлый раз. Попрошу вас сесть и выбрать среди этих изображений то, что, по вашему мнению, наиболее точно соответствует понятиям: «дом», «судьба», «здоровье». — Врач достал из мягкой папки несколько тонких листов бумаги и разложил на кушетке.

Катя поняла, что в этих стенах плотная бумага и папки с «углами» были запрещены.

— В ходе прошлого теста знаете какую он выбрал ассоциацию понятию «равнодушие»? — сказал Геворкян. — Рисунок с краном, из которого капает вода.

Катя была поглощена тем, что происходило за стеклом. Что хочет этим сказать доктор Геворкян? Что психбольной не проявил бы вот так свое ассоциативное мышление?

Пепеляев отделился от стены и медленно приблизился к кушетке. Он никак не реагировал на тех, кто за ним наблюдал, и Катя про себя решила: он их просто не видит. Это стекло, наверное, так устроено — можно видеть только то, что происходит внутри бокса. В этом разгадка полного ЕГО безразличия.

Внезапно со стороны входа послышался шум, голоса и... Ну конечно же, это были студенты. Их привели в отделение продемонстрировать, как психиатр работает с арбатским убийцей.

Сразу стало как-то тесно и жарко. Катю и Геворкяна окружили любопытные личности в белых халатах, дышавшие мятной резинкой, заглушающей вчерашнее пивное амбре, и все пялились жадно туда, за стекло.

— Больной поступил на экспертизу четыре дня назад, — голос куратора-лектора нарушил тишину. — С обстоятельствами, предшествующими поступлению, вы ознакомлены. Перед нами поставлен ряд вопросов. В том числе и о вменяемости на момент совершения им...

Пепеляев, который до этого, стоя возле кушетки, пристально и послушно разглядывал рисунки, обернулся.

Движение было резким, стремительным. Оно совершенно не вязалось с прежней его сонной расслабленной позой. И обернулся он не на звук чужого голоса, нет. Слышать то, что говорилось за пределами бокса, он не мог.

ЗНАЧИТ, СТЕКЛО ТУТ НИ ПРИ ЧЕМ. ОН ЧТО-ТО УВИДЕЛ.

Это промелькнуло в голове Кати как молния, совершенно импульсивно, неосознанно.

ОН УВИДЕЛ...

Листы бумаги упали на пол, не обращая внимания на врача, Пепеляев двинулся вперед, прямо к стеклу. Взгляд его был прикован к студентам, облепившим стекло, как белые мухи.

— Боже мой, вы заметили? Смотрите, какой он, неужели вы ничего не замечаете?!

Это потрясенно прошептал Геворкян, и Катя... Если бы он этого не произнес вслух, она бы подумала, что ей все померещилось, что это обман зрения. В чертах лица человека за стеклом проступило нечто... Это было как будто другое лицо... нет маска... нет, зыбкий призрачный слепок... что-то чужое...

Выразить эту мгновенную метаморфозу было невозможно словами, но она напугала Катю и всех присутствующих возле бокса до смерти.

Но это продолжалось лишь мгновение, лицо Пепеляева обрело свой прежний вид, и только глаза... Хищный блеск, что-то пристальное и тяжелое... И одновременно неясное, замутненное — то ли бельмом, то ли бешенством...

Человек за стеклом повернул голову направо, налево — он словно искал, высматривал кого-то там, за стеклом. И сердце Кати сжалось в груди — вот сейчас он увидит, отыщет ее, и тогда...

Не издавая ни звука, огромным прыжком Пепеляев покрыл расстояние, отделявшее его от стекла, метнулся влево, где стояли трое студентов. Кате были видны только их спины, русые затылки.

Пепеляев с силой ударил кулаком в стекло — короткий страшный удар, которым учат в карате, спо-

собный пробить кирпичную стену, пропоров ее насквозь.

Стекло выдержало, а вот звукоизоляция, хваленая
звукоизоляция — нет.

— А-А-А-А-А-А-А-А-А!!!

Его крик... Не переставая кричать, нет, выть, как
воют звери, он снова ударил в стекло, пытаясь сокру-
шить эту преграду. И опять, и опять... И снова, пока в
бокс не ворвались санитары.

Глава 12

БАЛЕТ «КОРСАР»

Нет, они не пригласили врача к младшей сестре.

— Это припадок, — Руфина повторяла это как за-
клинание. — С ней снова случился припадок.

Прием клиентов, назначенный на вечер и на следующий день, был полностью отменен.

— Ей нужен покой, полный покой, и все образуется, — Руфина не разрешала горничной входить в
комнату, стоя на лестнице, принимала у нее чистые
стопки постельного белья. Младшей сестре Нике всю
ночь она меняла белье сама, потому что у той внезапно обострился ее давний, еще детский недуг — недержание мочи.

Под утро старшие сестры снова, в который уж раз,
поднялись в комнату младшей сестры. Ника лежала
поперек широкой кровати, ее волосы разметались по
сиреневому одеялу.

— Неудобно лежит, я помогу ей, — Августа суну-
лась было к кровати.

— Не трогай ее, кажется, она уснула, успокоилась.
Ника, победительница Ника, крылатое вещее существо... Сумерки цвета маренго в комнате, шум то-

полей за окном, терпкий запах мочи... Как в детстве, как в далеком, забытом детстве...

Августа отвернулась от постели. Как бьется сердце...

Они с сестрой Руфиной встретили рассвет в зале, пили горчайший крепкий кофе.

— Как назло, у нас все эти дни расписаны, столько народа на прием, — Руфина держала на коленях ноутбук. — И надо же такому было случиться именно сейчас.

— Ей мужик нужен, — Августа пила кофе. — Из дома мы ее никуда не выпускаем, и тут ты не разрешаешь мне... нам... А ей нужен мужик. Регулярный секс, и все с ней будет нормально.

— С ней никогда уже ничего не будет нормально, — ответила Руфина. — Оргий в доме я не потерплю.

— Тогда пусть это будет трахальщик по вызову, ну не знаю... стриптизер из клуба, позвони, вон предложений сколько на последней странице, — Августа раздраженно швырнула сестре газету. — В Интернете телефоны... Потрудись, помоги сестренке.

— Оргий в доме я не потерплю, — повторила Руфина. — Не забывай, мы сейчас на виду, о нас вон опять стали писать, о матери нашей покойной... Если что-то выплывет, нам же будет хуже.

— Я все устраивала, и никто ничего не знал, — Августа покачала чашку, на дне остался толстый слой кофейной гущи. — И не было никаких припадков, никаких истерических выходок во время сеанса. Интересно, что о нас подумала та кекелка... как там ее звали — Лариса? Понесет теперь по всем углам — мол, какие они медиумы, ясновидящие, дуры набитые, а сестра у них ненормальная.

— О, я помню, как ты это устраивала...

Руфина от волнения поперхнулась кофе. Тот сросшийся сиамский близнец, которого тайно доставляла к ним в дом его сердобольная мать, был не единственной находкой Августы. Уроды и калеки не переводились в их доме — например, стокилограммовый олигофрен, которого тоже к ним привозили его сердобольные родственники... Кажется, Августа дала ему прозвище Терминатор. Ему было двадцать, и тестостерон в его крови давно зашкаливал. Все эти бедные, обделенные богом создания тоже ведь были мужиками, и они хотели... Как же страстно они хотели...

Нет, Руфина никогда не принимала во всем этом участия. Когда ЭТО начиналось, все в их доме переворачивалось вверх дном. Ограничиться только рамками спальни они — ошалелый Терминатор, сестра Ника, которую Августа активно приобщала к своим плотским забавам, — были просто не способны. Они не понимали, да и не могли понять, не ведали стыда и подчинялись инстинкту, как животные, совокупляясь там, где настигала их похоть. По дому носились голые, распаленные демоны... Настоящие демоны... И это ужасало Руфину, не бывшую от природы ни ханжой, ни заскорузлой девственницей.

В одну такую ночь Терминатор взял и ее. Это случилось в ванной, он высадил дверь. Ему было все равно, с кем это делать, сестер в ту ночь он измочалил и довел до полного изнеможения, в доме нетронутой оставалась только она — старшая сестра. Он был мужчиной, созданным «по образу и подобию», только вот за исключением одной вещи, самой главной — разума. В его объятиях Руфина ощутила себя тряпичной куклой. Казалось, если она будет сопротивляться там, в ванной, отталкивать его, он стиснет ее в своих лапищах так, что хрустнет позвоночник. Но он... этот... урод, которого она прежде воспринимала с жалостью, с испугом и физической брезгливостью, обошелся с ней так, что... Он подарил ей такое наслаждение, зажег такой огонь, что она испугалась всего этого гораздо больше, чем унижения или насилия. Это граничило с полным безумием.

Пусть такую любовь выбирают для себя сестры. Но только не она.

НЕТ.

Мать, великая Саломея, говорила, когда ее спрашивали: за дар надо дорого платить.

Чем?

Если такова их плата за дар, то...

НЕТ.

Пусть платит Августа, пусть платит Ника. Но только не она.

В их доме в этот день было непривычно тихо, они даже отключили телефон. Сестра Августа уединилась в гардеробной.

— Значит, все-таки пойдешь вечером на балет? — спросила Руфина, глядя, как та примеряет наряды, выбирает туфли на шпильке.

— Я хочу посмотреть «Корсар», и билет есть. Вот он.

— Зачем тебе этот бородатый недотепа? Ну скажи, зачем он тебе?!

Руфина чувствовала, как внутри ее вскипает злость.

Около пяти она снова поднялась в комнату Ники со свежей стопкой постельного белья. Ника сидела на кровати, поджав под себя ноги. Она ежилась, обнимала руками свои плечи, сжимаясь в комок.

— У тебя что, температура? — Руфина присела на кровать и пощупала лоб сестры.

Легкий жар явно чувствовался.

— Как ты?

Ника втянула голову в плечи.

— Я принесу тебе горячего бульона, хочешь?

— Не уходи! — Ника неожиданно вцепилась в руку сестры.

— Я здесь, с тобой. Ты помнишь, что было вчера?

— Сеанс... тетка...

— Ну-ка покажи шею, ты вчера не поранила себя? — Руфина приподняла голову сестры за подборок. Так и есть — на шее багровая полоса, след от ремня, которым она едва не задушила себя. — Что на тебя вчера вдруг нашло?

Ника не ответила.

— Я пойду схожу за кремом, тебе надо смазать шею.

— Не уходи. МНЕ СТРАШНО!

Руфина с порога обернулась. Ника смотрела на нее исподлобья.

— Девочка моя...

— Мне страшно... я... я не могу... я боюсь!

— Чего ты боишься?

Ника не отвечала.

— Я спрашиваю, чего ты боишься? Что случилось? Ты... ты видела вчера что-то?

Ника внезапно наклонилась вперед, точно ее дернули или толкнули, движение было резкое, судорожное. Ее волосы — густые и длинные — свесились, полностью закрывая лицо.

— Ты что-то увидела вчера во время сеанса?

Нет ответа. Темные пряди — как занавес. Когда Руфина подошла и попыталась убрать волосы с лица сестры, та оттолкнула ее руку.

Обо всем этом Руфина не успела поговорить с Августой — та уже вызвала такси. В черном платье, в накидке от Шанель, расшитой перьями, на каблуках, сильно накрашенная, она смотрелась дорого, хотя и чересчур вычурно.

Руфина из окна наблюдала, как такси отъезжает. Не так уж и трудно представить себе... нет, не представить, прочесть... увидеть как в зеркале, как там у них все будет с этим бородачом...

Свет мой, зеркальце, скажи... Книжка, помнится, была такая у них в детстве с красивыми картинками... Братец Тимофей рвал ее листы, чертил что-то цветными карандашами... Свет мой, зеркальце, скажи, да всю правду расскажи...

Новая сцена, ступени... Он в хорошем выходном костюме — в толпе у входных дверей, ждет. Вот увидел, подходит...

— Здравствуйте, Августина.

— Здравствуйте, здравствуйте, а я думала, встретимся уже в зале на местах.

— Нет, я решил... я же сказал... Какая вы красивая, элегантная... Я чертовски рад, а если честно — то не надеялся особо.

— Я люблю балет. Захарова танцует?

— Не знаю, я не балетоман. Может, выпьем кофе в буфете перед началом?

— Спасибо, не откажусь.

Со стороны они смотрятся, импозантная пара средних лет. Наверное, кто-то даже решит, что они муж и жена, вот пришли в театр, купили билеты на дорогие места в партер. Нет, по его лицу явно видно сейчас... Свет мой, зеркальце, скажи...

Руфина прислонилась лбом к холодному стеклу: зачем, зачем она это делает, ведь это все лишнее.

— Кто вы, собственно, такой, представьтесь, — разговор уже в буфете, вместо кофе в руках бокалы с шампанским. Первый звонок.

— Ну, зовут меня Петр... Петр Дьяков. Чем занимаюсь, чем зарабатываю? Раньше работал... служба, знаете ли, ни шатко ни валко, теперь вот у нас бизнес семейный... ничего особенного — химчистка. Живу в Подмосковье, у нас хороший дом, новый.

— А живете вы с кем?

— С матерью и... Да, с мамой. Я никогда не был женат.

— Почему?

— Вы так улыбаетесь... Ваша улыбка кого-то мне напоминает... Я думал, вы бывшая спортсменка и я вас по телевизору когда-то видел, нет? Я сам спорт люблю и занимался...

— Вы это уже мне говорили.

— Да?

— Там, в ГУМе. Вы ведь не случайно ко мне подошли.

— Нет. Я просто хотел... Вы очень интересная женщина.

Второй звонок. Свет мой, зеркальце, там уже второй звонок. У этого Петра Дьякова от смущения покраснели уши. Неуклюже, хотя и весьма галантно подает руку, ведет в зал. Чинное ухаживание. Так бывает, когда вам уже немного за сорок или около сорока.

Увертюра. Свет хрустальной люстры гаснет. Занавес открывается...

Балет «Корсар». Свет мой, зеркальце, ты любишь балет? Я — нет, вот сейчас — нет, не люблю. Хотя танцует Захарова. И в зале — на одну треть те, кто бывал в этом доме раньше, да и сейчас регулярно приезжает, звонит, присылает секретаря, а то и фельдъегеря за новым астрологическим прогнозом. Какие вопросы? Теперь другие, совсем другие, не те, что когда-то задавали матери, великой Саломее — «божественной ядовитой Саломке эпохи заката развитого социализма». Тогда, в начале восьмидесятых, было особым шиком после спектакля в Большом на машинах ехать в особняк на Малую Бронную. Это называлось «пытать судьбу».

Па-де-де...

Он... этот... кладет свою руку на руку той, что сейчас сидит рядом с ним, — в кольцах эта рука, в браслетах «Шанель».

— Можно вас проводить после спектакля?

— Даже нужно. Просто необходимо.

— Мы еще с вами увидимся?

— А вы этого хотите, Петя?

— Очень хочу.

— Хорошо. Только билетов на балет больше покупать не надо.

— Понял. Я понял.

Занавес. Овация: Захарова, браво!! А кто это там на виду всего зала поднимается на сцену с огромным букетом красных роз? Вручает букет. О... как романтично...

— Смотрите, смотрите, так романтично! Эта Захарова просто прелесть. Всех сводит с ума.

— Августина, я могу вам завтра позвонить?

— Да, послезавтра.

— А завтра нельзя?

— Завтра у нас много работы. Пишите телефон в свой мобильный: восемь, девять ноль три... Записали? Звоните, Петя.

— Хорошо, спасибо. А когда?

— Да прямо сейчас! Какой вы забавный... Петя. У меня ваш номер определится, звоните.

Звонок. Гардероб.

— У меня машина там, на стоянке, тут две минуты пешком.

— Какой вечер, Петя.

— Погоду и завтра обещали хорошую. Вот моя машина, Августина, садитесь, прошу.

Чинное ухаживание, съём среднего возраста. Оба слегка смущены, все еще зажаты, не раскованы, и если бы не пара бокалов шампанского, то... Ключ в замок зажигания. Поворот головы, улыбка...

Свет мой, зеркальце... Меркнет, меркнет зеркальный свет. Что-то не так? В чем дело? ЧТО ВО ВСЕМ ЭТОМ НЕ ТАК? Скажи, ну!

ОН НЕ СПРОСИЛ АДРЕСА — КУДА ВЕЗТИ.

ОН ДАЖЕ НЕ СПРОСИЛ...

Что это значит?

Глава 13

МЯСО

Темно-серый (в доме на Малой Бронной сказали бы «цвета маренго») «Шевроле» медленно ехал по ночным улицам подмосковного Дзержинска. Тот самый «Шевроле», что всего пару часов назад взял старт с автостоянки на Театральной площади. Тот самый, на котором приезжала к сестрам-медиумам крашеная толстая блондинка преклонных лет.

Серая тень на темной дороге...

Человек за рулем...

Огонек его сигареты ничего не освещает... даже лица...

Фонари цвета ананаса, площадь, дохлые домишки притулились по краям, несколько кирпичных девятиэтажек и на первом этаже одной из них неоновая вывеска: химчистка-прачечная «Уют и комфорт».

Когда-то таких «уютов» было несколько, практически целая сеть — в Дзержинске, в Лыткарине, в поселке Мирный, в Люберцах. Сейчас остался всего один приемный пункт на базе еще старого «советского» банно-прачечного комбината. Все остальное забрал банк за безнадежно просроченный кредит.

Петр Дьяков за рулем «Шевроле» равнодушно проехал мимо химчистки. Наверное, и это их «предприятие» скоро пойдет с молотка. В конце месяца надо платить аренду, надо возвращать кредит... Чем?

Скажи, чем платить, мама Лара?

А вроде было ничего поначалу. Почти что «средний» бизнес по меркам подмосковного городка. Или же все-таки «малый»? Мама Лара, я знаю, ты всегда мечтала о «крупном», ты всегда жаждала большего. Неистово, маниакально жаждала большего. Но не вышло, не получилось. И это скоро все прахом пойдет. Видно, так распорядилась судьба.

«Поеду, попытаю там... Может, помогут. А вдруг правда найдут? Вдруг правда сумеют найти? Вон по ящику каждый день про таких, как они, экстрасенсов талдычат...»

Мать объявила об этом позавчера. Собралась в один миг, накрасилась, сунула в сумку новую, непочатую пачку сигарет и двинула в Москву. Предполагалось, что они с братом Григорием останутся дома и будут ждать.

Будут сторожить.

Но он — Петр Дьяков не мог ждать, не мог оставаться в доме с братом Григорием, когда тот спускался в подвал.

Он вышел из дома, поймал какого-то узбека на разбитых «Жигулях» и тоже двинулся следом за матерью в Москву на Малую Бронную.

Он подъехал, когда мать только-только припарковалась возле особняка и позвонила в дверь.

Он ждал около часа. А потом увидел ИХ в дверях — мать и высокую женщину, похожую на спортсменку. И понял по их лицам — там, в доме, что-то случилось.

Женщина в черном со светлыми волосами... ТА САМАЯ, С КОТОРОЙ ОН ПОЗНАКОМИЛСЯ В ГУМЕ. Было ли это случайностью или знаком — знаком судьбы — ему? Он не мог этого решить, но взволновался до крайности. За ночь выкурил пропасть сигарет.

Там, у витрин гастронома, эта женщина сказала, что ее зовут Августа... нет, Августина, ему больше понравилось это второе имя.

Билет на балет лежал в его портмоне и, казалось, прожигал грудь насквозь.

МАМА ЛАРА, Я ПРАВИЛЬНО ПОСТУПИЛ? ИЛИ ТЫ СНОВА БУДЕШЬ МЕНЯ РУГАТЬ?

«Ну сынки у меня... Ну ничего сделать не умеют толком, все самой, все самой... Поеду счастья попытаю у этих колдовок, вон какую рекламу в газете про них печатают. Кто знает, а вдруг и правда им что-то такое открыто? Вещее, потустороннее? Я за одиннадцать лет найти не смогла, а они сумеют, ну хоть приблизительно место укажут, где ОН ховается столько времени от нас. Они ведь самой Саломеи дочки, помню я ее, сколько разговоров было про эту чертовку старую... Вроде как Андропова самого лечила, а до этого Брежнева, а потом и Черненко. И всех в гроб благополучно загнала, стерва... Но раз к таким ее приглашали тогда, значит, знали — силу имеет настоящую. А они ее дочери, им тоже сила передалась. Пусть хоть приблизительно место укажут — город, станцию... А уж потом остальное мы, сынки, у этой суки узнаем, вместе с потрохами ее наружу вырвем...»

ЧТО ТЫ ВСЕ БОРМОЧЕШЬ, МАМА ЛАРА? Я НЕ СЛУШАЮ ТЕБЯ, НЕ ХОЧУ СЛУШАТЬ. И ЭТИХ ВОПЛЕЙ... ЖЕНСКИХ ВОПЛЕЙ, СТОНОВ, ЧТО ДОНОСЯТСЯ СКВОЗЬ БЕТОННЫЕ СТЕНЫ ПОДВАЛА, ТОЖЕ НЕ ХОЧУ... НЕ ЖЕЛАЮ, НЕ МОГУ...

Серый «Шевроле» остановился перед двухэтажным кирпичным домом, окруженным высоким глухим забором. За воротами басовито залаяла собака — не злобно, радостно, почуяв своего.

Петр Дьяков вышел из машины, своим ключом открыл ворота и загнал «Шевроле» во двор. Тусклая лампочка над крыльцом, свет в окнах первого этажа едва пробивается сквозь плотно задернутые шторы.

К машине подскочил питбуль тигровой масти.

— Тихо, Рой! Ша, отстань, все, я дома.

— Ага, явился!

Это произнес брат Григорий, который вышел на крыльцо на шум. Как всегда, слегка пошатываясь.

— Из театров? Что, продинамила?

— Пошел ты, — Петр двинулся в дом мимо брата.

Перегар. Много пьет малой... А с тех пор как в их доме появилась ОНА, он пьет с утра до ночи, когда спускается туда вниз, к ней в подвал...

ПОЧЕМУ МАТЬ ЭТО ПОЗВОЛЯЕТ? ОН, ГРИШКА, ВСЕГДА БЫЛ ЕЕ ЛЮБИМЧИКОМ...

Брату Григорию было двадцать девять, мать родила его уже в тюрьме во время третьей своей «ходки» на «зону». Отцом Гришки был знаменитый ростовский вор в законе Жорж Кудрявый. Гришка уродился смазливым в отца — смуглый, как цыган, темноволосый, гибкий, как пантера. Про его отца мама Лара много чего рассказывала — он был рисковый, везучий, отчаянный и, хотя провел в лагерях полжизни, умер не на нарах, на воле от рака. В уголовном мире мама Лара пользовалась уважением и унаследовала много чего такого, чем Жорж Кудрявый владел в силу своего авторитета и фарта.

Он же, старший брат Петр, отца своего не знал. «Залетела по пьянке и вспомнить не могу — кто сподобился, — с подкупающей искренностью признавалась мать. — Семнадцать годков мне и было-то, каждый тогда меня в койку с собой волок».

— Мать не спит? — спросил Петр брата.

— Уснешь тут, как же...

101

— Явился? Ты где был?!

Хриплый, злой голос матери:

— Ну-ка иди сюда!

Петр — крупный, сорокалетний, бородатый — послушно поплелся в комнату, где за столом — нет, во главе стола — сидела мать. Мама Лара, как звали они ее с братом, да и многие из тех, кто знал когда-то авторитета Жоржа Кудрявого.

Сестры-Парки из особняка на Малой Бронной с трудом бы сейчас узнали в этой женщине ту самую Ларису Павловну, приезжавшую к ним в надежде отыскать своего сбежавшего любовника.

Обрюзгшая, с багровыми от выпитой за ужином водки щеками, без своего знаменитого парика цвета платины. Розовый халат кое-как подпоясан, жидкие седые патлы прихвачены на затылке заколкой.

— Ты где шлялся?

— Мать, я не обязан... что ты хочешь от меня?

— Ишь ты, не обязан он. Дело не сделано, а ты на сторону? Шары подкатываешь? Думаешь, не знаю, где ты был? Когдай-то ты театралом заделался? С чегойто? — Лариса Павловна — Мама Лара ярилась. — К которой хоть из них?

— Ее Августина зовут.

— Когда только познакомился, успел...

— Она обеспеченная, самодостаточная и вообще... Слушай, она мне понравилась.

Петр произнес это и — вот чудное дело — почти сразу ощутил в комнате, где витал лишь водочный дух и запах материнского пота, аромат ЕЕ духов. Эта женщина... Августина... Редкая женщина, не похожая ни на кого. Что-то влечет к ней неодолимо, тянет как магнитом... У нее такие пышные волосы и при этом волевые черты и руки такие сильные. Он сразу это почувствовал. Его всегда влекло к таким женщинам — сильным, уверенным в себе, спортивным, стройным.

— Понравилась... слюни распустил... Колдовка она, и сестра ее — колдовка. И обе обманщицы, ведьмы, — мама Лара скорчила гримасу. — А младшая ихняя вообще припадочная. Я сижу, жду как дура последняя, что они мне скажут, а она вдруг как завоет... а потом ремень себе на шею петлей и... В психушке таким место, а не среди приличных людей, которые к ним по их же говенной рекламе за советом и за помощью идут.

— Я говорил тебе, не нужно ездить, это все одно сплошное надувательство и обман, — сказал Петр.

— «Я говорил...», ты много чего говорил... Ты и тогда, одиннадцать лет назад, тоже много чего болтал. А делать не делал, все на дядю чужого надеялся, мол, он все за нас сделает, и бабки нам как бобик в зубах принесет. Самому надо было в деле от начала до конца участвовать, а ты... С Гришки спрос какой? Он тогда пацан был, но и то помогал как мог. А ты взрослый здоровый мужик. А обманули тебя, как фраера последнего, кинули как щенка.

— Он тебя, мама, обманул в первую очередь.

Мама Лара грузно поднялась из-за стола.

— Я его, подлеца, все эти годы ищу. Везде, места не осталось, где скрыться мог он, — она повысила голос. — Я и эту сучару тощую отыскала. Я ее нашла! Вы, что ли, с Гришкой? Вы, долбаки, неделю с ней бьетесь там, в подвале, даже язык ей не развязали толком. Нервы, видите ли, у него сдают, — она в сердцах швырнула в сторону Петра махровое полотенце, что лежало тут же возле стола.

В просторной комнате был вообще всегда большой беспорядок. Мать не утруждала себя уборкой. Убирался в основном он, Петр, — как мог, как умел. Проще было бы нанять какую-нибудь бабу из той же химчистки — подметать, стирать пыль, пылесосить, но в дом сейчас нельзя было пускать чужих.

Вот уже больше недели чужие в доме грозили им всем полной катастрофой.

— Я забыл тебя вчера спросить, как ты съездила туда к ним, мама?

— Он спросить забыл... Ты себя-то помнишь? Или она и тебе, эта ведьма, глаза отвела? Запал, что ли, на нее? Господи, на что там западать? Видела я ее — жилы одни, ни грудей толком, ни жопы... Даром что дочка Саломеи покойной. Та хоть ведьма была настоящая, а эти три шлюхи... Ничего мне не сказали, ни словечка путного о НЕМ.

— Ясновидящие в таких делах помочь не могут.

— А кто может? Кто его нам найдет? Я ж его одиннадцать лет ищу... Утек с нашими деньгами и живет сейчас где-нибудь в Сочах, сволочь... Я ж его знаю как облупленного. Купались бы в деньгах сейчас, жили бы — горя не знали... С кредитами бы этими вонючими не побирались. И ведь дело-то было общее. Общее, наше! Вы там были с ним, я мозговала, все в доле были, а он один, подонок, все себе забрал. Украл. Мое — понимаешь ты это, мое, наше себе прикарманил. И эта сучара его тощая тоже знает — я по глазам ее вижу, знает она, где он обретается. Видал, какая квартира у нее — обстановка, вещички... небось на наше бабло все и куплено. Откупился он от нее, рот ей замазал, сучаре. Ну ничего, она у меня заговорит, сейчас же заговорит!

— Мама, может, не надо сейчас? Поздно уже!

Мама Лара отпихнула Петра и, переваливаясь, пошла в глубь дома. Питбуль Рой двинулся за ней, нетерпеливо поскуливая, точно предвкушая веселую игру.

Мама Лара, дыша перегаром, начала спускаться по лестнице в подвал.

— Гришка, быстро сюда!

Младший Григорий смотрел в это время футбол по телевизору. Но, услышав зов матери, послушно вырубил ящик.

— А ты куда?

— Я не могу, — Петр смотрел на лестницу, ведущую в подвал.

— Марш за мной. И свет включи, темно как в могиле.

Щелкнул выключатель. Бетонные ступени, лестница — узкая кишка, бетонные стены. Там внизу что-то вроде мастерской — полки, верстак. Новые покрышки, купленные впрок, — краденые покрышки, привезенные маме Ларе кем-то из «своих», отданные по дешевке.

И куча какого-то тряпья в углу. Бурые пятна на стенах, ржавая цепь.

— Ну-ка, подымай ее. Хочу ей, подлюке, в глаза глянуть, — приказала мать.

— Послушай, я...

— Подымай, говорю! Ну!

Петр подошел к стене. Тут что-то вроде самодельного «ворота», ручка торчит. Он взялся за эту ручку и начал крутить, крутить, крутить.

Только бы не слышать этих стонов... этих стонов боли...

Это была вовсе не куча тряпья. Это была женщина — почти совершенно голая, грязная, окровавленная. Она покачивалась под потолком подвала как страшный плод, подвешенная за скованные цепью руки. А до этого она просто валялась на рваном одеяле — вконец обессиленная, не способная больше сопротивляться.

— Ну, здравствуй. Очнулась, нет? Щас приведу тебя в чувство! — Мама Лара зажгла сигарету и ткнула горящим концом несчастной в шею.

Та дернулась, забилась. Она была истощена, видно было, что она в этом подвале уже несколько дней. От ее тела исходил тухлый запах нечистот, запекшейся крови, смерти.

— Воняешь, как свинья, фу... Ну, надумала что? Я тебе время дала, два дня. Надумала? Будешь говорить? Скажешь, наконец, где он?! — Мама Лара глядела на нее в упор.

— Что... вам... надо от меня? Я не знаю.

— Знаешь, прекрасно все знаешь... И помнишь все. По глазам твоим вижу. Такое не забывается. Ты ведь в том банке работала... Так что не ври мне. Где он? Женька где? Где живет? Где от нас скрывается? Отвечай!

— Не знаю... я сказала вам все... не знаю ничего о нем много лет...

— Врешь. Он тебе деньги слал, содержал тебя, суку...

— Нет, клянусь, нет! Не слал он мне ничего. Он пропал, тогда... уехал, бросил... пропал... Я ничего о нем не знаю.

— Врешь! Ты все врешь! — Лицо мамы Лары перекосилось. — Сучара... неделю нам тут мозги пудрит... Значит, не хочешь по-хорошему? По-плохому со мной хочешь? Ну будет тебе по-плохому... Мясо сучье... Гришка!

— Я здесь, мама, — Григорий, не досмотрев свой футбол по телевизору, спустился в подвал.

— Дай мне нож!

— Мама, я прошу, пожалуйста, — Петр попытался схватить мать за руку, но та отпихнула его с таким остервенением, что он сразу сдался, подчинился.

— Нож сюда мне! — Мама Лара вцепилась в грязную ляжку той, которую пытали на дыбе. — На куски сейчас тебя тут живую буду резать. Все мясо, что вырежу, — собаке вон своей скормлю у тебя же на глазах. Ну? Скажешь, где ОН? Где Женька, скажешь, нет?!

— Я не знаю ничего!

Та, которую пытали, закричала от страха, а потом — от боли уже во всю силу своих легких, потому что мама Лара, выхватив у Григория нож, полоснула им по ее голой ляжке, вырезав, вырвав кусок плоти.

Брызги... что-то шлепнулось на бетонный пол. Питбуль подскочил, визжа от нетерпения, и...

От женского вопля, потрясшего подвал, они все разом оглохли. Кровь била из раны ключом — видимо, по неловкости мама Лара задела какую-то важную артерию.

Петр пинком отшвырнул к стене урчащего от жадности пса, тот что-то торопливо дожевывал...

Этот крик...

— Заткни ее! — заорала мама Лара. — Она весь город на ноги подымет, всю улицу перебудит! Заткни ее, да сделай же что-нибудь!

Крик... Он вдруг разом оборвался. Потому что Григорий, как всегда, слепо и бездумно подчинился приказу мамы Лары. Он всадил кричавшей нож в живот по самую рукоятку.

Тело на дыбе дернулось, изогнулось в агонии и обмякло. А следом тоже в позыве рвоты согнулся и Петр, извергнув из себя на бетонный пол все, все разом — остатки завтрака, обеда, шампанское, балет «Корсар», гастроном № 1, ее духи, сигареты, ее улыбку, свою неутоленную похоть...

Тело на дыбе... Рукоятка ножа торчит...

— Что ты наделал? Что ты натворил, идиот?! Ты убил ее! Прикончил!

Резкий как скрежет голос матери... кричит, разоряется теперь... сама же велела... И Гришка сделал, заткнул...

— Ты ее убил! Она так ничего нам и не сказала, как же мы узнаем?!.

Тело на дыбе... Целая лужа натекла...

Умываясь в ванной, уже наверху в доме, приходя в себя, Петр слышал, как мать говорит его брату:

— Она ж ниткой была нашей к нему. Ниткой единственной, реальной... А ты оборвал разом... Кто тебя просил?! Она бы нам все сказала. Я б кусок за куском из нее — сказала бы, не выдержала, а ты разом все оборвал. Убить тебя, сволочь, за это мало... Труп-то теперь куда? Куда, я тебя спрашиваю?!

— Вывезем, не беспокойся. А ниткой, как ты выражаешься, она, может, и была, да только...

— Что только, недоделанный?!

— Там вон и другая нитка, кажется, появилась.

— Где там? Что ты плетешь?

— Вот тут, на, почитай.

Шелест газеты.

ОНИ ТАМ ПОСЛЕ ВСЕГО ЕЩЕ И ГАЗЕТУ ЧИТАЮТ? МАМА ЛАРА, БРАТЕЦ ГРИША, НУ ВЫ ДАЕТЕ...

Петр вышел из ванной. Там, на столе, кажется, водка еще осталась.

Тело на цепях под потолком...

Нож торчит...

Лужа... черная лужа...

Питбуль Рой жадно лижет кровь...

На столе — смятая газета. Заголовок на первой странице аршинными буквами: «Никитников переулок, 12 — арбатский убийца жил здесь в здании обувного склада».

Адрес знакомый...

Столько времени прошло...

Адрес...

Тело... мертвое мясо в подвале... Как легко, как просто, оказывается, входит в мясо нож...

Глава 14
НАСТОЯЩИЙ ПОЛКОВНИК

«Никакой загадки нет. Арбатский убийца Пепеляев безумен, в этом все дело». Катя шла по коридору Главка и репетировала первую фразу, с которой она вот сейчас войдет в кабинет полковника Гущина и поведает ему свои выводы, что сами собой напрашиваются после того, что она видела в Центре судебной психиатрии.

«Никакой загадки нет. Пепеляев стал стрелять в людей, потому что сошел с ума, да видели бы вы, как он пытался кулаком пробить стекло, чтобы добраться до...»

Стоп. Она даже замедлила шаг. А ведь Пепеляев из своего закрытого, запечатанного наглухо бокса действительно пытался добраться... До кого же? Врач был там, внутри, в пределах его досягаемости, но он его и пальцем не тронул, просто отшвырнул. И на нее, Катю, он не обратил ни малейшего внимания, и Геворкян его не встревожил своим белым халатом. Он стал вести себя неадекватно после того, как к боксу подошли студенты... И значит, какой из всего этого вывод?

Ладно, там разберемся. Катя решила не вдаваться в детали. Самое главное объявить сейчас Гущину: Федор Матвеевич, я была там, я видела ЕГО. Он безумен — в этом все дело.

— Екатерина Сергеевна, погодите пару минут. У Федора Матвеевича товарищ полковник, — предупредил Катю дежурный по Управлению уголовного розыска, когда она была у кабинета Гущина.

— Какой товарищ полковник?

— Полковник Мазин, вроде как знакомый его.

Делать нечего, надо подождать. Катя почувствовала прилив досады и раздражения: когда вы вот так летите новость сообщить, а вам крылья на лету подрезают, это не есть хорошо. Вообще к Гущину, после того как он так прославился своим героическим арбатским задержанием, разные там «друзья и товарищи» прямо косяками прут. Работать мешают!

Она заглянула в отдел по борьбе с кражами и угонами автотранспорта, поскучала там четверть часика. Конечно, интересная работа искать угнанные джипы, но арбатский убийца Пепеляев — все же тема куда круче.

— Сделаю, все понял, сделаю, что смогу, и адрес пробью, о чем речь?

— Лады, тогда скинь мне либо по факсу, либо на мой e-mail.

— Куда? Ах это... ящик, что ли, компьютерный...

Катя тут же покинула кабинет «угонщиков» и выглянула в коридор. У полковника Гущина вечно нелады с пониманием современных возможностей Интернета. Что поделаешь, возраст... А кому это бас такой принадлежит — прямо шаляпинский?

Человек, произнесший густым басом «лады», был полной противоположностью своему великолепному голосу — щуплый, низенький, узкоплечий и узколицый. Его волосы, причесанные на косой пробор, серебрились сединой. Костюм тоже был серый, галстук неброский, в худенькой фигурке, однако, ощущалась ловкость и военная выправка.

— Вообще-то хотелось бы как можно скорее. Сегодня успеешь скинуть информацию? — повторил он с вкрадчивой настойчивостью, чаруя глубоким басом своим, взятым, казалось, у какого-то сказочного великана.

— Постараюсь. Ты нас знаешь, когда мы подводили? Когда я подводил...

— Ну тогда всего хорошего, рад был повидать тебя. Супруге привет. Ну все, окончательно не прощаюсь. Жду твоего звонка.

Басовитый человечек прошествовал мимо Кати, распространяя вокруг себя аромат дорогого мужского парфюма. В уголовном розыске «парфюм» и прочие «финтифлюшки» не приветствовались, полковник Гущин этого не одобрял.

— Федор Матвеевич, к вам можно? — осведомилась Катя.

— Заходи, что там опять у тебя?

— Я в центре была... А это ваш друг?

— Это Михал Ваныч... полковник в отставке, настоящий полковник, курировал нас когда-то.

— Из министерства?

— Из КГБ бывшего, — Гущин вздохнул, — Мазин Михал Ваныч... Фигура когда-то была... куратор... Сейчас вот на пенсии, а слыхала, как распоряжается? До сих пор все еще в том времени живет... Сделай, и непременно чтобы сейчас, моментально, и доложи. Ну, такая школа андроповская... старая школа... школили их там, дрючили по первое число, не то что нас, грешных.

— Так он пенсионер?

— Давно уж, сначала банк консультировал, потом еще в какой-то организации подвизался. Ну а сейчас в связи с кризисом процветание закончилось. Одна пенсия осталась, негусто... Подзаработать, что ли, решил на старости лет? Вроде как в детективы добровольные подался, не пойму я. Что-то крутит лис старый.

Катя посмотрела на Гущина — еще не хватало, чтобы он вот сейчас в воспоминания о прошлом ударился! Так и есть.

— Дело интересное он мне напомнил, понимаешь. Мы-то, конечно, им не занимались. Но и Москва

не занималась, вроде как министерство и эти — их-
ние, тогда уже не фээсбэшники. Но, видно, особо-то
никто толком ничего и не делал, не до того было
в 98-м, в разгар кризиса обвального, а потом война
в Чечне...

— Федор Матвеевич, я по поводу арбатского
убийцы...

— А дело вот какое, — Гущина (редчайший момент в жизни начальника управления розыска) было
уже не остановить. — Помнишь, была такая Саломея?
Да должна ты помнить... Много тогда про нее всего
такого ходило по Москве...

— Какая Саломея?

— Предсказательница, ясновидящая. Навроде Ванги.

— Ой, ну, конечно, помню. Но это так давно
было.

— Она, потом Кашпировский, затем этот хмырь
болотный... как его... ну воду-то все заряжал... Джуна... А эта Саломея-то самая старшая из них была. Я о
ней с начала семидесятых уже слыхал, когда в лейте-
нантах еще бегал. Сплетен, сплетен... К брежневской,
мол, дочке она близка, мол, слушают ее там, наверху,
как оракула... Советуются во всем. А уж при Ельци-
не вообще все ее астрологическое хозяйство расцвело
пышным цветом. В газетах в открытую писали — мол,
гороскопы составляет, прогнозирует... Страна-то разва-
ливалась тогда на хрен. Не знали, уж у какой ведьмы,
у какого черта совета спросить, как быть, что делать,
чтобы в шею не турнули. А потом она возьми и умри.
Одни говорили — от инфаркта обширного, другие —
от горя. Сын у нее без вести пропал. Уехал из дома
на машине и не вернулся. Это я помню. Машину-то
потом нашли — на проселочной дороге у нас в Подмосковье. Я туда не выезжал, так что сам ничего не
видел, но знаю — вроде не было в машине каких-либо

следов насилия. Вроде как угнана, а потом брошена...
А самого этого парня — сынка Саломеи так и не нашли тогда. И следов никаких, и трупа, хотя искали...
Как его звали-то... Не помню. Тут Мазин мне на бумажке черканул... Ага, Тимофей, вот как его звали, —
Гущин водрузил на свой мясистый нос очки. — Закопали небось где-нибудь парня... теперь уж сгнил...
столько лет прошло. Иномарка у него была, а тогда за новые-то иномарки дорогие, впрочем, как и сейчас за «бумеры» разные там, убивали на проезжей дороге.
В общем, дело вроде быльем поросло, пропавший без вести — дохлый висяк, перспектив никаких, а Мазин чего-то заново копать решил. Почему, зачем? Туману напустил мне тут. Адрес просит пробить, ну по которому они живут сейчас.

— Кто? Саломея, вы говорите, давно умерла.

— Дочери у нее остались, как он мне сказал. Так вот просит адресок их установить. И место точное, где тогда машину их брата Тимофея нашли. И прям чтоб сегодня вся информация, вынь ему да положь, Михал Иванычу... Привыкли командовать, понимаешь.

— Федор Матвеевич, и все же я к вам по делу нашего, то есть вашего арбатского убийцы Пепеляева, —
у Кати от ненужных ей в настоящее время сведений про какую-то Саломею — ясновидящую, о которой она что-то такое глухо помнила, и ее пропавшего сына голова пошла кругом. При чем тут сейчас это?! Когда у нее для Гущина свои собственные важные новости. — Так вот, я была в Центре судебной психиатрии и убедилась, что он, этот самый Роман Пепеляев...

Телефон.

— Обожди, — Гущин взял трубку. — Да, слушаю. Где?

— Пепеляев ненормальный, и в этом, мне кажется, главная причина того, что он...

— Труп в песочном карьере возле Куприяновского лесничества. Женщина убитая. — Гущин по-медвежьи неуклюже полез из-за стола. — Ехать надо туда. Ну вот, и рабочий день начался...

— Убийство?

— Оно самое, давно не было, правда? — Гущин невесело усмехнулся. — А ты говоришь... Вот оно как — одно дело вспоминаешь, другое обсуждаешь, а третье уж в дверь стучится.

— Можно я с вами в лесничество? Мне все равно данные по раскрытию для криминальной хроники нужны, а то все старье какое-то, неинтересно, — Катя тут же оживилась. — А по дороге, Федор Матвеевич, я вам про то, что было в Центре психиатрии, доскажу.

Глава 15
ТРУП В КАРЬЕРЕ

Миссию «рассказать про Пепеляева» Катя выполнила с блеском по дороге на место происшествия. А вот спуститься в карьер, где уже работала оперативная группа, не смогла.

Песчаные карьеры возле Куприяновского лесничества давно уже были заброшены — глубокие рвы, заполненные водой, превращенные в свалку с отвесными крутыми склонами.

Катя осталась наверху возле дежурных машин и смотрела с замиранием сердца, как Гущин ползет вниз по глинистому склону... вот сейчас поскользнется на глине и... рухнет туда... Нет, удержал равновесие, махая руками.

Сцена выглядела почти комичной, почти цирковой, если бы не то, что лежало там внизу... Белело на мелководье у самой кромки бурой воды.

В карьере жило громкое эхо, как в горном ущелье. Хотя там внизу следователь, эксперты, Гущин, оперативники разговаривали вполголоса, Катя наверху слышала каждое слово.

— Женщина... возраст примерно от тридцати до тридцати пяти... Славянской внешности, шатенка...

— Смерть наступила не менее десяти часов назад. В воде, судя по состоянию кожных покровов, тело находится примерно часов шесть. Видимо, попало сюда в карьер ночью.

— Определенно ночью, светать еще не начало, — голос Гущина. Катя видела, как он расхаживает там по воде в резиновых «дежурных» сапогах. Вот наверх сюда посмотрел, что-то прикинул.

— Имеются повреждения. Колото-резаная рана брюшной полости, кроме этого, на внутренней поверхности правого бедра еще одна колото-резаная рана, глубокая, практически отсутствует кожный покров и мышечная ткань, как будто...

— Как будто ломоть отхватили, — голос кого-то из местных оперативников. — А тут на груди следы от ожогов, сигареты кто-то об нее тушил.

Катя наверху осторожно приблизилась к самому краю обрыва. Стоять здесь, покачиваясь на своих высоченных шпильках, — так и не удосужилась поменять их на резиновые сапоги, — и слышать все это... каждое слово... Сенсации захотела... слушай, запоминай — вот она, твоя сенсация. Новое дело, убийство... женщина в карьере, убитая ударом ножа в живот, а до этого кто-то с ней...

— Тело в плохом состоянии, но опознать можно, — голос Гущина. — Проверить надо по базе данных — в том числе и по без вести пропавшим. Похоже, ее пытали. И убили ее не здесь, а где-то в другом месте. Такие раны с большой кровопотерей связаны, а крови в воде, в почве немного. Осмотрите там наверху все вокруг. Кто-то же ее сюда притащил, в эту чертову яму!

Катя оглянулась — итак, что же это за место — карьеры Куприяновского лесничества? Каковы декорации на этот раз? Лес вон он, в полукилометре, а здесь все рвы, ямы, заполненные водой. Дорога, по которой они приехали, — там, в стороне, старая разбитая бетонка. Место глухое, где-то за лесом железная дорога, станция, отстойник для вагонов. Без машины с трупом сюда явно не добраться.

— Есть следы! Давайте эксперта сюда!

Оперативники прошли по обочинам бетонки — вот и следы нашлись. Сейчас они там все осмотрят, зафиксируют.

— Екатерина! Ты чего там наверху загораешь? Веревку хоть кинь! Помоги старику, — Гущин окликнул ее — оттуда, со дна. Он еще шутит!

Нет, до подъема еще далеко. Так быстро осмотр по такому преступлению не делается.

Прошло полтора часа. Катя все записала себе в блокнот — не хуже любого следователя. Раскроют это убийство, тогда пригодится для статьи. Интересно, а Гущин, занятый этим новым убийством, не забыл про то, что она рассказала ему о Пепеляеве?

— Ну, что у нас со следами?

Гущин поднялся со дна карьера гораздо быстрее, чем она ожидала.

— Федор Матвеевич, следы протектора легковой машины, марку установим позже. Двое тут было — следы кроссовок сорок второго и сорок четвертого размера, один нес что-то тяжелое, следы вдавлены в грунт. И еще одно... странная деталь, — эксперт-криминалист запнулся.

— Какая еще странная деталь? — Гущин пристально смотрел на участок обочины, который осматривали эксперты. — Вот эта, что ли?

— Следы собаки, порода крупная, вроде боксера или бультерьера.

— Тут на свалке полно бродячих.

— Следы той же давности, что и мужские.

— Трое в лодке, не считая собаки, причем один труп. — Гущин обернулся к Кате: — Дай что-нибудь руки вытереть, а? Платок бумажный или салфетку влажную, если есть.

Катя достала из сумки влажную салфетку.

— Всегда забываю, а надо в машине с собой возить.

— Ее изнасиловали и поэтому убили? — спросила Катя. Вывод вроде напрашивался сам собой — две пары мужских следов и...

— Да вроде нет признаков изнасилования, эксперт после вскрытия скажет. Нож в печень всадили, а до этого кусок мяса у нее, бедной, вырезали. И сигаретами прижигали живую... Истощена она, из одежды почти ничего... Держали ее где-то в течение довольно долгого времени, прежде чем прикончить. На запястьях у нее следы, значит, скованная была.

— Проститутка? Привезли куда-то к себе, надругались, а потом убили?

— Надо ее опознать, потом выводы делать — проститутка или кто она там. На проститутку вроде не похожа.

— Там же глубоко, — Катя указала на карьер, — Федор Матвеевич, почему же тело не утопили?

— Почему? А чего ты сама вниз не смогла спуститься, а? То-то и оно. Приехали они сюда ночью, не рассвело еще. Машину оставили вон там, ближе к обрыву не подъехать — опасно. Фарами себе светили, но свет, он тут весь, а там, внизу, темно. Один нес, второй ему помогал. Откуда-то отсюда, с этого места тело вниз сбросили, понадеялись на авось — мол, утонет. А там, внизу, отмель. Чтобы утопить по-настоящему, вниз надо было спускаться. А в темноте тут на такой крутизне шею сломаешь.

— Значит, не профессионалы? — быстро уточнила Катя.

— Выходит, что так. Хотели труп спрятать — концы в воду, а прокололись.

На разбитой бетонке появилась «Скорая». Через пять минут из нее уже выгружали носилки, расстегивали черный пластиковый мешок...

Небо над Куприяновским карьером было чистым и ясным. По нему белыми барашками ползли самые невинные, самые живописные на свете облака.

В эту самую минуту вроде бы совершенно спонтанно (это ведь не относилось прямо, никак не относилось к тому, что видели сейчас ее глаза) Катя решила, что поедет в Центр судебной психиатрии снова, завтра же поедет. И встретится с арбатским убийцей Романом Пепеляевым лицом к лицу еще раз.

Глава 16

ХИМЕРА

Нет, угрызений совести не было никаких. Ведь кто-то сказал когда-то: совесть — химера. А то, что домой возвращаться не тянет, это уж как водится. Бар круглосуточный, но пустой в этот час, деревянные панели «под дуб», хмурый бармен — сам бы пил, да камни в почках...

Григорий Дьяков — младший сын мамы Лары в который уж раз заказал «повторить».

Совесть — химера, химера — совесть... самое главное — «очистить дом, все убрать» — так приказала мать, они и убрали все, увезли...

Ночью, той же ночью, не откладывая в долгий ящик... Светила луна... Ах какая луна светила... сука бледная... скрылась за тучи...

Как же мать отыскала ЕЕ через столько лет? Она и видела-то ее всего раз-два... А может, и не видела, просто знала — есть такая, живет... Ах да, она ведь тогда работала в том самом банке, в «центральном офисе», а там, на Новой Риге, был филиал...

Если бы все тогда получилось, как мать задумала, они бы сейчас... где бы они жили, к примеру, сейчас? Мать, конечно же, тут, она из страны не собиралась линять никогда. Брат Петр... возможно, он даже бы женился, завел детей, тесно ему с матерью, давит она на него.

А он... Что было бы с ним?

Григорий Дьяков тупо смотрел на пустой стакан — барное стекло, толстое дно, удобно мыть в посудомоечной машине.

Химера, химера... все муть, все мрак, пустота... Что было бы, если бы ТОГДА все удалось? Клуб «Голден палас»? Отель в Майами? А может, тухлый притон в Салтыковке в хрущобе на первом этаже, где ржавая раковина, вонь, тараканы и шприцы, шприцы, шприцы, разбросанные по полу...

Когда много денег — куда их употребить?

Когда нет своего счета в банке и мать — мама Лара по-прежнему хозяйка всему и выдает тебе, здоровому двадцатидевятилетнему мужику, бабло на бензин, на пиво, на «Трансформеров» в «Киноплексе», на телок, потому что молодые телки полезны для здоровья... Куда употребить ВСЕ ЭТО?

ЗАТКНИ ЕЕ! ДА СДЕЛАЙ ЖЕ ЧТО-НИБУДЬ...

— Эй, командир, повтори...

— Не хватит вам, а?

— Не твое дело, я плачу...

ЗАТКНИ ЕЕ... СДЕЛАЙ...

А потом «очисти дом», «убери все». Мать лишь приказала им с братом, сама и пальцем не шевельнула. Они поехали ночью, он, Григорий, сам выбрал это место, потому что помнил о нем с тех самых пор, с Новой Риги... Да, помнил, память, оказывается, держала это место в себе. И хотя брат Петр был крепче и физически сильнее, он сам один выволок тело из багажника.

Пес за ними туда увязался... вот малахольный... мало ему подвала... Они и ахнуть не успели, как пес запрыгнул в салон этого вот самого пикапа «Фиат», с надписью «Химчистка «Комфорт и уют», что стоит сейчас под окнами бара. Когда-то у них был шофер, который забирал и развозил заказы клиентам на дом, но сейчас эту работу вынужден исполнять он, Григорий, потому что оплачивать водилу у них не хватает бабла.

Ни на что не хватает бабла... Кризис сожрал... Кредиты горят. И мать стала похожа на беса в юбке — от разочарований, от жадности, от жалости к себе...

Но все-таки она отыскала ЕЕ, ту девку, через столько лет. И что толку? Они так ничего и не узнали. Хотя и бились над ней там, в подвале, больше недели. Он, Григорий, бился над ней, Петька-чистоплюй сразу уходил, поднимался наверх. Даже поиметь ее не посмел там, в подвале, когда она еще была похожа на бабу, не на кусок говядины... Испугался братец... Он и тогда, одиннадцать лет назад, тоже дал слабину. И вот они все сейчас расплачиваются за его трусость.

А мать — мама Лара расплачивается за обман. Не она — ее обманули, кинули по-крупному — сразу и на всю жизнь. Кинули, сбежали, утекли со всем награбленным баблом...

— Может быть, все-таки довольно? Хватит? Не пора вам на воздух?

Григорий тупо, так же как на опустевший стакан, смотрел теперь на бармена.

— Пошел ты... твою мать...

— А вот оскорблять не надо, молодой человек.

У бармена были пудовые кулаки и сломанный нос. Бывший спортсмен, наверное, боксер... Связываться еще с тобой, сука...

На улице было свежо и прохладно. Вроде и летний день, а как будто осень, хотя до нее еще так далеко.

«Фиат» завелся нехотя: пьяный же ты, куда лезешь за руль?

А ПОШЕЛ ТЫ... ХЛАМ... ХИМЕРА... ХИМЕРА...

КОГДА НЕТ ИНОГО ПУТИ, КРОМЕ КАК ДОМОЙ, ГДЕ МАТЬ И ПОДВАЛ, КУДА, ХЛАМ ЖЕЛЕЗНЫЙ, ПОВЕЗЕШЬ ТЫ МЕНЯ?

Куда?

Как, каким макаром добрался он до ЭТОГО МЕСТА, Григорий Дьяков не помнил. Вроде ехал по Москве — сначала по МКАД, потом по улицам в центр и вот...

Лубянка, налево памятник героям Плевны, бульвар, потом направо и снова налево — горбатый переулок, церквушка, похожая на пряник, а там в глубине...

Дом он узнал сразу, хотя и прошло одиннадцать лет, хотя он был тогда почти пацан и ночь тогда была... темно...

Он приезжал сюда с матерью уже ПОСЛЕ ПОЖАРА. Пожар тогда быстро потушили, дом не сгорел, только первый этаж, где, видимо, все и началось, был черным от копоти.

Но ЕГО, кого мать искала... кого все они потом искали, тщетно искали столько лет, тогда уже и след простыл. Его уже не было по этому адресу — Никитников, 12, который сейчас вновь засветился в газетах.

А что это за машина там, возле дома? Ба, серый «Шевроле»... И кто же там за рулем? Брат Петруша! И ты захотел глянуть, что и как здесь спустя одиннадцать лет, братец? А куда ж ты сейчас? Разворачиваешься? Куда ж ты так скоро?

Григорий следовал за машиной брата Петра, просто так, возможно, потому, что любопытство вдруг взыграло, да и домой совсем не тянуло... совсем не хотелось сейчас, после всего...

Центр, богато живут люди... рестораны шикарные, бутики... Все как в Европах, и все говно... Ох, химера, химера...

Серый «Шевроле» свернул на Малую Бронную и остановился возле театра. Брат Петр вышел и дальше пошел уже пешком. А, понятно, куда ты приехал, братец... Зазноба тут у тебя... Новая телка, и, кажется, богатая телка... Мать сюда ездила «пытать ясновидящих», потому что та сука в подвале, которую они наконец-то нашли и на которую возлагали такие надежды, орала благим матом: «Я не знаю, где ОН, не знаю о нем ничего много лет!», даже когда он собственноручно прижигал ей соски сигаретой.

С ясновидящими у матери тоже вышел пшик. Откуда им знать? Они просто притворяются, что могут что-то там изображать потустороннее, они просто делают деньги на этом — делают бабло на вере разных отчаявшихся простаков.

Я, Григорий Дьяков, им не верю. И никогда не пойду просить у них совета и помощи. Но на телку братца Петруши взглянуть и мне бы все же хотелось.

Что же это он не звонит в парадное? Не входит в дом к ней? Стоит столбом на противоположной стороне улицы, у витрины кондитерской, пялится на окна. Снова трусит? Как обычно.

Григорий хотел было уже выйти из «Фиата» на нетвердых своих ногах и причалить к брату, как вдруг увидел: у дома, на окна которого смотрел его брат, остановилось черное «Вольво». Из него вышел невысокий седоватый мужчина в сером костюме и решительно нажал кнопку звонка.

Полковник Гущин и Катя узнали бы в этом человеке Михаила Ивановича Мазина, только накануне посещавшего Главк.

Глава 17

ЕЩЕ РАЗ

«Что ж, приезжайте, если хотите, но только во второй половине дня, часиков этак к четырем. Я к этому времени, возможно, уже освобожусь».

Катя вообще-то планировала посетить Центр судебной психиатрии с утра, но Левон Михайлович Геворкян, ведущий специалист, быстренько в разговоре по телефону показал, «кто в центре хозяин».

В обеденный перерыв Катя даже еще успела заглянуть домой к Анфисе, сражавшейся с переменным успехом на своем коммунальном фронте. Битва была жестокой, пощады никто не просил. Увы, в этот раз Катя не могла помочь подруге, ринувшись на выручку с фланга.

— Ничего, я тут сама сегодня разрулю, — шепнула ей бодро Анфиса в передней. — Заделают они мне дыру в туалете, иначе живыми не выпущу. Вечером домой не опаздывай, я вообще-то утку хотела запечь с яблоками, но если тут затянется, просто закажу пиццу по телефону. Тебе «морскую» или «четыре сыра»?

Слова «домой не опаздывай» согрели сердце. Катя вздохнула — подружка Анфиса обжилась в ее доме на славу. А вот тот, кто когда-то был этому дому полный хозяин... Что-то давно не звонил муженек, «Драгоценный»... Анфиса про него вон каждый вечер спрашивает. А что ей отвечать? Эх, кто бы подсказал.

На проходной Центра судебной психиатрии на этот раз ее никто не встречал. Пропуск был заказан, там значилось: второй этаж, 266-й кабинет. Просто подняться по лестнице — только и всего.

— Левон Михайлович занят, просил подождать, — объявила Кате, постучавшей в дверь кабинета, молоденькая докторша, что-то ожесточенно строчившая на компьютере. — Куда же вы? Вот садитесь, тут стол свободный, Левон Михайлович оставил для вас материалы по «третьей», сказал, чтобы вы предварительно подробно с ними ознакомились.

Катя, уже было приготовившаяся скучать в коридоре в ожидании светила психиатрии, увидела на столе у окна пухлую папку-скоросшиватель. Когда она ее открыла, то поняла, что это так называемые на процессуальном сленге «досланные материалы» — ксерокопии протоколов допросов по делу Романа Пепеляева. Они поступали из прокуратуры, для того чтобы эксперты-психиатры в ходе судебно-психиатрической экспертизы представляли себе всю картину в целом.

Катя жадно схватила папку. Так, что тут у нас... характеризующие данные на Пепеляева...

ИНТЕРЕСНО, ОТЧЕГО ВРАЧИХА СЕЙЧАС СНОВА УПОМЯНУЛА ПРО «ТРЕТЬЮ»? БОКС, ЧТО ЛИ, У ПЕПЕЛЯЕВА ПОД ТАКИМ НОМЕРОМ? НО ТАМ НЕ БЫЛО НИКАКИХ НОМЕРОВ, Я ЖЕ СПЕЦИАЛЬНО СМОТРЕЛА...

— Простите, вы сказали «по третьей»?

— Ну да, вы же из милиции...

— И поэтому должна понять с полуслова? Простите, но я не совсем понимаю...

— Третья экспертиза такого сорта. До этого здесь был Евсюков, тот, кто стрелял в Царицыне, а еще раньше... ну, я тогда еще не работала... Чикатило. Аналогичные исследования проводились.

ТАК ВОТ С КЕМ ЕГО ТУТ СРАВНИВАЮТ...

А каковы же характеризующие данные?

«Роман очень ответственно ко всему относился. Отличником он не был, но всегда был твердым хорошистом. Задания выполнял прилежно и вообще был таким спокойным... Я даже затрудняюсь сейчас вспомнить, чтобы в годы учебы в школе он проявил себя как-то дурно, агрессивно по отношению к своим товарищам. Он поступил в институт... Но проучился недолго, хотя всегда был очень способным...»

Так, это бывшая классная руководительница школы номер 21 города Твери, опрошена местным следователем прокуратуры во исполнение отдельного поручения и сотрудниками МУРа, они выезжали в Тверь в командировку... Катя перевернула страницу. А это тоже тверские показания. Вот некий Панков... судя по году рождения, ровесник Пепеляева... ага, его сосед по дому: «Ромку я знаю с детства, жили рядом. Нет, в особо дружеских отношениях мы с ним не были, просто приятели... Он учился в 21-й, а я в 6-й школе со спортивным уклоном, легкой атлетикой занимался. А Ромка всегда такой купи-продай был, девчонки на нем с восьмого класса висли. Всегда был в курсе, что почем, как бабок срубить можно, перекрутиться... Вообще деловой был пацан, поэтому и в Москву рванул. Можно, конечно, было институт кончить, но, видно, что-то более выгодное ему подвернулось. Приезжал ли сюда в Тверь? Да, приезжал, и довольно часто. И по коммерции, и так... мать свою вон хоронил, потом квартирой занимался — оформлением наследства... Нет, я ж говорю, в особо дружеских с ним отношениях мы не были. Но чтобы Ромка натворил такое, убил кого-то там... Нет, не верю. Он и во дворе драк-то всегда избегал, джинсы свои американские боялся испачкать».

«Очень симпатичный был парень. Я прекрасно его помню. Мы с девчонками с Мебельного...» Ага, а это кто у нас показания дает? Катя глянула на «шапку» допроса. Бескудникова Кристина Семеновна, врач-педиатр тверской детской больницы... «Да, симпатичный, видный, одевался хорошо. Ну, всегда заметно, кто из Москвы приезжает... А он еще с торговым бизнесом был завязан, вещи хорошие привозил. Приедет на авто, а за ним потом еще грузовая машина приходит. Видели наш универмаг у вокзала? Там у него то ли торговые секции были, то ли какие-то знакомые бизнесмены... Что-то с обувью импортной модной... Но я этим, простите, не очень интересуюсь... А по характеру какой он? Да прекрасный характер — общительный, веселый... Бывало, встретимся на улице: «Как жизнь? Как дела?» О себе, правда, немного рассказывал. Да, говорил, квартиру в Москве пока еще не купил, но собирается... Странно, что он, такой симпатичный, сразу не сумел там в Москве к какой-нибудь под бочок пристроиться... ну, в смысле жениться...»

«Энергичный, инициативный, умный молодой человек...» А это уже дает показания бухгалтер ТОО «Европа — Кутюр»... Катя пробежала глазами лист протокола: сотрудница фирмы, с которой у Пепеляева был договор. Фирма по оптовой торговле обувью. «Из породы этаких современных волков... Учтите, это я не в плохом смысле, они просто умеют, эти самые молодые, сейчас устраиваться в жизни. Я в торговой сети более сорока лет, мне вот пятьдесят девять уже, а я бухгалтер такой квалификации, что держат до сих пор, хорошую зарплату платят, потому что замены нет... Видела я многих на своем веку, некоторым в торговле и делать-то нечего. Дураки... А Пепеляев прирожденный купец, жилка в нем коммерческая. Цель у него была — миллионером стать, основателем своей торговой сети, и он шел к ней. И добился бы своего, точно бы добился. И я не понимаю... не могу понять... Что там, на Арбате этом, с ним стряслось? Как будто затмение... а может, он был пьян? Да нет, он мало пил, во время корпоративов так, шампанского пригубит... Он и не курил, если для бизнеса надо было, мог во всем себя ограничить. Он это помещение-то арендовал лишь потому, что это выгодно было, целесообразно — и склад, и жилье, и в самом центре...»

Катя посмотрела в окно — какая буйная комнатная зелень на подоконнике, словно джунгли в цветочных горшках. Они все говорят о Романе Пепеляеве... О человеке, которого они знали. Но тот ли это человек, которого она видела там, за стеклом?

БОЖЕ МОЙ, ВЫ ЗАМЕТИЛИ?! КАКОЙ ОН...

Нет, она не заметила ничего. Правда, испугалась, но этот голос Геворкяна ее напугал... А так нет, она ничего такого не видела и готова присягнуть в этом. Ну может быть... может быть, лицо у НЕГО там, за стеклом, на какое-то мгновение... Нет, она ничего ТАКОГО не видела...

«Рома Пепеляев всегда был коммуникабельным, с ним легко общаться, — это еще одна сотрудница говорит, на этот раз продавщица обувного отдела. — Да, я знаю, он не москвич, но это совсем не чувствовалось в нем, он уже давно жил в Москве... Всегда улыбался, всегда в очень хорошей форме. Рассказывал, что ходит в фитнес-клуб и сауну любит... Нет, меня не приглашал... ну, может, пару раз и потом еще в кафе на Тверской... Нет, близких отношений у нас не было. У него с Люсей Ястребовой было... Но он ее бросил, сам бросил, Люська очень переживала, а потом она с турком по Интернету познакомилась... Да нет же, говорю вам, Пепеляев не переживал из-за нее, у него вообще не было недостатка в бабах... Молодой ведь мужик, все при нем, и не пил... А Люси сейчас нет в Москве, она теперь в Стамбуле живет, замуж выскочила за своего турка...»

Катя напрягла память. Каким же он был там, за стеклом? Фитнес-клуб, сауна...

«Не знаю, может, какие неприятности у него случились. Последний месяц он как-то изменился. Мрачный какой-то был, но мы мало виделись. Он привез партию туфель от Кензо... Не знаю, но что-то вид его мне тогда не очень понравился... Какой-то смурной... А когда мы по телевизору услышали про то, что случилось, мы все просто в шоке были. Я и до сих пор в это поверить не могу!»

Что у нас тут за фотографии... Это с места происшествия. Так вот какую картину застала опергруппа Петровки там, на Арбате... Катя смотрела на снимки с места происшествия. Труп возле фонтана золотой Турандот... а вот еще один у строительного забора и еще один на мостовой прямо напротив театра... Четверо были застрелены на месте. И еще пятеро получили тяжелые ранения... Вот тут справка... Умер, не приходя в сознание, этого «Скорая» не довезла. А вот еще — пулевое ранение в брюшную полость... Фотография потерпевшего на носилках — совсем молодой паренек: женские туфли на стоптанных каблуках и пестрое платье с декольте... И еще одна жертва — тоже ряженый: в корсете и в розовой балетной пачке... Там, на Арбате, было что-то вроде театрального представления уличного в тот момент. А вот еще жертва — и тоже молодой парень, но уже в гусарском мундире... А вот фотографии раненых, тех, кто выжил...

«У него был пистолет, я видел, и он начал стрелять прямо в толпу, не разбирая...»

«Один мужчина попытался его схватить сзади, но он ударил его пистолетом по голове, я думал, он и его пристрелит, но он отвернулся и выстрелил в другую сторону и попал в Базарова с третьего курса... Я видел, как тот упал...»

«Он стрелял в людей, как в мишени...»

БЕСПОРЯДОЧНАЯ СТРЕЛЬБА НА УЛИЦЕ, ХАОТИЧНЫЙ ВЫБОР ЖЕРТВ... Катя еще раз посмотрела на снимки мертвых и раненых. Все молодые. Что-то общее между ними? Нет, пожалуй, нет... Все мертвецы похожи друг на друга, последнее дело искать здесь какое-то сходство, какую-то закономерность.

— Ну как, коллега, ознакомились?

Ведущий специалист Геворкян зашел в кабинет, сразу осветив все своей широкой улыбкой.

— Копии допросов читала, спасибо, Левон Михайлович, что оставили. Хорошие характеристики у него. Все в один голос твердят только положительное. Как-то не вяжется.

ТОГДА ЗА СТЕКЛОМ ОН ТОЖЕ СРЕАГИРОВАЛ НА... НЕТ, ЭТО ПРОСТО СОВПАДЕНИЕ. НЕ НАДО НИЧЕГО СЕБЕ ПРИДУМЫВАТЬ, ПРЕКРАТИ. ТЫ НИЧЕГО НЕ ВИДЕЛА.

— Левон Михайлович, а как он сейчас себя ведет? — спросила Катя.

— Нормально. Вполне прилично. Других срывов не было. С ним, например, сегодня утром общался наш коллега. Хотите запись посмотреть? — Геворкян показал на ноутбук в руках молодой докторши, уже закончившей печатать. — Там диск, покажите нам, пожалуйста.

— Одну минуту, — докторша повернула ноутбук так, чтобы им с соседнего стола было удобнее.

— Екатерина, а вам, как я понимаю, впечатлений прошлого раза оказалось мало? — спросил Геворкян.

— Я в тот раз толком и не поняла, что произошло. У Пепеляева случился припадок, да? Я решила, что он сумасшедший. Вот и разгадка всего.

— Сумасшедший — чего же проще, так, по-вашему, выходит? А почему тогда снова сюда приехали, настойчивость такую мне по телефону проявили?

— Не знаю... странно как-то все... все равно не вяжется. Тогда возле бокса я испугалась его вида, да и вы тоже, доктор... А что бы случилось, если бы он выбил тогда стекло и вырвался наружу?

— Здесь все построено на совесть, не вырвешься.

— Я подумала, он ненормальный. А сейчас вот показания свидетелей, которые его знали, читала и... Черт, какой же он ненормальный? Обычный парень...

— Запись еще посмотрите беседы с психиатром. Сделана сегодня около одиннадцати часов дня.

На экране ноутбука возникло изображение: на фоне белой стены за столом полный лысый мужчина в белом халате и...

На лице Пепеляева читалось оживление, даже удовольствие. Больничная пижама все та же, и руки по-прежнему забинтованы. КАК ОН БИЛ ЭТИМИ СВОИМИ ЗАБИНТОВАННЫМИ РУКАМИ ТОГДА В СТЕКЛО... Скулы сегодня гладко выбриты, светлые волосы слегка отросли уже на висках. Что-то говорит, даже жестикулирует. ОН РАССТРЕЛЯЛ ДЕВЯТЬ ЧЕЛОВЕК И ПЫТАЛСЯ ВЫРВАТЬСЯ ИЗ БОКСА, ЧТОБЫ УБИВАТЬ СНОВА... ЭТО ЖЕ БЫЛО ТОГДА В ЕГО ГЛАЗАХ... В ЭТИХ ВОТ СЕЙЧАС СЛЕГКА ПРИЩУРЕННЫХ ГЛАЗАХ... ЖАЖДА УБИВАТЬ СНОВА И СНОВА... Я ЖЕ ЭТО ВИДЕЛА САМА.

А ПСИХИАТР СИДИТ НАПРОТИВ НЕГО ЗА СТОЛОМ И, КАЖЕТСЯ, СОВЕРШЕННО ЕГО НЕ БОИТСЯ!

— Сделайте звук громче, — попросил Геворкян.

Звук.

— ...Мужики всегда смотрят на ноги. Мужчина-байер, хороший квалифицированный байер, — на обувь. Важно сразу не ошибиться, что закупать, угадать, что станут носить в новом сезоне, что станет хитом продаж, а что так и будет потом валяться на полках до распродажи.

ОН это говорит психиатру. Это его голос... ЭТО ЕГО ГОЛОС?

— Каблук примерно десять-двенадцать сантиметров, четырнадцать тоже берут, выше — уже проблема со сбытом. Круглый неактивный носок, платформа... «французский носок», когда видно только два пальца, всего два пальца...

— Это принципиально?

— Это красиво, доктор. Это пользуется успехом у клиенток, и это хорошо продается, — Пепеляев там, на пленке, говорил так, словно читал лекцию в обувном магазине персоналу. — Для повседневной носки — ботильоны, очень модно — из замши, на шнурках, на парижской неделе моды широко представлены во всех коллекциях. Но надо учитывать наш климат и то, что в прежние годы покупательницы уже обзавелись сапогами, так что могут и не пойти ботильоны... Ботфорты — остромодная вещь, но я бы в этом сезоне большие партии все равно закупать не рискнул. Хотя, например, у Гуччи есть потрясающие, ну и, конечно, у Лубутэна... Но это эксклюзив чистой воды.

— А что, по-вашему, есть и будет хитом продаж?

— Шпилька. Туфли на каблуке. Вечерний вариант — замша, кристаллы Сваровски...

Геворкян снова приглушил звук.

— Вот все в таком роде в таком разрезе почти полтора часа. Он действительно разбирается в том, чем зарабатывал себе на жизнь.

— А кроме обуви и торговли, он еще о чем-то говорит? — спросила Катя. — О своем преступлении? О том, что было? Что он натворил?

— Нет, это в задачу моего коллеги доктора Рюмина-Борковского не входило. О том, что он, как вы выражаетесь, натворил, с ним сегодня вечером попытаюсь поговорить я.

— Вы? — Катя привстала.

— Да, я попытаюсь. Вы можете понаблюдать вместе с остальными. Но на этот раз так, чтобы он никого посторонних за стеклом не видел.

КАКОЙ У НЕГО БЫЛ ГОЛОС, КОГДА ОН ГОВОРИЛ ПРО ВСЕ ЭТИ БОТИЛЬОНЫ, БОТФОРТЫ, ШПИЛЬКИ... ЕМУ НРАВИТСЯ, ЕМУ ВСЕ ЭТО НРАВИТСЯ... МОЖЕТ БЫТЬ, ОН ТАЙНЫЙ МАНЬЯК, ЭТОТ, КАК ЕГО... ФЕТИШИСТ... НЕТ, ПОДОБНЫЕ ТИПЫ ТАК СЕБЯ НЕ ВЕДУТ. СТРЕЛЬБА ПО ЖИВЫМ МИШЕНЯМ — ЭТО НЕ ИХ СТИЛЬ. ХОТЯ ЕСЛИ ВЗГЛЯНУТЬ НА ВСЕ ЕГО ЖЕРТВЫ ТАМ, НА АРБАТЕ, НА ВСЕХ ЭТИХ РЯЖЕНЫХ...

— Сейчас вы меня спросите: не гомосексуалист ли он, а может, тайный гомофоб? — усмехнулся Геворкян.

— Нет, но...

— Снова промах. Он, как нам удалось убедиться, в этом плане натурал, гетеросексуал и к проблемам сексуальных меньшинств относится совершенно равнодушно.

После просмотра видеозаписи пришлось еще довольно долго ждать. Геворкян покинул кабинет. Видимо, ему надо было подготовиться. Молоденькая докторша заварила чай и угостила Катю сдобным печеньем. Сидеть вот так, смотря, как солнце садится, отражаясь в панорамных окнах соседних зданий, где сплошь офисы, офисы... Прихлебывать чаёк, грызть печенье, слушать, как молоденькая докторша с жаром обсуждает последние телевизионные новости-сплетни — о том, с кем из родителей останется жить внук Пугачевой...

И ЖДАТЬ ВСТРЕЧИ С ЧУДОВИЩЕМ.

...Это красиво, доктор, это хорошо продается...

...Я думал, он и его пристрелит. А он отвернулся и выстрелил в другую сторону...

...В последний месяц он как-то изменился... не знаю...

...Он это помещение арендовал лишь потому, что...

— Вас зовут, пора.

В кабинет заглянул охранник. Какие богатыри они тут, однако.

За узкими окнами из пуленепробиваемого стекла смеркалось. Скоро стемнеет. Катя внезапно ощутила острую тревогу. Скоро стемнеет... Это было так странно, совершенно дико — здесь и сейчас бояться темноты! Но...

— Нет-нет, сюда, пожалуйста, к лифту, — охранник свернул направо по коридору.

В прошлый раз они с Геворкяном, кажется, шли другой дорогой или все коридоры тут так похожи один на другой?

В собственных совершенно беспричинных страхах Катя так разобраться и не успела, они поднялись на лифте и попали из коридора в небольшой освещенный холл, где собрались врачи — целая комиссия во главе с тем самым доктором, которого Катя видела на видеозаписи. Тут же находилась и охрана. Врачебная комиссия группировалась вокруг оконного проема в стене, забранного прозрачным пластиком. За окном был бокс, стены, пол и потолок покрыты мягкими серыми матами. В центре стояло два легких стула. На одном, сгорбившись, сидел Пепеляев.

По тому, как безучастно он смотрел по сторонам, было ясно — на этот раз все устроено так, что он не может видеть тех, кто за ним наблюдает.

Катя встала сбоку, ей не хотелось мешать комиссии (еще выгонят!), но и упустить она ничего не могла. Где же Геворкян? Ага, вот он — входит в бокс как ни в чем не бывало. Так, наверное, укротитель в цирке входит в клетку льва-людоеда... Нет, пожалуй, неудачное сравнение, пошлое. Если Пепеляев действительно безумен, то он просто больной человек и, возможно, не виноват...

— Добрый вечер, Роман.

— Здравствуйте, доктор.

— Как самочувствие? Не устали? Много было желающих сегодня с вами пообщаться.

— Голова немного болит, а так ничего. Сносно.

Слышимость в холле была хорошая, динамики отрегулировали так, будто ты стоишь рядом с ними — там, за стеклом. Катя слушала, затаив дыхание. И это сумасшедший?! Разве ЭТО сумасшедший? Геворкян абсолютно спокоен, садится на стул напротив. А Пепеляев... вот он слегка откинулся, вытянул ноги поудобнее, виски трет... Словно встретились два старых знакомых и присели покалякать — о том о сем...

— Не возражаете, если мы с вами продолжим?

— Доктор, я же в прошлый раз все вам сказал.

— С прошлого раза много воды утекло. И кое-что случилось.

— Я не знаю, как это вышло... честно, доктор, не знаю.

О чем они говорят? О том инциденте. Когда он стекло пытался выбить и выбраться? Пепеляев в глаза Геворкяну не смотрит, смотрит в пол.

— В первый раз после осмотра врачей, помните, вы обмолвились, что слышите «голоса»... «голос»...

— Это было после укола.

— Слышали после укола?

— Нет, я сказал это после укола. Что они мне там вкололи?

— Сыворотку против столбняка. У вас много ран на теле, вы помните, как они появились?

Пепеляев кивнул.

— Вы взрослый умный человек, Роман. А я не следователь и не прокурор. Я врач.

— Здесь же дурдом. Меня за психа тут держат.

— Вас направили сюда на экспертизу. Направили потому, что вы совершили преступление, мотивы которого до сих пор не установлены.

Пепеляев молчал.

НЕТ, НА БЕЗУМНОГО ВОТ СЕЙЧАС, В ДАННЫЙ МОМЕНТ, ОН СОВЕРШЕННО НЕ ПОХОЖ! Катя покосилась на врачей — что я все гадаю, псих — не псих, что вот они о нем думают, специалисты?

— Упоминая про «голос», который вы слышали, вы хотели дать нам понять, что находились под каким-то воздействием?

— Нет.

Резкий, даже злой ответ.

— Ваша воля была несвободна?

— Я же говорю — нет.

— Вам трудно это обсуждать?

— Я просто не хочу. Не могу!

— Не можете?

— Я...

— Не можете или не хотите? Отвечайте мне: не хотите или не можете? Что мешает вам, не дает?

— Я хочу... доктор, я должен... я хочу, чтобы...

— Чтобы что? Отвечайте, будьте здесь, сейчас и со мной, не уходите, не позволяйте себя увести!

КУДА УВЕСТИ? Катя буквально прилипла к стеклу. О чем это Геворкян? Ведь там, за стеклом, они только вдвоем — врач и пациент.

— Боритесь, не уступайте, я тут с вами, а вы со мной. Я не позволю вам на этот раз ранить себя, причинить себе боль. Вы мне верите? Вы хотите себе помочь. ВЫ ХОТИТЕ ЭТОГО?

— Да, да, я хочу, я... Доктор, ОНО уже здесь!

— Это вы здесь!

— ОНО БЛИЗКО... ОНО ЧУЕТ МЕНЯ... ОНО ЗДЕСЬ!!

Нет-нет, это были не крики, не вопли. Это был шепот. Одновременно захлебывающийся и натянутый как струна.

А потом они услышали ЭТОТ ЗВУК.

На что он был похож?

Словно что-то треснуло... Кокон или скорлупа... А потом заскребло по бетону когтями, пытаясь выбраться, вырваться...

Хрр-р-рррр!

Пепеляев поднялся со стула. Он снова, как и в прошлый раз, подошел к стеклу, хотя не мог видеть, что оттуда за ним наблюдают. Он двигался как-то странно, что-то было неестественное во всех его жестах, движениях. Начал ощупывать стекло, точно слепой. Губы его двигались, но не было слышно...

— Звук! Громкость!

Динамики врубили на полную мощность и...

Голос, который они услышали, был совершенно незнакомый. Мужской, но совершенно другой и по тембру, и по манере. И еще что-то с этим голосом было не так, настолько не так, что...

— НАЙДЕТ... ВСЕ РАВНО НАЙДЕТ... БУДЕТ ИСКАТЬ СРЕДИ ВАС... НАЙДЕТ МНЕ ЕГО... ЖИВОГО НАЙДЕТ... УБЬЕТ...

Глава 18

ИЗ ТЕМНОТЫ

— Скоро совсем стемнеет.

Августа — средняя сестра-Парка произнесла это тихо, с такой тоской, что у Руфины дрогнуло сердце. Руфина вернулась домой на Малую Бронную только вечером, и все мысли ее были о сестрах — о них.

— Как она?

— Беспокойна. Места себе не находит.

— А как ты? — Руфина внимательно посмотрела на сестру. Вечер... Воздух точно наэлектризован, тяжесть разлита как ртуть. Тяжесть...

— Я в порядке.

— Давай поднимемся к ней вместе, — Руфина направилась к лестнице на второй этаж.

— Вера, горничная, здесь, если понадобится. Я оставила ее ночевать, — сообщила Августа.

— А вот это напрасно.

— Она не отлучалась из дома весь день, я велела ей разбирать гардеробную. Сейчас она спит.

— Все равно напрасно, сегодня ей тут нечего было делать, — Руфина прислушалась. Как тихо в доме. Только стук собственного сердца... Скоро стемнеет, скоро совсем стемнеет... Отчего ей так не хочется, чтобы пришла эта ночь?

— Что с тобой, сестра? — спросила Августа.

— Думаю о том, что случилось. И о том, чем это грозит.

— Это уже ничем не грозит, не переживай, не тревожься, — Августа остановилась на верхней ступени лестницы. — Но мы так и не поговорили с тобой...

— О чем? Ты же не захотела ничего слушать.

— О том, что видела Ника.

Руфина посмотрела на сестру. Ах, об этом... Да, об этом они тоже не поговорили.

— Она очень беспокойна. Это до сих пор не проходит, на прежние ее припадки что-то не похоже, — Августа взялась за ручку двери. Она медлила, словно ей было трудно перешагнуть порог спальни сестры Ники. — Она вся дрожит. Тот сеанс с той крашеной бабой... Я все думаю о нем. Как ее звали? Лариса? Что-то там было... понимаешь, что-то было, иначе почему Ника...

— Ты веришь, что она ДЕЙСТВИТЕЛЬНО ЧТО-ТО ВИДЕЛА ТАМ?

У Руфины, когда она задала этот вопрос, был странный тон.

Вместо ответа Августа решительно распахнула дверь спальни сестры. В комнате — тяжелый запах, хотя окно было распахнуто настежь. В комнату мутным потоком вползали сумерки, клубились над кроватью, делая свет ночника — единственного источника света — совсем тусклым, мертвым.

Ника сидела в кровати, опершись на подушки. Она ритмично покачивалась — взад, вперед, иногда поднимала руки и трогала свою шею — как будто механически, в полусне.

— Не спишь? Зачем окно открыла? — Августа старалась говорить как ни в чем не бывало.

— Темно...

— Что?

— Там темно... пусть и здесь будет темно, — Ника повернула голову. Темные пряди обрамляли ее лицо, которое за эти дни приобрело землистый оттенок.

Внезапно она сделала резкий жест и сбросила ночник на пол. Лампочка погасла, фарфоровый абажур, память о матери, разлетелся на куски.

— Ты что делаешь? — воскликнула Руфина.

— Уходите отсюда, — в темноте голос Ники словно изменился, стал грубее, злее.

— Но мы...

— Уходите, пошли вон!

— Так больше продолжаться не может, — сказала Августа сестре уже внизу. — Не знаю, может, показать ее врачам? Сеансы сорваны, мы никого не принимаем...

— Поговорим об этом завтра. Поздно уже, пойдем спать.

Но уснуть в эту ночь им так и не удалось.

ВОПЛЬ! Он потряс дом на Малой Бронной с первого этажа до чердака. Как и тогда, много лет назад... Только на этот раз кричала не мать — Саломея, кричала Ника — там, в своей спальне, в темноте, за закрытой наглухо дверью.

Сестры выбежали в холл, Руфина в спешке надела шелковый халат наизнанку. Горничная — в одной ночной рубашке, перепуганная и оглушенная — потянулась было к выключателю...

— Не зажигай света, дура! Не смей! — рявкнула на нее Августа.

Они слышали этот вопль, что все не утихал там, наверху. Как и тогда, много лет назад, когда они еще были детьми, и потом позже... Мучительный крик боли и еще какие-то звуки, которые невыносимо слышать в доме в глухой ночной час... ЕСЛИ ЗАЖЕЧЬ СВЕТ, БУДЕТ ЕЩЕ ХУЖЕ... БУДЕТ БЕДА... НЕПОПРАВИМАЯ БЕДА...

— Я сказала — руки прочь от выключателя! — Августа наотмашь ударила всхлипывающую от ужаса горничную по лицу. — Я что тебе сказала, дрянь?!

— Ты куда? — Руфина вцепилась в голую руку сестры.

— Туда, к ней.

— Нет! Не ходи!

— Принеси нож.

— Нет, не надо.

— Она что-то увидела во время сеанса, когда была ТАМ, и сейчас это... ЭТО снова с ней, в ней, вспомни мать. Это то же самое, и это пришло оттуда. Это можно остановить, подчинить только кровью!

— Я боюсь, — взвизгнула Руфина. — Этого не может быть, слышишь, такого просто не может быть! Ника ничего не видела... Это просто болезнь, она же ненормальная! Этого просто не существует, понимаешь? Это невозможно!

— ТЫ ЧТО, НЕ СЛЫШИШЬ — ЭТО НЕ ОНА КРИЧИТ! Где нож?

Мимо онемевшей от ужаса горничной Августа метнулась в зал, послышался грохот — она там что-то лихорадочно искала в темноте. Ритуальный нож для «особых случаев», которым когда-то пользовалась их мать — Саломея, «ядовитая, божественная Саломка эпохи заката развитого социализма».

А вопли наверху не прекращались. И теперь уже трудно было поверить, что ТАКИЕ ЗВУКИ издает женское горло. Хрип, переходящий в гортанное рычание, в звериный рев.

АВГУСТА... АВГУСТА НАС ЗАЩИТИТ... ТАК БЫЛО В ДЕТСТВЕ, ТАК БЫЛО ВСЕГДА...

Это было последнее, о чем успела подумать Руфина перед тем, как они высадили дверь в спальню сестры. В кромешном мраке, где ничего не было видно... кончиков пальцев вытянутой руки... зажатого в кулаке ритуального ножа... И только блеск — там, в углу у окна... Точно угли... Погасли, зажглись, мигнули... Страшно представить, что это...

— Не зажигайте света! — крикнула Августа и полоснула ножом себя по запястью, взмахнула рукой. — На, бери мою кровь! Пей, жри, наслаждайся! Бери нашу жертву и уходи туда, откуда пришел!

ОТКУДА?

КУДА?

КТО?

НЕ ЗАЖИГАЙТЕ СВЕТА...

НЕ ВКЛЮЧАЙТЕ СВЕТА В ДОМЕ — ИНАЧЕ БЕДА...

Внизу в холле грохнула входная дверь.

Охранник обувного бутика, что на Малой Бронной, оторвавший свой взор от кабельного канала, увидел... Нет, это явно ему почудилось...

Мимо витрин по улице опрометью пронеслась женщина в одной ночной рубашке — босая, растрепанная.

Горничная, не выдержавшая пытки темнотой. Точно больная белая бабочка налетела на фонарь — остановилась на миг в желтом пятне света, а затем ринулась прочь — подальше от этого места.

Глава 19
СТАРЫЙ СЛЕД

— Ну, по лицу твоему вижу: опять туда ездила, так? — спросил Гущин, когда Катя на следующий день заглянула к нему в кабинет с пачкой криминальных сводок — вроде бы совершенно случайно.

Старый сыщик попал, как всегда, в десятку, отпираться было бессмысленно.

— Так, Федор Матвеевич.

— Что там, медом, что ли, намазано для тебя в этом центре? Я там, например, когда бываю по делам, фигово себя чувствую. Стены толстые, коридоры узкие, морды у всех лживые — привыкли с психами придуряться... Брякнешь что-нибудь не так, как им, спецам, покажется, еще и тебя там самого запрут. Результаты-то хоть есть какие?

— Даже и не знаю, что сказать вам, — Катя пожала плечами. — Пока там ждала, читала показания, характеристики на Пепеляева. Потом запись смотрела его беседы с врачом. Абсолютно нормален... Вел себя очень естественно, спокойно, рассуждал, он бизнес свой обувной хорошо знает, в моде современной разбирается. И до этого, Геворкян говорил, все дни тихий был и спокойный. И вдруг — бац!

— Что?

— Не могу объяснить. Что-то с ним вдруг в мгновение ока случилось — не припадок, не знаю, как и назвать ЭТО. Он кого-то ищет. Хочет найти и убить. Только, Федор Матвеевич, это НЕ ОН.

— То есть как это не он?

Катя прижала сводки к груди как щит. Как? Объяснений хочешь от меня, полковник Гущин. Нет у меня пока объяснений. И ни у кого нет — даже у врачей Центра судебной психиатрии, судя по их вчерашней реакции на мгновенную метаморфозу за стеклом. СЛЫШАЛ БЫ ГУЩИН ТОТ, ДРУГОЙ ГОЛОС...

Что-то возникло, появилось, а затем пропало без следа. И только эта тяжесть, это гнетущее ощущение опасности, что испытали они все там, возле бокса... ДРУГОЙ ГОЛОС... Нечто, возникшее из... Из чего? Из сознания арбатского убийцы? Его второе «я»? Значит, он страдает раздвоением личности? В этом разгадка? Как в фильме Хичкока «Психоз» — у маньяка произошло раздвоение сознания, и он был одновременно и мамаша, и он сам...

— Загадки все загадываешь, Екатерина, — хмыкнул Гущин. — Ну а менее громкие дела интересуют тебя или уже нет?

— Какие менее громкие? — Катя размышляла про «раздвоение». Странно, если все так просто, отчего же вчера там все врачи, все эти светила психиатрии были такие... взволнованные, встревоженные? Нет, и название-то их состоянию душевному сразу не подберешь...

— Труп из Куприяновского карьера, женщина убитая, — Гущин засопел. — Установили мы ее личность. А в сорок шестом кабинете свидетельница сидит, которую отыскали.

— Там, в Куприяновском лесничестве? — Катя спросила машинально.

— Да не в лесничестве, в Домодедове. И сколько трудов найти эту торговку стоило. Да ты и не слушаешь меня!

— Ой, простите, Федор Матвеевич, я просто отвлеклась. Это же здорово, что вы установили личность потерпевшей. Как же я не слушаю.. я туда с вами на карьер выезжала, очерк сделаем о раскрытии, как только у вас все будет закончено.

— До конца нам еще ой как далеко. Но личность бедолаги этой, мир ее праху, известна нам теперь. Заборова Марина Викторовна, тридцати семи лет, москвичка, последние семь лет проживала в Домодедове, в новом микрорайоне у аэропорта, работала там же, в аэропорту Домодедово, в обменном пункте валюты. Пропала без вести десять дней назад, заявление о пропаже было подано ее сестрой. Вчера вечером сестру в морг возили на опознание, плохо ей там стало, когда увидела труп, в каком он состоянии, но узнала... А до этого у нас только результаты компьютерного анализа были по данным осмотра тела в сравнении с программой данных по без вести пропавшим. Как раз с данными этой самой Заборовой Марины Викторовны и совпало, ну и, конечно, фото — программа показала большую степень вероятности... Но это все виртуально ведь, а когда сестра приехала, глянула и сказала — она, то все на свои места встало сразу. Я опознанию больше как-то доверяю, может, это и не современный метод поиска, однако...

— А где же она пропала? Там, прямо в аэропорту?

— Сестра ее хватилась через два дня — телефон мобильный не отвечал, домашний в ее квартире в Домодедове не отвечал, и дома никто ей не открыл, и на работе сказали — не вышла, прогул. А вот когда именно она пропала... Пункт обмена в аэропорту круглосуточный. И они там работают сменами. Она смену сдала напарнице в семь вечера.

— И домой не вернулась? — Катя выказывала живейшее любопытство. Хотя — грешно признаваться, ПОСЛЕ ТОГО, ЧЕМУ ОНА СТАЛА СВИДЕТЕЛЬНИЦЕЙ В ЦЕНТРЕ СУДЕБНОЙ ПСИХИАТРИИ, все прочие дела казались ей сейчас чем-то второстепенным. Ну да, женский труп в карьере. Сначала подумали, что это проститутка, которую завезли к себе какие-нибудь подонки, насиловали, пытали, сигаретой прижигали, а потом убили. Но потерпевшей оказалась кассирша обменного пункта валюты. И что дальше? Такое уже было, сколько статей о таких вот убийствах написано.

— Последняя, кто ее видел, — напарница? — Катя глянула на полковника Гущина, пусть видит старик, что она «в теме».

— Да нет, кое-кто еще, вон в сорок шестом Должиков с нее показания берет, каковы там результаты, интересно?

В сорок шестой кабинет они заходить не стали — Гущин махнул лейтенанту Должикову с порога, открыв дверь — продолжай, мы на минуту.

Напротив лейтенанта сидела брюнетка в полосатой кофточке и синих бриджах. Ее монголоидное личико выражало живейшее усердие помочь — доблестные правоохранительные органы, вы спрашивайте, спрашивайте — я все скажу.

...— Ее ничего не покупать, а моя ей не предлагать, моя просто стоять рядом с маршрутка... — Голосок у свидетельницы был тоненький, как у комарика.

— Но она в маршрутку не села, так или не так? — Лейтенант Должиков в свои двадцать лет изъяснялся хриплым прокуренным басом.

— Таки-так, товалищ милисьонер...

— Ну, что тут у вас, как продвигается? — спросил Гущин.

— Со скрипом, Федор Матвеевич, но продвигается. Вот свидетельница Цинь Юнь, уроженка города... ох ты черт, как там этот ее город-то... Китаянка она, у них бизнес был на Черкизоне, а теперь они после закрытия рынка по области ездят с товарами.

— По городам и весям, как коробейники, так, что ли, товарищ Цинь Юнь? — Гущин подмигнул китаянке.

— Таки-так, натяльник... Моя ее узнавать, он фото дать, и моя узнавать сразу, — китаянка закивала. — Она там курить... Моя видеть, она курить прямо на остановка, моя ее потому запоминать — платье, белое пальто — все итальянски, ох, хороший вещь! Дождь сильно лить тогда, она не брать зонта. Она в маршрутка не сесть, она голосовать на остановка.

— Она опознала потерпевшую Марину Заборову, — доложил Должиков. — Та примерно в 19.20 стояла на автобусной остановке — это на выезде с территории аэропорта. Мы проверили, там действительно легче поймать машину, частника или такси, потому что на территории аэропорта это сейчас проблематично. Свидетельница тоже была на остановке, видимо, пыталась что-то продавать пассажирам, ждущим автобуса, после закрытия Черкизона они так часто делают, везде расползлись, как...

— Моя ничего не продавать, просто стоять, ждать... Потому что дождь лить. А она — эта, которая курить, она голосовать, и ее никто не брать сначала, а потом одна машина останавливаться, — запротестовала китаянка.

— Так, машина, какая машина? — спросил Гущин.

— Какая машина? — Должиков повторил так, словно перевел на китайский.

— Моя не помнить... Машина, авто... синяя...

— Легковая?

— Нет, такая, вот такая, — китаянка показала что-то миниатюрными ручками.

Катя ни в жизнь бы не догадалась, что она там имеет в виду, а Гущин понял:

— Пикап, что ли? Или фургон? Синего цвета?

— Да, да, возить, удобно возить товар. Там что-то писать сбоку.

— На борту было что-то написано? — Должиков пометил себе.

— Да, писать, яркий буква, как реклама.

— Значит, потерпевшая... та женщина в белом пальто, которая курила и которую вы узнали на фото, села в синий пикап?

— Да, туда сесть, не в маршрутка, туда.

— Мы уточнили, Заборова и раньше пользовалась попутками, от места работы в аэропорту до дома ей не так уж далеко, — сказал Должиков.

— Вот вам и китайский товарищ Мао Цзэдун, — Гущин усмехнулся, когда они оставили сорок шестой кабинет. — Ну хоть по-нашему понимает, лопочет и что-то помнит, и на том спасибо. Русский — китаец, дружба навек. Как ее Должиков там, в Домодедове, найти ухитрился, не хочешь послушать?

— Вообще-то найти свидетельницу надо было раньше, десять дней назад, как пропала эта Заборова, — Катя не удержалась, уколола.

— И сейчас бы не нашли, если бы не повезло, — Гущин хмыкнул миролюбиво. — Где сыск, где везение... Мне вон тоже повезло — подкузьмило тогда на Арбате оказаться. Ну да ладно, кое-какие факты теперь есть в загашнике. Заборова села в синий пикап или фургон на остановке возле аэропорта. Интересно, а что там эксперты колдуют со следами протекторов на месте убийства... Какая там машина была?

— Ее изнасиловали? — Катя задала тот вопрос, который задавала еще в Куприяновском карьере.

— Следы спермы экспертиза выявила.

— Где-то держали десять дней, потом убили и хотели тело утопить, но не получилось. Федор Матвеевич, шансы на раскрытие есть, а?

— Шансы-то... Да, надо раскрывать, может, что и по старому следу всплывет.

Гущин произнес это многозначительно — мол, нечего мне тут по репортерской своей привычке шансы прикидывать.

— По какому старому следу? — Катя насторожилась.

— Да понимаешь, фамилия, как только компьютер данные выдал, еще до опознания, знакомой мне показалась. Заборова... Марина Заборова, да еще работала в обменном пункте валюты, считай, что в банке... Давно это было, почти одиннадцать лет назад, и мы тогда им не занимались, УБОП его вел. Ограбление отделения банка на Новой Риге. Красивое было ограбление, чистое, и сразу мнение у всех наших сложилось, что преступники кого-то имели в системе... ну, крота в самом банке, больно уж ловко все вышло с сигнализацией... Так вот эта Заборова тогда, одиннадцать лет назад, молодая еще сотрудница, по этому делу проходила по касательной — не как подозреваемая, но и не совсем как свидетель. Она работала в то время в главном офисе этого банка. Тогда все сотрудники проверялись досконально. Ну и она тоже. У нее тогда, помнится, был приятель, точнее, любовник. Он в охране банка работал, и там, в отделении на Новой Риге, у него самого то ли вклад был, то ли ячейка банковская... Так вот он проходил по делу как один из возможных подозреваемых, причастных к ограблению. Надо материалы поднять и все уточнить. Только тогда все и с ним, и с его любовницей, этой Заборовой, заглохло, дело так и повисло нераскрытым.

— Почему?

— Насколько я припоминаю сейчас, — Гущин вздохнул, — этот охранник бесследно пропал. Тогда его так и не нашли.

Глава 20
ПЛОТЬ

Лариса Павловна Дьякова вернулась из химчистки и не застала дома сыновей. Раньше она не очень бы обеспокоилась по этому поводу, но сегодня отсутствие «детей» наполнило ее сердце тревогой. И раздражением. И злобой. Где их носит до сих пор? Что они еще затевают?

Хотя сыновья давно уже были взрослыми мужчинами, Лариса Павловна не воспринимала их таковыми: сынки... сопляки... что они смыслят? Что они могут в этой жизни самостоятельно? Ничего. Даже жениться с умом, с выгодой не способны. Петр вон, старший, до седины уж дожил, а все от ее материнской юбки оторваться не может.

Дом встретил ее тишиной, темнотой. Питбуль Рой — недовольным нетерпеливым повизгиванием: ну, где ты была, мать? Отчего так долго?

ХОРОШО ХОТЬ В ПОДВАЛЕ ТЕПЕРЬ ВСЕ УБРАНО. ХОТЬ С ОБЫСКОМ ПРИХОДИ — НИЧЕГО НЕТ. ВЫВЕЗЛИ, ПОХЕРИЛИ...

КОНЕЦ — ДЕЛУ ВЕНЕЦ.

Но о конце не было и речи. Лариса Павловна была только в середине пути...

Она долго стояла у зеркала, придирчиво разглядывая себя. Да, постарела ты, мать, сдала... Пьешь много, а как не пить, когда все через жопу?! Вся жизнь, вся эта их проклятая жизнь, все одиннадцать лет...

С химчисткой вон — делом, в которое она вложила свои последние крохи, то, что еще оставалось по старой памяти от Жоржика Кудрявого, — знали, помнили его и в Воркуте, и в Чите, и в Ростове, и в Крестах, и в Матросской Тишине, — с химчисткой — все, швах... Бизнес разваливается, на ладан дышит. Кризис... До кризиса все же легче было... Или нет, не особенно. Все ее планы, все ее амбиции сдохли в жалкой химчистке. Сегодня вон с жалобами клиентов пришлось самой разбираться — кому простыню испортили, кому халат банный не вернули после стирки... Все компенсации денежной требуют. И счетов куча — за воду, за свет, за аренду помещения, за порошки, моющие средства, отбеливатели, а еще гладильный стан сломался, ремонтировать надо и...

И ЭТУ СУКУ, ЭТУ ПОДЛУЮ СУКУ ГРИШКА УБИЛ. А ОНА ТАК НИЧЕГО И НЕ СКАЗАЛА ПУТНОГО...

Не выдала, где ОН. Где живет, пиво пьет, в потолок себе плюет, в каком городе, в какой стороне...

Ну и лица были у тех сестер-колдовок, когда она заявилась к ним с просьбой найти ЕГО. Верно, подумали: мадам-то ку-ку, совсем ку-ку, через одиннадцать лет любовника сбежавшего хочет найти.

А ведь не совсем она соврала им там, на этой их Малой Бронной. Правды не сказала, но и не соврала. Были ведь они с НИМ любовниками, были любовниками когда-то... Двенадцать, одиннадцать лет назад. Ей тогда было всего пятьдесят, и тело у нее хоть и полное, но как мяч резиновый было. Как шлепнет ОН ее, бывало, по заднице... звонко...

ОН ей Жоржика Кудрявого чем-то напоминал порой, хотя был, конечно, другой совсем. И молодой, такой молодой, мерзавец, что дух у нее порой захватывало и сердце замирало, и хотелось взять его вот так... лицо его к себе приблизить, поцеловать в губы, сладкие губы... Люби, люби меня, пацан, люби, мой мальчик ненаглядный, меня нежно и сильно, и не будет ни в чем тебе горя и отказа, все, что хочешь, для тебя сделаю, луну с неба достану, только люби, спи со мной вот так... будь как муж и как сын, единственная радость моя, звезда моя путеводная на склоне лет. Когда впереди лишь старость, морщины, седина, смерть...

Что ты хочешь, пацан, денег? Так я добуду их для тебя. Много добуду, ты только не уходи...

Ушел...

Сбежал со всеми деньгами...

Кинул...

А сынки-дураки с НИМ тогда, одиннадцать лет назад, не ладили, ох не ладили. Петьке-то он почти ровесником был, а Гришка, хоть и молокосос еще тогда был, простить ему не мог, как это он с ней, с матерью их, в постели кувыркается. Каждый вторник, каждый четверг, ну и по выходным, когда свободен, не на дежурстве в банке... А где он бывал по понедельникам, по средам, пятницам? Тогда, одиннадцать лет назад, ей и невдомек было. Говорил — с друзьями в баню, в баре посидели. Все врал, глядя прямо в глаза ей, врал. Она у него уже тогда была, эта сука, эта вонючая сука...

Маринка Заборова...

— Помнишь меня? Узнаешь?

Там спросила ее — в подвале, когда висела она, вздернутая, как свинья, на крюк. Когда по ногам у нее текло от страха, когда визжала, дергалась. По глазам ее было понятно — узнала, помнит. Хоть и одиннадцать лет минуло с тех пор. Значит, говорил ОН ей обо мне.

Мобильный! Кто еще там? Не ОНА ли с того света звонит, знак подает?

— Ну? Кто?

— Лариса Пална, извините за беспокойство, вы уже уехали, а тут с улицы Докукина звонят, с комбината, спрашивают — мы договор на чистку ковровых изделий продлевать с ними будем?

— Да, завтра бумагу подпишу, Григорий им отвезет документы, так и передай.

Дела химчистковые... И дома покоя не дают, ей, бизнесменше из подмосковного Дзержинска...

Когда-то дело с банком выгорело, она все ждала... Ждала каждую ночь — приедут на машинах, как, бывало, приезжали за Жоржем Кудрявым — менты, прокуроры, псы... Не приехали. И потом, когда ОН уже слинял со всем, что удалось там, в банке, взять в ту ночь — в сейфах, в банковских ячейках, она тоже ждала, лет семь, наверное, из одиннадцати ждала — приедут и за ней, за сыновьями, потому что ОН со всеми этими деньгами где-нибудь все же засыпется, проколется. Раскроют менты, псы, это дело и пойдут их всех метелить беспощадно. ОН засыпется и сдаст ее и сыновей ее — Гришку с Петькой, как своих соучастников прежних. Но за ней во все эти годы никто так и не приехал. И это означало, что ЕМУ все сошло с рук вполне удачно. Его не взяли за то ограбление банка. ОН забрал себе все и где-то жил, пользуясь, наслаждаясь, транжиря, покупая себе тачки крутые и не только тачки... Телок молодых длинноногих...

ВЫРВУ ГЛАЗА ТВОИ, ПАЦАН, И СОБАКЕ СВОЕЙ СКОРМЛЮ...

Сколько раз она давала себе эту клятву: найду, все равно ведь найду тебя, звезда моя, ненаглядный мой, и кровью твоей упьюсь досыта... А потом...

Могла бы она простить ЕГО — через все эти одиннадцать лет, через всю эту ложь, обман, побег?

Питбуль Рой скулит, жрать, наверное, хочет, не кормили его сынки, куда-то улимонили оба. И нет их до сих пор.

Ну пойдем, пойдем, псина, на кухню пойдем, дам тебе пожрать и сама что-нибудь возьму, съем... Сала бы сейчас хорошего на кусок бородинского или шпикачку поджарить... Да нельзя, и так одышка, жир уже душит. Зашла тут в магазин белья, спрашиваю у продавщицы: бюстгальтер «100 F» есть? Номер мой есть в продаже? А продавщица, коза, только плечом повела — таких размеров не держим-с...

Все только для них, для молодых, худых, стерв поджарых, а нам, нам в наши шестьдесят что теперь делать? В землю, что ли, живыми до поры до времени зарываться?!

Ну и морды были у тех колдовок с Малой Бронной, когда сказала она им, что просит найти любовника... Хорошо еще, она им вперед за сеанс не заплатила. А сеанса-то никакого и не вышло — девка ихняя младшая припадочная оказалась, эпилептичка...

ВЕЗДЕ ОДИН ОБМАН. СПЛОШНОЙ ОБМАН.

И по телевизору...

И с деньгами...

И с колдовством-ясновидением...

И в любви...

И ТОЛЬКО В ПОДВАЛЕ, здесь, в доме, никакого обмана не было. Сыграли в открытую.

— Помнишь меня? Узнала? Знаешь, где ОН? Скажешь, где ЖЕНЬКА живет, от меня скрывается?

Одиннадцать лет назад, уже после ЕГО исчезновения, она, Лариса Павловна Дьякова, узнала про нее — Марину Заборову. Когда искать начала ЕГО, сбежавшего, кинувшего их всех после такого дела, после такого фарта, тогда и узнала, что у него молодая зазноба имелась — любовница, причем там же, в этом же банке. ОН, еще до ограбления, помнится, все заливал: мол, у меня человек есть, информацию поставляет, если нужно, мол, достанет сведения насчет сигнализации... как, мол, отключить по-умному... Не за деньги ему ту информацию поставляли, за любовь. За кульбиты в постели, на которые он такой мастер был. С ней, с этой Маринкой, кульбиты... Она тогда, сука, совсем еще молоденькая была...

Одиннадцать лет потребовалось на то, чтобы найти ее, отыскать как иголку в стоге сена. С прежнего адреса она своего уехала, квартиру вон поменяла на новостройку в Домодедове. Наверняка с доплатой, а кто ей ту доплату мог организовать? Конечно же, ОН по старой памяти, по старой дружбе бросил кусок от больших щедрот... Значит, жив, где-то обретается...

Сынки в поисках не помогли. Все сама сделала — старые, еще Жоржика-мужа, связи опять подключила, в ноги кое-кому пришлось кланяться, просить, ну и заплатить, конечно... Но нашли, нашли Заборову эту самую — нашли, менты так не найдут, а эти помогли, отыскали... Подкинули адресок, ну а дальше действуй сама. Тут уж и сынкам-дуракам дело нашлось. Следили они за ней пару недель — когда на работу уезжает, когда приезжает. Когда смену сдает в валютном пункте в аэропорту. Туда на автобусе едет, а обратно частенько машину ловит, этим вот и воспользоваться можно.

Не хотелось ей светить в таком деле свои собственные машины — «Шевроле», «Фиат». Предлагала сынкам — угоните, мол, какую-нибудь тачку. И этого не смогли!

Дождь, на их счастье, в тот вечер хлестал сильный... Она на остановке стояла после работы, частника ловила. Гришка, который за ней следил, недолго думая, и подрулил на пикапе — решил, что зря время терять? Повезло им — села она к нему в пикап, ждать, видно, терпения уж не было на дожде. Сто пятьдесят рублей посулила — довези, мол, до шестого микрорайона, тут недалеко.

Проехали они немного, когда она полезла в сумку за сигаретами, Гришка ее шарахнул по голове — вырубил. Очнулась она уже на крюке в подвале. Петька-старший соорудил там внизу что-то вроде ворота-подъемника или дыбы.

Сам он ее не трогал — не бил, не жег. Правда, глядел во все глаза, когда Гришка-младший с ней развлекался. К полу спиной прижал, ноги раздвинул и давай долбить... «Мама, я поиграю, можно? Я с ней поиграю, пока она еще на бабу похожа, не на кучу говна...»

МОЖНО, СЫНОК. ИГРАЙ. ТЫ ЭТО ЗАСЛУЖИЛ. ТЫ ВЕДЬ ЕЕ ПРИВЕЗ. ТЫ СПУСТИЛ В ПОДВАЛ. ЛОХОМ ПРИКИНУЛСЯ НА ПИКАПЕ, ТАК ЧТО ОНА СЕЛА К ТЕБЕ, МОЕМУ КРАСАВЦУ...

Изнасиловал, значит, сломал. Теперь она заговорит, все им скажет о НЕМ. Так Лариса Павловна рассуждала. Но она не заговорила — неделя прошла, десять дней, а она все твердила, уже кровью харкая: «Я ничего о нем не знаю! Клянусь, я давно его не видела, он пропал!»

Может, правду она им сказала?

Нет, все ложь. Они просто поспешили с ней, не дожали до конца. Пытать надо было до тех пор, пока... А этот придурок Гришка ножом в брюхо ей...

А может, правда...

Нет, нет, нет, нет, нет, нет!! Так хоть есть надежда и через одиннадцать лет найти, отыскать, забрать то, что ему никогда не принадлежало, забрать их долю.

Ведь без нее, Ларисы Дьяковой, — тогдашней своей любовницы, ОН никогда бы не решился на такое дело, он бы не смог все сделать один, без нее и ее сыновей.

Но, возможно, у него был и еще кто-то, кроме них? Знакомых у него было много, вот и там, по тому адресу в Москве, который опять засветился в газетах, ОН ведь тоже бывал... Ездил туда. Что там было тогда до пожара? Какой-то магазин?

Наверное, у него еще кто-то был... Ведь была же у него она, эта Заборова, его тайная любовь, которую он так тщательно скрывал. Кто-то из его прежних знакомых? Из той, его прежней жизни, о которой она, Лариса Дьякова, так мало знала тогда и так мало знает до сих пор.

Могла бы она простить его через столько лет, переступив через все — разом? Вот что надо было бы спросить у тех сестер-колдовок... Нужно ли прощать, можно ли прощать... Но это в церкви о таком спрашивают. А эти сестры-колдовки неизвестно еще какому богу молятся, какому дьяволу...

А насчет прощения... Сначала бы кожу с живого с тебя содрала, пацан, мальчик мой золотой, Женька мой, Женечка... Кожу бы с живого — там, в подвале, на крюке... Сама бы ножом орудовала, как в мясном цеху разделочном, и сынков бы к тебе не подпустила, потому что пытать тебя — ПОСЛЕ ВСЕГО, что меж нами было, после этих одиннадцати лет — такое наслаждение, такой кайф... Всего бы выпотрошила, все бы достала, узнала, забрала все, что ты украл у меня и детей моих, до копейки. А потом... не знаю, возможно...

Может быть, и простила бы — потом...

Простила бы тебя, мальчик...

Все куски, что вырвала, вырезала из твоего тела, на место бы вернула, живой и мертвой водой бы полила, как в сказке...

Только сказок не бывает на свете, мой ненаглядный, проклятый...

Глава 21
АРХИВ

Дело об ограблении банка на Новой Риге срочно подняли из архива. Полковник Гущин, к удивлению Кати, начал звонить не в МВД и не в МУР коллеге Елистратову, а в службу экологической милиции.

— Сейчас отыщем Лямина... был бы только на месте он, пусть к нам, сюда на Никитский, подъедет, — Гущин, сопя, нашел в справочнике нужную фамилию. — Он в УБОПе тогда работал и дело это должен помнить в деталях со всеми подробностями. Эх, ребята, с тех пор как екнулся ваш УБОП, где вы только, родные мои, пенсию себе не высиживаете, в каких только службах... Лямин в экологи вон подался, по свалкам они, бедолаги, оперативные рейды теперь устраивают... Дожили...

Часа через три подполковник Лямин уже сидел в кабинете Гущина, прихлебывал кофе и комментировал фотографии из архивного дела. Катя скромненько строчила в своем репортерском блокноте, но мысли ее по-прежнему были далеко, и она заставляла себя сосредоточиться на деле этой самой Марины Заборовой из Куприяновского карьера. В случае удачного раскрытия этого убийства могла бы выйти отличная статья. Этим не стоило пренебрегать.

Фотография самой Заборовой в архивном деле, так, увы, и оставшемся на тот момент висяком, имелась. Одиннадцать лет назад потерпевшая была настоящей красоткой с фарфоровой кожей, с ямочками на щеках. Катя вспомнила снимки, сделанные в карьере. Нет-нет, что толку сравнивать теперь... Бесполезно...

— Значит, пришили все-таки ее. — Подполковник Лямин закурил. — Странно, что не тогда, а через столько лет. Но все-таки счеты свели... Пытали, говоришь, перед смертью?

— Пытали, — Гущин кивнул. — И жгли.

Лямин поморщился.

Деньги большие тогда взяли в ходе ограбления, а где большие деньги — там и пытки...

— Сколько взяли тогда?

— Миллион зеленых без малого. Банк имел отделение в Москве на Петровке, ну знаешь, переулок напротив ЦУМа. Назывался банк «Европейское содружество», но иностранного капитала там не было, чисто «рублевские» вложения. Отделение на Новой Риге у них было оборудовано банковскими ячейками, тогда, одиннадцать лет назад, это еще новшество было, не все банки такую услугу предлагали. И многие из тех, кто с Рублевки на лето за моря подавался, пользовались этой услугой, ювелирку там свою хранили и прочие ценности. Ну и наличность была, банкоматы круглосуточно работали... Ограбление произошло первого августа ночью. Сигнализация там была американская, и вот в чем штука — так ее мастерски кто-то вырубил на четверть часа, что на пульт вневедомственной охраны сигнал не прошел, был только двухсекундный сбой. А вот вся внутренняя система отключилась — электронные замки хранилища, видеонаблюдение. Вскрыто было за четверть часа семь ячеек, причем только те, где действительно что-то имелось, и банковский сейф. В сейфе, как потом выяснилось, было двести тысяч долларов на тот момент. Ну а насчет содержимого ячеек мы только примерные сведения имели. Не очень эти рублевские терпилы распространялись, что их бабы там хранили — бриллианты, жемчуга, по самым скромным подсчетам, еще тысяч на семьсот-восемьсот. Быстро было все сделано, профессионально, с сигнализацией так обошлись, что ясно стало с первого взгляда — тот, кто отключал, знал досконально систему. Значит, время имел достаточно, чтобы предварительно все изучить, если нужно — отсканировать, схему отработать компьютерную и оборудование приобрести.

Начали мы разбираться с персоналом, а тут этот самый черный вторник вдруг настал, ну помнишь, что тогда было — кризис банковский, дефолт... Тот еще кризис, когда все в одночасье кинулись деньги свои из банков забирать. У нас расследование идет, а офисы банка этого точно в осаде. Потом узнаем, что банкир за границу смылся. Кстати, потом он так оттуда и не вернулся.

— Убили, что ли? — спросил Гущин. — Тогда, может, они сами там, в банке, это ограбление перед кризисом организовали?

— Мы так тоже думали, одна из версий была. Но банкира не убили, умер он от рака в Лондоне, все никак в себя не мог прийти, что вот так разом все прахом пошло. Нет, Федор Матвеевич, я тогда много над этим делом думал и скажу тебе: не банковская то была афера, грабеж чистой воды. Классический грабеж. Стали мы сотрудников шерстить. И в числе других наше внимание один привлек... ну-ка, где тут его снимок из личного дела... Так, вот он — некто Цветухин Евгений, тогда ему лет тридцать было... Он работал в службе охраны банка, являлся заместителем начальника, и как раз в его ведении была охранная сигнализация, кроме того, в компьютерах он классно разбирался... чистый хакер, как его сослуживцы характеризовали, видимо, спец был по взломам чужих банковских тайн.

Катя посмотрела на фотографию, которую Лямин выложил на стол. Она была маленькой. С нее смотрел молодой мужчина — пиджак, белая сорочка, строгий галстук — офисный дресс-код.

— Симпатичный, — сказала Катя. — На грабителя вроде не похож.

У него были темные волосы, а глаза...

— Брюнет с синими глазами, да, смазливый парень. Я его, к сожалению, только на записях видел, не вживую. — Лямин закурил. — У них там много пленок было с камер, ну и он мелькал среди остальных. Спортсмен... умелец... И двух дней не прошло с момента ограбления, как вышли мы на его кандидатуру в числе остальных подозреваемых. Вызываем — не является, опять вызываем — не является, выясняется, что после ограбления никто его на работе не видел. Еще одна деталь выясняется: оказывается, незадолго до этого он тоже воспользовался банковской ячейкой — там же, в отделении на Новой Риге. Поехали мои сотрудники к нему на квартиру — он прописан был на проспекте

Мира, а дед его говорит — нет, не появлялся. Как мы выяснили, он сирота с детства, жил с дедом, сестра еще была, замужем за офицером в Челябинске — они понятия не имели, чем он занимается, как живет. Ну тут уж наши подозрения в отношении его совсем окрепли. Исчез, значит, в бега подался. Стали мы дальше проверять. Оказалось, в банке у его девица имелась — эта вот самая Заборова Марина. Правда, ничего конкретного на нее мы от сотрудников банка получить не смогли — так, слухи-пересуды, мол, видели их вместе, и не только на работе. Она служила в главном офисе на Петровке и, что самое интересное, имела доступ к информации по охранным схемам. Могла подсказать, могла копию снять, сфотографировать — в общем, те сведения предоставить, которые были нужны дополнительно, чтобы в схеме так разобраться, чтобы не вырубить выход на пульт вневедомственной охраны.

— Ну ее-то вы допрашивали, надеюсь? — Гущин листал дело.

— Сколько раз, я с ней столько бился... «Наружка» за ней потом четыре месяца по пятам ходила, мы думали, что, если все же она любовница Цветухина и подельница его, выйдет он, будучи в бегах, с ней на контакт. Телефон в ее квартире прослушивали — все без толку.

— А сама она что на допросах тогда говорила?

— Твердила, что ничего не знает. Что да, с Цветухиным Женей была знакома, но где он сейчас, понятия не имеет. Правда, выглядела она какой-то пришибленной, встревоженной — это и по данным «наружки» было видно, и по видеосъемке. Вроде как ждала... и переживала одновременно.

— И тип этот с ней на контакт так и не вышел? — Гущин надел очки, чтобы лучше разглядеть фото Евгения Цветухина.

— Нет. Осторожный был, гад. Оборвал разом эту нить. Так и пропал из поля нашего зрения. Ну а потом как-то все... кризис этот чертов, дефолт, банк лопнул, директора все по заграницам, персонал кто куда... В общем, развал был полный, и дело повисло.

— Но вы подозревали, что Цветухин не один грабил, что кто-то, помимо этой бабы, ему помогал?

— За четверть часа они вскрыли сейф и семь ячеек, все при помощи специальных инструментов. Одному такое не под силу, кем бы он ни был. Минимум их двое там в ту ночь было. Плюс свидетель был, который якобы видел в ту ночь неподалеку от банка машину, кто-то за рулем сидел. Пьяный был этот наш чертушка-свидетель, потому ни марки, ни примет машины так мы от него и не получили. Значит, уже трое, если считать водилу. По таким делам водила всегда ждет... Я ж говорю — классика. Хапнули без малого миллион и как в воду канули.

Катя взяла у Гущина снимок. И правда, этот парень не похож на громилу. Хотя и на офисного клерка тоже не очень похож. Есть в нем что-то... словами этого не выразить... Взгляд с поволокой... герой-любовник...

— Я ж говорю — брюнет, женский пол таких любит. А они, эти мачо, об баб ноги вытирают. Деньгами он сорил, как мы выяснили, красиво жить хотел. Зарплата неплохая у него в банке была, да, видно, маловата по его запросам, — сказал Лямин. — Отдыхать любил за границей... В Таиланд все ездил. Мы при обыске у него в рабочем столе в офисе диск с записями нашли — шоу трансвеститов тайских... И прочую порнографию. Так что брюнет он, синеглазый... Может, где-нибудь там, в Таиланде, за миллион баксов виллу себе купил. И живет под другой фамилией. А для нас тут точно в воду канул, причем сразу после ограбления...

Катя все смотрела на снимок. И правда, он очень красив... что-то влечет к нему, даже на этой маленькой плохонькой фотографии из личного дела. Исчез сразу же после ограбления. Сбежал... Пропал...

ОНА ВЕДЬ УЖЕ СЛЫШАЛА ЭТО СЛОВО «ПРОПАЛ»... ПРИЧЕМ СОВСЕМ НЕДАВНО... И, КАЖЕТСЯ, ЗДЕСЬ ЖЕ, В КАБИНЕТЕ ГУЩИНА... О КОМ ШЛА РЕЧЬ?

— Значит, Заборову вы еще тогда связывали с делом об ограблении и никакой информации от нее не получили? — уточнил Гущин.

— Нет. А предъявить ей что-то официально не могли. Ни фактов не было, ни доказательств. Сначала надо было дружка ее отыскать Женьку Цветухина.

— Ну а теперь кто-то ей рот заткнул.

— Раз пытали, значит, наоборот, развязать хотели, — Лямин пролистал дело. — Такие дела, как ограбление на миллион, и через столько лет не забываются. Ни нами, ни ими.

— Кем? Кого ты имеешь в виду?

— Ну, мы без малого год с этим делом тогда вплотную работали. Ну и оперативную информацию по самым разным каналам качали, сам понимаешь. Цветухин был не судимый, но мы не исключали, что за ним кто-то стоял и с той стороны. Инструменты, которыми ячейки вскрывали, больно хороши были, профессионально сделаны. Такие непросто достать, связи среди уголовных надо иметь. Ну мы проверяли и это направление.

— И? — Гущин сразу оживился.

— На вот, взгляни, материалы... Фото тут кой-какие, всех их мы негласно проверяли на причастность к этому ограблению. Вот этого, этого, этого, вот эту, этого тоже...

Катя смотрела на снимки. Внимание ее привлекло фото женщины — немолодой уже, блондинки со слишком ярким макияжем и расплывчатыми чертами лица. Видеть фото женщины среди этих уголовных физиономий было как-то...

— А это что за мадам?

— Некто Дьякова Лариса, кличка Мама Лара, три судимости за плечами, — Лямин щелкнул по снимку. — Нет, эта как раз — мимо, проверка была ради проформы. Дело в том, что она жила с известным вором в законе Жоржем Кудрявым, это ростовский куст. Инструменты, что там, на Новой Риге, использовались, профессиональные были, так вот этот «муженек» ее — Кудрявый, он в свое время такие любил, заказы разным умельцам делал. Только он на тот момент уже в могиле лежал, так что это к нему никакого отношения иметь не могло. На всякий случай этих, этих и этих можно еще раз выдернуть, хотя... одиннадцать лет прошло, сам понимаешь...

— Заборову кто-то же убил, — сказал Гущин и выбрал снимки и рапорты ОРД, Катя заметила, что фото блондинки по кличке Мама Лара он не взял.

И тут Кате пришла мысль — гениальная в своей простоте:

— А может, Заборову убил сам Евгений Цветухин? Может, он вернулся, и она, встретившись с ним, попыталась его шантажировать?

Гущин сдвинул на лоб очки.

— А что? Разве такое исключено? — Катя закрыла блокнот. — Правда, там, на карьере, следы указывали на то, что от ее трупа приехали избавляться двое. Так, может, Цветухин был не один? А с кем-то из подельников, которых вы так тогда и не сумели установить.

Глава 22

ПОСЛЕДСТВИЯ

— Все же заниматься расследованием сразу нескольких преступлений — ненормально, — подытожила Анфиса, когда Катя, вернувшись вечером домой, рассказала ей «самые последние новости».

— Дело о расстреле на Арбате ведет Москва, — ответила Катя. — А вот убийство в Куприяновском карьере — это наша подследственность, областная.

— Мне эти ваши тонкости юридические про «подследственность» ничего не говорят. Я просто вижу, что ты все время думаешь об этом арбатском убийце Пепеляеве. Знаешь, Катя, когда я сказала, что неплохо бы тебе на него посмотреть, я не думала, что... он настолько в твою жизнь войдет.

— В мою жизнь?

— Вот именно. А ведь твой интерес к нему... это же сплошной негатив. К тому же сама говоришь, там с ним в психушке что-то непонятное творится, врачи не могут разобраться.

— Я видела только одно — он нормален, Анфиса. Он совершенно нормален, но в какие-то моменты его словно...

— Ну да, я безумен только при норд-норд-весте... тоже мне, Гамлет, — Анфиса сделала ударение на последнем слоге. — Ты когда вчера из центра приехала, я уж не стала на этом внимание заострять, но у тебя такой видок был...

— Какой?

— Испуганный.

Катя налила себе чаю. Они снова коротали вечер с Анфисой за ужином на кухне. Поздно, первый час ночи. И тьма за окном черная, как чернила, точно осенняя... Это по осени у НИХ... у этих... подобных Пепеляеву, всегда случаются обострения, а сейчас июнь... И он нормален. А то, что она видела в боксе...

— Возможно, я действительно труса отпраздновала. Немножко, Анфис, совсем чуть-чуть. Знаешь, мне на какое-то мгновение там, возле бокса, показалось, что Пепеляев... что это был не он в тот момент.

— Как это понимать? — Рука Анфисы, нацелившаяся на сдобную «улитку», застыла над блюдом с выпечкой.

— Я не могу этого объяснить, просто я почувствовала... нет, это бесполезно, я не знаю, как это выразить, мы все это ощутили... Одним словом, там, в боксе, появился кто-то другой.

Анфиса покачала головой. Потом заколыхалась на стуле своим большим пышным телом.

— У нас подъезд красят и потолки белят, — сообщила она после паузы. — Грязищи... пылищи... Я утром домой заскочила, с бригадиром полаялась, затем побежала к старшей по подъезду, а у той стояк меняют, в результате к ней «Скорая» приехала — сердечный приступ, повезли ее в больницу. Проводила я ее, потом рванула в студию работать, снимки для журнала отбирать. В командировку ехать надо, а как уедешь, когда дома ремонт? Нет, Катя, все-таки надо как-то отвлекаться.

— От чего?

— От этого самого. От Пепеляева, от его стрельбы, от этих всяких идей... Другие, чужие... И от убийств — особенно от убийств отвлекаться. Какого черта, прости за грубость, ты потащилась в этот карьер?

— Да там дело рядовое, хотя и с выходом на нераскрытый «глухарь» одиннадцатилетней давности. — Катя сама выбрала на блюде «улитку» и положила Анфисе на десертную тарелку. — Убили девицу —

подругу одного парня, его наши когда-то подозревали в ограблении банка. Миллион украл, представляешь, перед самым дефолтом и сбежал с ним. До сих пор его ищут. А потерпевшая была его любовницей и, возможно, сообщницей. Марина Заборова... А он некто Цветухин Евгений.

— Фамилия какая-то противная...

— Я видела его фотографию, он очень даже ничего. Можно сказать — красавец. А ее перед смертью пытали... И вот если представить, что это он ее, то... Такой парень, с таким красивым лицом — и садист...

— А какой смысл ему ее убивать?

— Шантаж. Он ведь скрылся, и наши думают, что у него был кто-то из сообщников, возможно, даже уголовников. Может быть, что-то не поделили потом, а эта Заборова могла знать что-то о нем — вот он ее и убрал.

— Логично.

— Все версии имеют право на существование. Только наши так этого Евгения Цветухина и не смогли найти за столько лет. Пропал...

КТО-ТО ЕЩЕ ПРОПАЛ, И Я СЛЫШАЛА ОБ ЭТОМ СОВСЕМ НЕДАВНО... ГУЩИН ГОВОРИЛ...

— Знаешь, Анфиса, а ОН ведь тоже кого-то ищет. — Катя смотрела в темное окно. Переход от прежней темы к теме, которая не покидала ее мыслей, был «логичен» только для нее одной.

Но Анфиса, умница Анфиса, внимательно посмотрев на подругу, странную «логику» усекла:

— Пепеляев?

— Да... нет... Я не знаю, кто это был... Это надо слышать, Анфиса, при этом надо присутствовать. Знаешь про раздвоение личности? Только, пожалуйста, «Психоз» Хичкока не вспоминай, ладно?

— Могу вспомнить доктора Джекила и мистера Хайда, — Анфиса снова в который уже раз покачала головой. — По-твоему, Пепеляев страдает раздвоением личности и именно поэтому он убил столько людей там, на Арбате?

— Я этот твой вопрос задам доктору Геворкяну.

— Когда ты его задашь?

— Когда опять поеду туда.

— Опять двадцать пять! А тебе не кажется, что это уже как наркотик для тебя самой? Не пора точку ставить?

— Но ты же сама говорила — надо разбираться, мы обязаны разобраться в причинах.

— Да, но без фанатизма. — Анфиса помолчала. — Я не знаю, как это объяснить... но мы ведь с тобой лучшие подруги, и я тоже чувствую иногда... Так вот, мне отчего-то не хочется, чтобы ты туда продолжала ездить.

— Брось, Анфиса, это же просто работа.

— Это уже не просто работа. И в конце концов это может быть опасно... Мы же не знаем, ты же не знаешь об этом Пепеляеве... по большому счету, вы до сих пор не знаете об этом Пепеляеве ничего конкретного.

— Характеризующих данных полно, свидетельских показаний.

— Я не это имела в виду. Мне не хочется, чтобы ты продолжала туда ездить. И я не желаю, чтобы ты впускала всю эту гнусь, весь этот кошмар в свою жизнь. Мы ничего не знаем о причинах. Но мы ничего не знаем и о последствиях, Катя. Понимаешь?

ОНИ И ПРЕДСТАВИТЬ СЕБЕ НЕ МОГЛИ, К КАКИМ ПОСЛЕДСТВИЯМ НАДО ГОТОВИТЬСЯ.

Не знал этого и ведущий специалист Центра судебной психиатрии профессор Левон Михайлович Геворкян.

В этот вечер... июньский вечер что-то тоже не давало ему покоя, удерживало на работе, хотя планов на этот вечер он еще несколько дней назад строил немало. У них с женой близилась сорокалетняя годовщина свадьбы, и именно в этот вечер Геворкян рассчитывал заехать в известный в Москве армянский ресторан, чтобы заказать банкет на ближайшие выходные. Кроме этого, надо было позвонить дочери в Париж и узнать, каким рейсом она прилетает вместе с мужем и тремя детьми, позвонить в Ереван, побеспокоиться — купила ли уже многочисленная женина родня билеты на поезд, чтобы успеть к торжеству.

Меню армянского ресторана, присланное еще накануне по факсу, пылилось на его столе в кабинете. Долма эчмиадзинская, люля-кебаб, хашлама из ягненка, джермук, кизиловая водка и коньяк «Арарат».

Геворкян обо всем этом совершенно забыл. Он сидел на пульте охраны рядом с дежурным и, не отрываясь, смотрел в монитор. А там, на сером экране, весь бокс и этот «ТРЕТИЙ», как называли все это между собой сотрудники Центра судебной психиатрии, избегая произносить фамилию испытуемого, был как на ладони.

И ОН тоже был как на ладони.

В этот поздний час ОН не спал, хотя в десять часов получил двойную дозу снотворного — внутримышечно.

— Сидит как сыч, — сказал молодой белобрысый охранник. Хотя ОН не мог слышать их, охранник отчего-то говорил сиплым шепотом. — Сидит... А иногда ходит. Когда разговаривает с врачом или санитаром, все вроде ничего... Только рот как-то на сторону кривится у него, я заметил... Но вроде ничего. А иногда сюда, прямо в камеру взглянет...

— Ерунда, — сказал Геворкян. — Камера скрыта, вы же сами знаете, оттуда изнутри невозможно найти ее.

— Найти-то невозможно, — охранник помолчал, — только он знает... видит, прямо в камеру смотрит порой, на меня и...

— Ну, ну, пустяки. Вы здесь все время в ночную смену? — Геворкян покосился на охранника. Совсем еще паренек...

— С Карповым пришлось поменяться, он с девчонкой живет, ну и та претензии стала предъявлять, уйти грозится. А я не против ночных дежурств, холостой еще, только... Вот что я вам скажу, доктор. Неладно тут что-то.

— В смысле? — Геворкян поднял седые брови.

— В смысле вот с ним. Как он смотрит порой оттуда.

— Знаете, я поговорю со старшим смены, они найдут выход из положения, и вы...

— Да я ж сказал, я не против ночных дежурств!

Геворкян посмотрел в монитор. ОН сидел на постели, облокотившись о подушку, и листал журнал. ЕМУ не давали свежих газет, потому что дело о расстреле на Арбате до сих пор не сходило с полос, зато по распоряжению Геворкяна ему давали модные журналы. И как раз сейчас он разглядывал какой-то «глянец» — обувь из новых коллекций, поступивших в столичные бутики.

Геворкян встал с кресла. Надо ноги размять, сходить к дежурной сестре. У той всегда наготове крепкий кофе. Или уже пора ехать домой, вызвать машину? Нет, он еще должен побыть здесь, еще немного.

Он шел по длинному коридору — мимо аудиторий для занятий с практикантами и студентами, мимо лифтов. Этот путь он проделывал тысячи раз, но в этот вечер... в этот июньский вечер, наливавшийся за пуленепробиваемыми окнами чернильным осенним гноем...

Как трудно дышать...

Хашлама... джермук...

Спиртное можно будет с собой привезти, об этом следует сразу договориться с официантом... Они меня знают, не откажут... Меня все знают...

МЕНЯ... Я...

«У ВАС МНОГО РАН НА ТЕЛЕ, ВЫ ПОМНИТЕ, КАК ОНИ ПОЯВИЛИСЬ?»

ДОБРЫЙ ВЕЧЕР...

ЗДРАВСТВУЙТЕ, ДОКТОР...

ОТВЕЧАЙТЕ, БУДЬТЕ ЗДЕСЬ СЕЙЧАС И СО МНОЙ, НЕ УХОДИТЕ, НЕ ПОЗВОЛЯЙТЕ УВЕСТИ СЕБЯ!

Я ЗДЕСЬ...

И ТЫ ЗДЕСЬ...

И опять словно что-то треснуло... Кокон или скорлупа... А потом заскребло по бетону, пытаясь вырваться, выбраться...

Геворкян застыл посреди коридора — в белом халате на фоне белой стены. Этот звук... Когда они были вместе там в боксе, с НИМ...

Он оглянулся — резко, испуганно. Что это было? Вот сейчас? Шорох... будто осыпалась чешуя... Словно там, за спиной, что-то пронеслось — гигантская бабочка, летающий ящер... шорох, скрежет — крыльев или когтей?

И в коридоре центра погас свет. Очутиться вот так внезапно в темноте было... Геворкян ощутил, как разом взмокли его ладони. Окунуться в темноту, будто ослепнув, потеряв направление. Вот тут стена, пальцы ощущают, какая она холодная... липкая... Липкая? Это же больничный коридор! А там дальше пустота...

НЕ ЗАЖИГАЙТЕ, НЕ ЗАЖИГАЙТЕ СВЕТА — ИНАЧЕ БЕДА!

Свет вспыхнул так же резко, как и погас. Геворкян зажмурился. Несколько секунд он приходил в себя, стараясь собрать все в себе в кулак. Что за чушь такая... слабость, непростительная слабость... нервы... На воды надо ехать в Карловы Вары с женой... в Кисловодск, в горы, домой, в Армению...

Он быстро вернулся на пульт охраны. Отчего сейчас это казалось важным, первостепенным — проверить, все ли там в порядке.

— Электричество вырубилось, — сообщил охранник.

— Да... Что с электронными замками?

— Там же батарея с почти суточным запасом. Тут вот все отключилось на пару минут — система слежения.

— А это что за осколки? — Геворкян ощутил, как под ногами хрустит стекло.

— Это я чашку уронил, сейчас соберу, — охранник хотел было наклониться, но вдруг застыл, вперяясь в монитор.

Геворкян быстро подошел.

Оттуда, из бокса, ОН смотрел прямо в камеру, приблизив лицо свое, казалось, к самому окуляру. ОН действительно как будто что-то искал... шарил взглядом, ощупывал, как слепец, чьи глаза как кислота выжгла тьма...

И вот его взгляд остановился на молодом охраннике.

Зрачки расширились... ноздри затрепетали...

ОНО УЖЕ ЗДЕСЬ... ОНО ЧУЕТ...

— Тварь! — не своим голосом вдруг взвизгнул охранник. И визг этот, поросячий истерический визг в тишине ночной, заставил Геворкяна, видевшего многое в своей профессии, вздрогнуть. — Тут тебе не Арбат, тварь! До меня ты не доберешься!

Глава 23
КАК БУДТО НИЧЕГО НЕ БЫЛО...

Когда светит солнце, дни похожи один на другой. И все так отчетливо и ясно, привычно, даже скучно. И как будто ничего не было... И нож ритуальный спрятан подальше от дневного света, чтобы солнце не попало на лезвие, что так и не успели отмыть.

И только горничная, глупая горничная больше здесь не служит, не накрывает на стол и не отвечает на телефонные звонки.

В доме на Малой Бронной...

— Это агентство по подбору персонала? Здравствуйте, вот хочу найти помощницу по хозяйству... Да, да... нет, это не подойдет, лучше иногородняя, молодая — откуда-нибудь из сельской местности, с периферии, можно из Средней Азии.

Руфина — старшая сестра-Парка, снова превратившаяся в хозяйку дома, звонила по телефону, разговаривала, обсуждала предложения агентства, а сама чутко прислушивалась к голосам, доносившимся из зала.

Как будто ничего не было... Впрочем, когда ЭТО случалось прежде, еще при их матери, жизнь в доме тоже не замирала. Постепенно входила в привычную колею — при дневном свете.

Они даже начали прием клиентуры. Ника наконец-то покинула свою комнату наверху. Она никак не хотела там больше оставаться после той ночи. Руфина не спускала с нее глаз. Ее волновало — изменилась ли сестра, но у Ники этого невозможно было понять. А объяснить она тем более была не способна. И Руфина думала: может, это и хорошо, что разум ее такой. Здоровый, нормальный, возможно, не выдержал бы таких испытаний.

Сидя в своем кресле у окна в зале спиной к клиентам, Ника просто отдыхала, дремала. Ни о каких путешествиях ТУДА сейчас и речи не шло. Они еле-еле справились тогда ночью, когда дверь лишь слегка приоткрылась... Едва справились... Августа, располосовавшая себе руки, чудом не истекла кровью. Когда надо было останавливать кровотечение там, в темноте на лестнице, Руфина совсем потерялась, неумело и долго возилась со жгутом. А «Скорую» они так и не вызвали. «Скорую» никогда не вызывала и их мать, но недаром же она слыла «великой» — она справлялась с такими проблемами, как боль и ритуальные раны... И она никогда не боялась, ничего не боялась...

А они — ее дети — боялись.

СТРАХ...

Голоса журчат в зале. Там Августа с новой посетительницей. Ника в кресле спиной, чтобы не было видно мертвенной бледности ее и провалившихся щек.

Августа в черной атласной юбке до полу и хлопковом свитере с длинными рукавами, закрывающими не только забинтованные запястья, но и фаланги пальцев.

Как будто ничего не было...

Как будто и не было той ночи и того дня...

Но это самообман. Защитная реакция.

КАК БУДТО НИЧЕГО...

ВООБЩЕ НИЧЕГО...

НИКОГДА...

И РАНЬШЕ...

— Сейчас идет новый кастинг на ледовое шоу, наверное, вы видели по телевизору? Проект просто супер, и я на седьмом небе была, когда прошла отбор. У нас с Эдиком был такой успешный сезон... Может быть, читали о нас? Конечно же, все это жутко пошло, все эти сплетни, эта газетная слизь, но сезон действительно сложился, мы хорошо откатали и заработали тоже прилично... И вообще я думала, что Эдька будет со мной, останется со мной...

Какой противный голос у клиентки — подумала Руфина. Была певичкой, потом стала сниматься в сериалах, затем выступать в телешоу, мужа чужого умыкнула, а теперь в Интернете вовсю крутят пороролики, где она на пике народной популярности в виде резиновой куклы и каждый в виртуале может поиметь ее и так и этак, и спереди и сзади. И что же она хочет еще?

— Он вас бросил? — спросила Августа. Они с клиенткой сидели в креслах напротив друг друга, их разделял лишь низкий столик из тика, на котором — карты Таро и хрустальный череп. И все — «понты», потому что они, сестры-Парки, никогда не пользовались подобными фокусами. Если надо было действительно отворить дверь ТУДА, они пользовались уникальным даром Ники, которая могла уходить и возвращаться и видеть, многое видеть, читать как по писаному. Но сейчас о путешествиях ТУДА не могло быть и речи. То, что явилось так внезапно той ночью, когда «как будто ничего не было», не ушло далеко, оно ждало, караулило их там, за той дверью, выбирая час новой охоты.

И не жертвенной крови оно ждало — нет. Несколько капель, даже полная чаша крови, нацеженной из их перерезанных вен, не насытили бы его. Оно жаждало другого. И это пугало больше всего, леденило душу. Той ночью им всем троим крупно повезло. То, что пыталось вырваться с такой яростью, просто не накопило еще достаточно силы. Но оно ее накопит и тогда...

Самое страшное было то, что они даже не знали, ЧТО ЭТО ТАКОЕ. Ника — будь она хоть чуть-чуть нормальней — могла бы объяснить, рассказать о своем последнем путешествии ТУДА и о том, что она увидела, но... Ее ущербный разум был похож на барьер, на защитную стену. Поэтому еще их покойная мать и прозвала ее Победительницей, Ника побеждала там, где нормальный бы человек сломался, сошел с ума.

Они не знали, что ЭТО такое. Единственное, что они поняли: это пришло к ним после встречи с клиенткой по имени Лариса Павловна, искавшей своего сбежавшего любовника. После этого все и началось...

Руфина подумала: а что, если позвонить той бабе и попытаться все разузнать более подробно — о ней самой и о том, кого она разыскивала?

— Ну, я не считаю, что он меня бросил, — клиентка в зале явно начинала нервничать и злиться. — Просто мы с ним сейчас... кстати, он мой гражданский муж, но у него семья, его развод только-только начался в середине ледового шоу, а потом мы... Ну как-то все было некогда, недосуг, я особо не настаивала — зачем, правда? Мы летали на Мальдивы, летом отдыхали вместо на Майорке и вдруг, представляете, я узнаю, что на этот сезон на шоу объявляют кастинг и он подыскивает себе новую партнершу для танцев на льду! Такая подлость — и все это за моей спиной, когда я занята организацией бизнеса, я думала, в будущем это поможет нам с ним...

— Простите, но вы же все знаете сами, как я поняла, ваши отношения для вас не тайна, вы трезво оцениваете и своего друга, и то, что произошло, — Августа говорила вкрадчиво. — Здесь ведь не кабинет психотерапевта, дорогая моя, мы — медиумы. Отчего вы пришли к нам? Чем мы можем помочь вам, если вы все и так знаете сами?

— Я объясню, и я готова щедро заплатить, если будет реальный результат. Он положил глаз на двух — это я знаю, обе молодые девки, одной девятнадцать, другой двадцать два — ну на сладкое мужика потянуло... Одна дочка актера, вот я специально журнал принесла, она в фильме мелькнула, папаша пристроил, и теперь со страниц не сходит, вся такая в гламуре стала, вот тут она туфли рекламирует от «Джимми Чу»... С такими-то ногами кривыми, корова... А вторая — у нее никаких связей и денег нет, вообще ничего нет, но она его как будто околдовала... гадина такая, — клиентка всхлипнула. — Это он из-за нее сбесился, а вторая — это так просто, вариант, чтобы меня позлить, потому что там связи, у папаши ее, клопа, театр антрепризы... Я прошу вас, вы же можете, вы же это умеете. Ваша знаменитая мать Саломея — я читала — она же все это умела. К ней обращались люди, и она это делала.

— Извините, я не понимаю, какие люди? Что делала наша мать? — спросила Августа.

— Ну, в газете я читала, к ней дочка Брежнева обращалась, чтобы ваша мать помогла ей решить вопрос... ну, с тем красавчиком из Большого театра... Она сохла по нему, а он семью никак не бросал... Я не знаю, как это называется — приворот, что ли? Но я не об этом прошу. Мне этого мало. Я хочу их наказать — и ту и другую, наказать, раздавить этих гадин... Вы же колдуньи, ведьмы, как и ваша знаменитая мать, и вы это можете. Черная магия, вуду — ну я не знаю, я не специалистка... Что-нибудь такое — болезнь, автокатастрофа, а лучше... Нельзя ли так сделать, чтобы та, которая без связей, лишилась внешности своей смазливой... Чтобы вы ее изуродовали?

ЧТО, ИНТЕРЕСНО, ОТВЕТИТ АВГУСТА ЭТОЙ ДУРЕ? В ТАКИХ ОТВЕТАХ ВСЕГДА НАДО ПОМНИТЬ О РЕПУТАЦИИ.

— Простите, но такие услуги дорого стоят.

— Я заплачу!

— Это очень дорого стоит. У вас не хватит средств, милочка. Вы с нами никогда не расплатитесь.

БРАВО, АВГУСТА!

Руфина распахнула дверь в зал — пора спасать сестер от этой фигуристки.

— Простите великодушно, что прерываю, Августа, тебе звонят из Лондона, Виктория Бэкхем о чем-то срочно хочет посоветоваться с тобой.

ДА, РЕПУТАЦИЯ, ИМИДЖ — ЭТО ГЛАВНОЕ ДЛЯ ВЕДЬМЫ...

— А мы уже закончили. К сожалению, вынуждена вам отказать, — Августа встала с кресла.

Ника в своем кресле даже не пошевелилась.

Странно, но когда Августа вышла, ей действительно позвонили (Руфина словно в воду глядела, может быть, и не зря она слыла ясновидящей).

Звонок на мобильный.

— Алло! Да, я... Это вы? Конечно, узнала...

Руфина наблюдала.

Снова тот тип звонит, с которым они познакомились в ГУМе, а потом был совместный балет для двоих...

Августа вышла в холл.

— Я все думаю о вас, — сказал Петр Дьяков. Это звонил действительно он. — Все думаю, не могу вас забыть. Хотите увидеться?

— Сегодня?

— Да. Я звонил вам, вы не отвечали, выключили телефон?

— Я была занята, у нас сестра заболела младшая, но сейчас уже все в порядке. Хорошо, мы увидимся, только, пожалуйста, не берите больше билетов на балет.

— Как пожелае...те, как пожелаешь... Ресторан?

— Можно в ресторан, только я сама место выбираю, идет?

КАК БУДТО НИЧЕГО НЕ БЫЛО... ВООБЩЕ НИЧЕГО... Петр Дьяков на том конце провода аж вспотел, сжимая в лопастой ладони своей мобильный как гранату. Какая женщина... Королева... Какие у нее в тот вечер были духи... С ума сойти. С ним ли все это было? Наяву? И КАК БУДТО НИЧЕГО НЕ БЫЛО... НИ ПОДВАЛА, НИ ИСТЕРЗАННОГО ТЕЛА, РАСПЯТОГО НА ПОЛУ...

— Принято. Я... я заеду за тобой в семь.

— В девять. Мы поедем в Sky — ресторан под крышей, там такой вид на огни...

КТО-ТО УПОМИНАЛ «СЕДЬМОЕ НЕБО»... Ах да, та чокнутая фигуристка... Августа смотрела на портрет матери. Тот ресторан в «Останкино», что потом горел как свеча вместе с башней... Пожар... А до пожара там любили бывать... все любили бывать. И мать тоже...

Саломея!

Вот, лишь закрываешь глаза и видишь ее — она танцует на фоне ночи среди огней. Там, где потом был пожар, где все сгорело дотла...

Закрытая вечеринка, ресторан «Седьмое небо» снят американским атташе на всю ночь. И не прием, и не русское застолье... Что-то другое. И мать танцует с кем-то. Щеки ее румяны от выпитого джина, волосы рассыпались по плечам. Платье на ней сверкает, переливается... мода восьмидесятых — немного нелепые плечи, но... Нет, она в красном — впервые за столько лет она вся в красном... И этот цвет освещает ее как пламя, как пожар... Как же она красива... мать, великая Саломея, недосягаемый идеал, идол — от рождения и до смерти, с детства и до конца — идол... мать... женщина...

А руки, ее прекрасные тонкие руки, стянутые узкими рукавами так, чтобы не было видно бинтов на запястьях... Как у меня сейчас...

Ночная жертва...

И КАК БУДТО НИЧЕГО НЕ БЫЛО...

НИЧЕГО ВООБЩЕ...

Ночная жертва — засов на ТУ ДВЕРЬ...

Надолго ли?

ВЫ НЕ МОГЛИ БЫ ЕЕ ИЗУРОДОВАТЬ?

Странный вопрос, какой глупый вопрос...

— Я буду у вас в девять, — Петр Дьяков — сын Мамы Лары на том конце линии сглотнул. Чувствовалось, что он сильно волнуется. — Я могу зайти к вам домой или мне лучше подождать вас... тебя в машине?

— Заходи... Нет, лучше подожди, я долго одеваюсь, ты уж меня извини. Если все будет нормально, мы отправимся на небо...

— Куда?

— В Sky, я же сказала, оттуда вся ночь как на ладони.

— Я буду ждать, Августин.

И КАК БУДТО НИЧЕГО НЕ БЫЛО... КАК БУДТО НИЧЕГО... НИЧЕГО... КАК БУДТО...

Глава 24
В ЛЕСУ

Когда солнце село за верхушки елей...

Когда со дна оврага поднялся туман...

Когда умолкли все птицы в лесу...

Ехали по просеке два велосипедиста — он и она.

— Темнеет, тут корни, можно навернуться.

— Включи фонарик.

Она зажгла фонарик на руле, как посоветовал он. И он это сделал — два огонька в сгущающемся сумраке леса.

Он и она были молодожены, купившие недельный тур в подмосковный пансионат. Оба обожали велосипед, во время езды по городу и познакомились и теперь на отдыхе отдавались езде с той же страстностью, что и любви. Сгонять вечерком после ужина в Семивраги — деревеньку на той стороне прудов-карьеров, что всего в нескольких километрах от пансионата, предложила она. Просто так — не подумайте, что специально в тамошнюю палатку за пивом.

— Нет, не помогает, дорогу плохо видно, а тут везде корни. Давай этот участок пешком. — Она, как заводила, сбросила ход и слезла с велосипеда. Он обогнал ее, потом развернулся:

— Ну, малыш...

— Как тут хорошо, как тихо... Слушай, а где луна? Почему нет луны? Хочу луну!

Он тормознул прямо возле нее, ловко перегнулся через руль и, балансируя на велосипеде, заключил молодую жену в объятия.

Поцелуй... Его видел лес.

— Пусти...

Но оторваться друг от друга было не так-то легко. Велосипеды, фонарики — желтые точки, туман, что из белой дымки превращался на глазах в севшее на землю облако.

— Какая ты... ты моя женщина...

— С ума сошел, не здесь. Тут же дорога!

— Мы одни, никого нет.

— Ну, пожалуйста, прекрати, сумасшедший...

Вместо ответа он вскинул ее на руки. Оба велосипеда с грохотом упали в пыль.

— Перестань приставать, я туда не хочу, там в кустах везде клещи! Энцефалит... инфекци...

С треском ломая ветки, как медведь, он понес ее подальше от дороги — в лес. Вот сейчас здесь... а потом опять верхом на велик, в эти ее Семивраги, и назад в пансионат — в бар или на дискотеку танцевать до рассвета, а после снова в постели на новеньких простынях... быть... с ней...

Хочу луну... Она же это сказала, она же сама просит.

Не отпуская ее, он впился в ее губы, ощущая аромат ее кожи, прикидывая лихорадочно, что здесь, «на природе», это надо делать стоя... можно даже ту позу попробовать из Камасутры, как она там зовется — «восточное дерево», что ли? Только хватит ли у него силы удержать ее и не сделает ли он ей больно?

— Постой!

Он прижал ее спиной к стволу сосны.

— Да погоди ты! Тут чем-то пахнет! — Она с неожиданной силой вырвалась из кольца его рук. — Вот, сейчас... неужели ничего не чувствуешь?

Он ощущал лишь ее запах — на какое-то мгновение он еще доминировал в его сознании, а потом в ноздри ударила сладковато-тошнотворная волна... Ветер принес...

— Точно, воняет чем-то, но это не здесь.

— Пойдем отсюда, — она схватила его за руку.

Они вернулись на просеку к велосипедам. В ночном тумане не видно было луны, словно она и не рождалась в новолуние. Только стволы деревьев... И где-то в стороне — гул Каширского шоссе.

— Слушай, поехали лучше назад, — она развернула велосипед.

Он, как всегда подчиняясь, тоже было развернул свой, но тут же отстегнул от руля фонарик.

— Ты куда?

— Пойду посмотрю, что там.

— Не ходи!

Но он решительно двинулся вперед — не мог же он выглядеть в глазах супруги трусом? Она ринулась следом. Светя фонарями, они подошли к той сосне, где впервые ощутили тот запах. Но сейчас ветра не было, и тошнотворная вонь, что так их напугала, словно бы померещилась...

— Видишь, малыш, ничего тут нет, — сказал он, шаря желтым пятном по кустам и стволам, по траве.

Но она, чье обоняние было острее, уловила след.

— Не здесь, нам туда.

Они повернули вправо, и через минуту запах стал ощущаться все явственнее, все гуще, тяжелее.

Кусты и деревья раздвинулись, и они снова оказались на просеке — нет, на старой лесной дороге. А впереди было что-то вроде поляны — черные столбы, обугленный хлам, пепелище...

Их фонарики уперлись во что-то большое, темное, окутанное туманом.

— Смотри, чья-то машина. Как же тут воняет...

Стараясь дышать только ртом, они осторожно приблизились. Зеркало бокового вида, капот, черное автомобильное крыло, распахнутая настежь передняя дверь и... что-то возле машины... тело...

Он едва не выронил фонарь. Ему почудилось — демон, окровавленный демон смотрит на него из тумана.

И тут в ночном лесу раздался ее пронзительный крик — она наступила на отрубленную руку.

Глава 25
ПИСТОЛЕТ И МЕСТО

Первое, что Катя хотела сделать, явившись утром на работу в Главк, это позвонить в Центр судебной психиатрии Геворкяну, чтобы снова попросить его разрешить ей приехать и...

А ТЕБЕ НЕ КАЖЕТСЯ, ЧТО ЭТО УЖЕ КАК НАРКОТИК ДЛЯ ТЕБЯ САМОЙ, ДОРОГУША?

Невидимая Анфиса строго погрозила пальцем из угла кабинета, и Катя... Пришлось, как говорится, наступить на горло собственной песне. Хватит, пожалуй, и правда стоит повременить. Есть ведь и другие дела, которые она освещать просто обязана в силу своего служебного положения. А она ими не особенно интересуется в последнее время, потому что все ее мысли заняты арбатским чудовищем.

Проведя в борьбе с собой еще пару минут, Катя тяжело вздохнула и нашла в справочнике телефон специалиста-трасолога из экспертно-криминалистического управления. Дело об убийстве Марины Заборовой тоже в принципе ничего, интересное, и там уже имеются подвижки к раскрытию, так что надо накапливать материалы для будущей статьи. Гущин что-то говорил по поводу следов машины, что были обнаружены возле Куприяновского карьера.

— Мы определили марку машины, — сообщил эксперт-трасолог. — Это «Фиат», скорее всего пикап или фургон. Шины у него относительно новые, без дефектов.

Катя пометила себе в блокноте: итак, убийцы Марины Заборовой приехали к Куприяновскому карьеру на «Фиате». Пикап или фургон... труп спокойно можно в таком спрятать. Помнится, у карьера были следы кроссовок сорок второго и сорок четвертого размера... И следы «огромной собаки»... Прямо как у Конан Дойла... Если Заборову убил именно тот ее бывший любовник Евгений Цветухин, то... то какой у него мог быть размер обуви? По крохотной фотографии, что она видела, не определишь. Брюнет с синими глазами с ножищами сорок четвертого размера... нет, у него, скорее всего, сорок второй. Он был там с каким-то верзилой, и тот вытащил труп из «Фиата» и швырнул его в воду, но до воды не добросил, потому что было темно и там отмель... А собака... Черт, а при чем тут собака? Эксперт еще там, на месте происшествия, сказал, что следы одной давности... Зачем они привезли с собой собаку?

Пальцы Кати летали по клавиатуре ноутбука. Как все хорошо складывается... Теперь остается только найти этого красавца-садиста... Цветухин... Евгений Цветухин... Да, это дело действительно близко к раскрытию!

И, конечно же, ей в репортерском азарте тут же потребовалось кое-что срочно уточнить у Гущина. Время как раз близилось к обеденному перерыву, и Катя поспешила в розыск.

Однако там ее ждали совершенно невероятные новости.

Первым, кого она встретила в приемной уголовного розыска, был начальник отдела убийств МУРа полковник Елистратов. Низенький и толстый, в черном костюме и белой рубашке, он смахивал на пингвина. Катя подумала: как внешность все-таки обманчива. «Пингвин»-то в прошлом чемпион МВД по рукопашному бою, о нем в газете «Щит и меч» было написано.

— Здравствуйте, вы к Федору Матвеевичу?

— Нет его, с ночи на происшествии, — Елистратов охрип (простудился, что ли, летом?). — Слышал я, что вы в Центр имени Сербского зачастили, коллега... М-да, редкое дело, конечно...

— Доктор Геворкян сейчас занимается...

— Знаю, знаю, чем они там занимаются. Штучки все свои психологические... опыты врачебные... Это все беллетристика, коллега, меня факты интересуют.

— Факты? — Катя мигом насторожилась. — А что, по делу Пепеляева есть какие-то новые факты? Следствие установило?

— Экспертиза установила, — Елистратов помолчал многозначительно. — И когда в суде такой вот факт всплывет, то... На пистолете, который в деле фигурирует, НЕТ ОТПЕЧАТКОВ.

Кате показалось, что она ослышалась.

— Как это нет? Пепеляев же стрелял, столько жертв, десятки свидетелей видели, как он стрелял. Гущин Федор Матвеевич его обезвредил, выбил у него из рук этот самый пистолет.

— Все правильно — задержал, выбил оружие, и свидетелей полно, и гильзы стреляные собрали там с мостовой, и жертвы... Еще один парень в Склифосовского вчера от ран скончался... А отпечатков пальцев Пепеляева на пистолете и на боеприпасах не обнаружено.

Наступила пауза. Катя была в полной растерянности.

— Этот факт ничего вам, коллега, не напоминает? Дело о расстреле в супермаркете в Царицыне, — полковник Елистратов засопел. — Об этом деле до сих пор что только не болтают досужие языки... А здесь, в этом нашем арбатском деле... версия подмены оружия и боеприпасов полностью исключена... Пистолет тот самый — «ТТ», который Гущин у него из рук выбил. По учетам нашим нигде не проходит, не засвечен и не зарегистрирован.

— Может, Пепеляев стрелял в перчатках?

— Ни один свидетель про перчатки не упоминает. Не было никаких перчаток.

— Как же это возможно тогда?

— Не знаю, надо мне с Федором Матвеевичем потолковать, один он там на месте происшествия не растерялся, авось и сейчас что подскажет... Может, на днях съездим по вашему примеру туда, в центр, может, этот психиатр что-нибудь предложит... гипноз или еще что... Убийца, который стрелял на глазах у всех и не оставил отпечатков... Нам таких вот феноменов только не хватало!

— Вы будете ждать Федора Матвеевича? — спросила Катя, для того чтобы хоть что-то сказать, не выглядеть в глазах коллеги из МУРа такой вот обескураженной испуганной клушей.

ОН НЕ ОСТАВИЛ СЛЕДОВ...

КАК ТАКОЕ МОЖЕТ БЫТЬ В РЕАЛЬНОСТИ?

— Нет, поеду к нему в ОВД, он там штаб оперативный возглавил на месте убийства, вряд ли сегодня вернется в Главк. Тоже дело керосином пахнет и у вас тут...

— То есть как?

— Два убийства за неделю, и все трупы практически в одном и том же месте — в Куприяновском лесничестве, — невесело хмыкнул Елистратов.

— Снова в Куприянове?!

— Там, прямо лесу. Я с Гущиным только что по телефону говорил, он никак отойти еще не может... Опознал он убитого лично, понимаете, коллега? Это Мазин... Они с Гущиным лет двадцать знакомы были. Да и я Мазина знавал в свое время.

Глава 26

«ДАВНОСТЬ СМЕРТИ — ДВОЕ СУТОК»

К огромному своему облегчению, трупа там, в Куприяновском лесу, Катя не видела. Тело полковника спецслужб в отставке Михаила Мазина увезли в морг на экспертизу еще утром, но осмотр места происшествия продолжался.

Катя отправилась в Куприяново вместе с Елистратовым, когда уже подъезжали, все пыталась определить: а в прошлый раз куда поворачивали — сюда, налево, к карьерам? Куприяновский лес, как она поняла, как раз сразу за карьерами и начинался и тянулся до самого Каширского шоссе. Район обнаружения второго трупа был тот же, и все же место убийства Мазина находилось примерно в километре от песчаного карьера, где было обнаружено тело Марины Заборовой.

То, что Мазина убили именно в лесу, сообщил Гущин. После короткого совещания в ОВД, где уже работал оперативный штаб по раскрытию убийства, он снова вернулся на место происшествия, тут все еще трудились эксперты.

Изуродованного трупа Катя не увидела, только машину — черное, почти новое «Вольво», весь капот которого, лобовое стекло и сиденья были залиты кровью.

— Видимо, пытался оказать сопротивление убийце, следы борьбы есть, — Гущин был мрачен и подавлен.

Катя вспомнила их разговор там, в кабинете, после посещения розыска Мазиным. Нет, с бывшим полковником КГБ Гущин в близких друзьях не состоял, но знал его давно, и вот теперь на плечи тяжким грузом (после всего пережитого на Арбате, еще не забытого, не зарубцевавшегося) легло новое бремя — опознание личности убитого и расследование этого жуткого преступления.

МЕРТВЫЙ...

— Парочка на него случайно наткнулась, молодожены, — Гущин словно и не удивился, увидев коллегу из МУРа и Катю, следовавшую теперь уже за полковником Елистратовым, как нитка за иголкой. — Ей плохо стало, девчонка совсем, нервы сдали. А муж не растерялся, по сотовому позвонил в милицию, потом в пансионат — там пост милицейский... Я его опознал, когда ночью сюда меня по тревоге вызвали. Он... Но, конечно, опознать его в таком виде, какой он сейчас...

— Сколько ран? — спросил Елистратов.

— Тридцать четыре раны на теле — разной глубины, некоторые нанесены с большой силой, очень глубокие, видимо, он боролся до самого конца с убийцей, пытался руками закрыться, у него правая кисть отсечена и три пальца на левой отрублены... Лицо... там тоже много ран... На животе... Все рубленые, кто-то топором орудовал. Первый удар ему по голове нанесли — сзади, когда он вышел из машины. Он упал на капот, потом все же поднялся — на машине следы крови. Затем ему удары наносили уже хаотично — когда он упал... он пытался под машину заползти, спрятаться, но его вытащили и добили. Страшную смерть принял.

— Такое количество ран... — Елистратов оглянулся на машину, ее продолжали обрабатывать эксперты, — либо маньяк отпетый... кайф, сволочь, ловил... Либо кто-то на свою силу не очень надеялся, пытался прикончить — чтоб уж наверняка... Мазин крепкий был, спортивный, помню его прекрасно... Хотя они, из конторы, в свое время и нервов нам помотали, ну да дело прошлое... Такая смерть... Я слышал, это уже второе убийство тут у вас? И там с трупом тоже было что-то не то?

— Женщина. Держали где-то несколько дней, пытали, потом — ножом в живот. Убили ее где-то в другом месте, в Куприяновский карьер тело привезли утопить.

— Что-то связанное с прошлым делом, с тем налетом на банк?

Катя отошла от них — пусть обсудят, так вот отчего Елистратов отправился прямо сюда, на место убийства. Старый громкий след... Оказывается, проблема не только в пистолете арбатского убийцы, на котором тот не оставил...

ПОДОЖДИ. ЭТО К НАШЕМУ КУПРИЯНОВСКОМУ ДЕЛУ НЕ ОТНОСИТСЯ. ЭТО НАДО ЕЩЕ ОСМЫСЛИТЬ. И НЕ ЗДЕСЬ, НЕ СЕЙЧАС. ПОТОМ. ПОЗЖЕ...

Она обошла «Вольво», стараясь не заходить за желтую пластиковую ленту. Конечно, карьеры тут почти рядом — там, за лесом, но все-таки... Вот сейчас они ехали на машине по просеке, свернули с шоссе, и вокруг был только хвойный лес, проехали указатель «Пансионат «Светлое» и потом еще «Семивраги». А здесь что за старое пепелище?

Об этом она спросила у сотрудников местного ОВД.

— Дом лесника тут был когда-то, сгорел дотла.

Катя огляделась. Картина старого пожарища выглядела зловеще — черные обугленные бревна, мусор, листы покореженного железа и остов торчащей печной трубы, похожей на гнилой клык. День выдался пасмурный, а чаща, разросшаяся вокруг этого заброшенного места, куда, видимо, не особо любили ходить, вбирала в себя весь скупой свет, что сочился сквозь тучи.

— Зачем он приехал сюда? С какой целью?

На пепелище появился незнакомец — седой жилистый старик, его привезли на дежурной машине оперативники. Гущин, увидев его, тут же пошел навстречу, поздоровался с ним за руку.

— Вот, это бывший здешний участковый Иван Фомич, работал в Куприянове, — сказал он. — Теперь на пенсии. Прости уж, что выдернули тебя.

— О чем речь, Федор Матвеевич, всегда рад помочь. Что, опять плохо тут?

— А что, место такое скверное?

— Ну, как сказать... — ветеран-участковый достал пачку папирос.

— Пожар-то когда здесь был?

— Десять лет уж прошло... нет, меньше, девять с половиной. В ноябре это было, как сейчас помню — подняли меня из дома: лесничество горит. Пока пожарные, пока то-се, еще одна новость — труп на бетонке, это на повороте с федеральной трассы. Вроде ДТП, наезд. Сунулись туда — а это он и есть, Акимов, лесник. Его на пожарище искали, думали, сгорел вместе со сторожкой своей. А он на дороге распластанный.

— И к какому выводу следствие тогда пришло?

— Подумали, выпил и в деревню двинул за водкой, мало показалось, ну а темно было, шел пьяный, сшибло его. А дома, как ушел, огонь не погасил, пожар там начался. На том и дело закрыли. Машину-то, что сбила, так и не установили тогда.

— А ты сам как считаешь, Иван Фомич?

— Не пил Акимов, я его давно знал и в лесничестве у него не раз бывал. Он строгий был мужик на этот счет, здоровье берег. До ста лет хотел прожить на природе-то, на чистом воздухе в лесу... жадный был до жизни и вообще до всего — жадный, бобыль, скопидом, деньги все копил. И чтобы вот так огонь непотушенный в дому оставить — не похоже это было на него.

— А вот тот случай, что тут еще раньше был, примерно за год до пожара, я вот стал там, в отделе разбираться, информацию уточнять... — Гущин прищурился.

Катя вся обратилась в слух: о чем это он? Не об убийстве Заборовой — это уж точно.

— А, когда машину нашли брошенную, так это, правда, за год до того было. Помню... труп все в лесу искали... парень вроде пропал молодой совсем... Тоже не нашли ничего тогда, одну машину. Решили, мол, краденая, угнали, мол, а хозяина где-то по голове тюкнули, а может, зарезали и бросили. Только это не здесь было, это как раз возле Семиврагов, на лесной просеке.

— Федор Матвеевич, я ничего не понимаю, — шепотом сказала Катя полковнику Гущину. — Объясните, пожалуйста.

Он лишь засопел: тебя здесь только не хватало...

— Зачем Мазин приехал сюда? — повторила Катя свой вопрос, на который прежде так и не получила ответа.

— Знаешь, какая давность смерти? — вопросом ответил Гущин.

— Нет, какая?

— Двое суток. А это значит, приехал он сюда к дому лесника на следующий день после того, как был у меня. И этот адресок я ему подсказал по его же просьбе.

— То есть как это?

— Ну не этот непосредственно, а деревню Семи-враги, что тут в нескольких километрах. Помнишь, я говорил, что он через столько лет решил делом о пропаже сына гадалки одной заняться... Не гадалки, а как там ее, черт... ясновидящей, что ли, ну предсказательницы знаменитой Саломеи...

— Да, да, я помню, вы говорили. Но при чем тут все это?

— При том, что машину сынка ее пропавшего без вести как раз возле этих Семиврагов и нашли одиннадцать лет назад. Именно эту информацию он и просил подтвердить, и я ему наш архив поднял.

— Но сюда-то он зачем приехал, на место сгоревшего дома?

— Я Мазина много лет знал. Просто так смотаться «посмотреть» — это не для него было, он всегда на конкретного человека выходил. Умел это самое — фигурантов цеплять. Могу ошибаться, конечно, но сдается мне, что приехал он сюда — в лесничество, к тому самому леснику. Вероятно, не знал, что тот уж давно на том свете и от дома его одни головешки остались. А кто-то здесь на него с топором... Тридцать четыре раны на теле... Кисть вон отсек, как сухой сук...

Гущин не договорил — раздался какой-то странный звук: где-то там, в глубине леса, что-то треснуло, а потом застонало. Может, старая ель, чьи корни давно сгнили, а трухлявый ствол уже не выдерживал собственного веса, готовясь рухнуть от малейшего порыва ветра?

А может, это было что-то еще?

Глава 27

БРАТ

Они сидели в ресторане и пили шампанское, когда он подошел к их столику как ни в чем не бывало.

— Привет. Как мило вы тут устроились, Петруша... А я вот один маюсь. Всегда один. Будем знакомы, — он протянул руку Августе, — Григорий, для вас можно просто Гриша.

Августа поставила бокал с шампанским. Рука, протянутая ей Григорием Дьяковым, так и осталась парить над столом, уставленным закуской.

— Так, ясненько... А разве братец Петруша не сказал, что у него есть я, младшенький?

— Августина, это мой брат, — Петр поднялся.

ФАНТАСТИЧЕСКИЕ ПАНОРАМНЫЕ ВИДЫ СТОЛИЦЫ С ВЫСОТЫ ПТИЧЬЕГО ПОЛЕТА, ВОЛШЕБНЫЕ ЛЕТНИЕ ЗАКАТЫ...

Так написано о ресторане Sky во всех рекламных проспектах. Sky... Мы отправимся на небо, мы отправимся прямо на небо... Августа повторяла это как детскую считалку, когда Петр Дьяков вез ее по ночному городу.

— Как это у вас выходит... и грустно, и весело, и немножко мороз по коже, — усмехнулся он.

— Почему «мороз по коже»? — спросила она, закуривая сигарету.

— Так, просто... Мы отправимся на небо... Да я с вами, с тобой куда угодно, вот это я давно уже хотел тебе сказать.

— Мы знакомы меньше недели, — она засмеялась, стряхивая пепел в окно. — Не будем забегать вперед, ладно? Всему свое время.

И вот его брат появился у их столика в ресторане Sky. Немножко пьяный, слегка взвинченный, но вроде бы вполне обычный парень... молодой...

ОТКУДА ЖЕ ЭТО ОЩУЩЕНИЕ ОПАСНОСТИ?

Августа под столом сжала кулаки, ладони разом вспотели, как тогда ночью перед дверью в комнату сестры...

Петр стоял, возвышаясь как гора. А его младший брат сел как ни в чем не бывало на свободное место и налил себе шампанского, взяв бокал брата.

— Здоровье дамы! Послушайте, а вы такая классная, оказывается... У Петьки такой никогда не водилось. Он у нас вообще домосед... тихоня...

— Слушай, пойдем выйдем, — Петр взял его за плечо.

— А что я такого сказал? Что ты домосед?

— Вставай, ну, — прошипел Петр. — Извини, Августин, я сейчас вернусь.

Они шли по проходу между столиками. На фоне огромных панорамных окон за ними тысячью огней сиял ночной город. Две тени... два фантома... Скоро их не будет... скоро ничего этого не будет... и огни погаснут...

Внезапно Августа ощутила острую боль в запястьях — ритуальные порезы, глубокие, страшные, саднили под тугими повязками, которых не было видно под рукавами накидки, наброшенной на вечернее платье.

ЧТО-ТО ПО-ПРЕЖНЕМУ СТЕРЕГЛО ИХ ЗА ДВЕРЬЮ. ЗА ЛЮБОЙ ИЗ ТЫСЯЧ, МИЛЛИОНОВ ДВЕРЕЙ... ТЕПЕРЬ ОНО ОХОТИЛОСЬ ЗА НИМИ, СЛУЧАЙНО ПОВСТРЕЧАВ ИХ МЛАДШУЮ НИКУ ТАМ...

АВГУСТА МНОГО РАЗ ПЫТАЛАСЬ ПРЕДСТАВИТЬ СЕБЕ ТО МЕСТО, КУДА ВРЕМЯ ОТ ВРЕМЕНИ СОВЕР-

ШАЛА ПУТЕШЕСТВИЯ ИХ МЛАДШАЯ, НИКА... ПОБЕ-
ДИТЕЛЬНИЦА... НО ФАНТАЗИИ НЕ ХВАТАЛО...

ИНОГДА ЭТО МЕСТО ПРЕДСТАВЛЯЛОСЬ ПЕРЕ-
КРЕСТКОМ ТРЕХ ДОРОГ, В ДРУГОЙ РАЗ МГЛОЙ,
А ИНОГДА — ПОДВАЛОМ, ОТКУДА НЕ БЫЛО ВЫ-
ХОДА.

МОЖЕТ, ВСЕ ДЕЛО В ТОМ, ЧТО СЛУЧАЙНЫХ
ВСТРЕЧ НИ ТАМ, НИ ЗДЕСЬ НЕ БЫВАЕТ В ПРИН-
ЦИПЕ?

— Ты чего все таскаешься, шпионишь за мной?
Мать тебя послала, ну говори — она? — В мужском
туалете, тесном, выложенном траурным мрамором,
Петр буквально впечатал Григория в стену.

— Потише, потише, рубашку порвешь!

— Я тебя спрашиваю, мать послала шпионить за
мной?

— Да чего сразу — шпионить... Просто поехал,
тачку вон голоснул... Ну да, за тобой туда на Бронную
и потом... Вы в машину сели такие веселые с ней...
Слушай, а ничего бабенка, а? Старовата уже, конечно,
но фигура что надо, спортсменка, да? Есть в ней что-
то такое... глаз цепляет, на прочих баб не похожа...
Я бы тоже не отказался это самое с ней... в койке пару
приемчиков на выносливость...

Петр встряхнул его как мешок с картошкой. В некоторые моменты сила, что таилась в его грузном теле,
превращалась в ярость.

— Пальцем ее коснешься — убью!

— Да ты что... я же просто так...

— И смотреть в ее сторону не смей, понял? Ще-
нок!

Григорий, не меняя выражения лица, не гася какой-
то шалой улыбки, что порой змеилась по его губам,
ударил его снизу кулаком в подбородок. А потом еще
раз молниеносно и страшно — уже в пах ногой.

Петр согнулся пополам, рухнул на колени, едва не стукнувшись лбом об раковину.

— И ты еще будешь вякать тут мне, — Григорий покачивался с пятки на носок, пружиня, пробуя свою силу, торжествуя. — И еще будешь что-то вякать... Захочу, сделаю, понял? Ты понял, братец? Не с этой твоей дылдой, так с другой... Мать говорила, их три телки, три сестры, одна вроде молодая да с приветом... Богато живут, в гламуре купаются... Мы-то с тобой свой шанс, считай, упустили. А может, это новый судьба нам посылает? А?

Петр вместо ответа резко рванул его за ногу. И Григорий, не удержав равновесия на скользком кафельном полу мужского туалета, грохнулся навзничь, сильно ударившись затылком.

— Еще раз увижу тебя там, на Бронной, или где поблизости, — Петр задыхался, — убью. Понял? И мать не спасет. В Куприянове окажешься, червям на съедение... Место нам с тобой знакомое.

Глава 28
СЕСТРЫ-ПАРКИ

— Смерть, наступившая двое суток назад, указывает на то, что убили Мазина буквально на следующий день после того, как он ко мне в Главк приезжал, — повторил полковник Гущин в машине на пути в Москву. — Адрес он у меня этих дамочек ясновидящих хотел уточнить через систему «Поиск», и я ему адресок пробил. Улица Малая Бронная, интересно, успел он там у них побывать, нет?

— Вызовите их на допрос, Федор Матвеевич, — попросила Катя.

— Может, и сам к ним съезжу побеседовать... Что-то ведь Мазину было от них нужно, я ж тогда по глазам его понял — подзаработать хочет, на пенсию жить туговато. Может, какой информацией располагал?

— А как же дело Заборовой? Кто им теперь будет заниматься, не вы?

— Я разве такое говорил? — Гущин засопел. — То дело, это дело... Почерки вроде разные, а место практически одно... И машину того парня пропавшего без вести не так уж далеко от этого места нашли когда-то...

— И что? Какой вывод? — Катя на заднем сиденье уже пристроила на коленях ноутбук, записывать — все пригодится для будущей статьи.

— Ишь ты какая быстрая. Вывод... Вывод один — думать будем, мозговать. А сейчас, как приедем в Главк, задание дам в розыск: пусть все мне вытащат по этим самым дочкам Саломеи покойной из этого вашего Интернета.

Катя вздохнула: ну уж если об Интернете речь зашла, будет ворчать старик два часа.

И Гущин ворчал: «В мое время, когда молодые мы были, разве так работали? Разве так данные собирали? Бывало, ходишь-ходишь, по дворам, по квартирам, всю агентурную сеть на уши поставишь... А теперь слово-то какое дурацкое изобрели «скачать». Думают, «скачали» — и вот все уж на блюдечке им подано, дуракам...»

«Скачали» довольно много файлов, как Катя убедилась уже к вечеру, но для настоящего анализа ничего из этой информации не годилось. Так, пустота, в основном статейки желтой прессы: «Следуя за судьбой», «Предсказание великой ясновидящей сбылось, хотя президент Ельцин в него и не верил», «Взгляд в будущее», «Что обещает нам год Быка», «Великая Саломея умерла», «Сестры-Парки ведут прием», «Сестры-Парки посетили ювелирную фабрику».

Прозвище отчего-то раздражало... Парки... В древнеримской мифологии — три богини человеческой судьбы с одним глазом на троих... И у этих сестер-Парок, подумала Катя, был не глаз — брат единственный, и он пропал. Столько лет прошло... Вот о какой пропаже говорил Гущин, а она все никак не могла вспомнить...

«На ювелирной фабрике начался выпуск драгоценных кулонов, они с легкой руки сестер-Парок будут охранять своих владельцев от всех жизненных невзгод, притягивая удачу, деньги, благополучие и здоровье...»

«По слухам, сестры-Парки планируют открыть гадательный салон в одном из столичных универсальных магазинов — в ЦУМе или в ГУМе по примеру лондонских гадательных комнат в универмаге «Селфридж»...»

«А они, оказывается, ловкие бизнесменши, эти самые сестры», — подумала Катя.

— Тут вот об их матери сколько всего написано, — сказала она оперативнику, делавшему анализ информации. — И все только по имени она везде упоминается — Саломея, Саломея... А фамилия-то у нее была?

— В газетах фамилии не найдем, — оперативник переключился на локальный канал. — Это в специнформации надо искать... так, материалы, связанные с пропажей без вести... Сына ее звали Тимофей... Так, а ее фамилия была... Надо же сколько их, фамилий-то: Мэринеску, по первому мужу Жук, по второму Зикорская... Не любила она что-то фамилии свои. Сейчас под именами многие шарашат — вон певица Шакира и наши тоже сплошь... Чем какой-то Шурой Мойдодыровой быть, берут себе что-нибудь этакое — Розалия или Лолита. Дочери ее тоже только под именами работают. Это ж как в цирке на арене профессия у них — фокусы, сплошной обман.

— Но фамилия у ее сына, который без вести пропал, надеюсь, была? Под какой фамилией его в розыск объявляли?

— Зикорский. Тимофей Зикорский, наверное, от второго брака родился. Да, скорей всего.

— А кто были мужья этой Саломеи?

— Нет никакой информации.

— А дочери ее за кем замужем?

— Вроде как незамужние.

Катя записала себе. «И правда, что я спрашиваю. Разве сестры-Парки в мифах не были старыми девами?»

Записывала она все больше по старой репортерской привычке. Надежды на то, что Гущин возьмет ее с собой на Малую Бронную, не было никакой. Да и настаивать Катя особо не собиралась. Все эти убийства, конечно, ужасные, но... Нет, она должна заниматься делом Пепеляева.

ЧТО ВСЕ-ТАКИ МОГУТ ЗНАЧИТЬ СЛОВА ПОЛКОВНИКА ЕЛИСТРАТОВА О ТОМ, ЧТО НА ИЗЪЯТОМ У ПЕПЕЛЯЕВА ПИСТОЛЕТЕ, ИЗ КОТОРОГО ОН СТРЕЛЯЛ НА ГЛАЗАХ СТОЛЬКИХ СВИДЕТЕЛЕЙ, НЕТ ОТПЕЧАТКОВ?!

Но поразмышлять обо всем этом на досуге Катя не смогла. Полковник Гущин сам (на чем бы ЭТО записать, на каких таких скрижалях?) зашел в кабинет Пресс-центра.

— Что кислая такая? Зубы, что ли, болят?

— Отпечатки из головы не идут, Федор Матвеевич. Елистратов уже сказал вам, что...

— При чем тут Елистратов? На хрен нам Елистратов в этом деле! Наш эксперт все удачно снял — с капота машины Мазина, а также с его рубашки. Там на полотне вообще четкий след большого и указательного пальцев. Убийца, когда удары наносил топором, схватил его за одежду. Ну и в крови испачкался... Так что там, в лесничестве, порядок с отпечатками, будет что сравнить в случае задержания. Чего, к сожалению, нельзя сказать о трупе из карьера. Ну, там материал взят для анализа ДНК.

«Каждый про свое, просто голова кругом», — подумала Катя, но продолжить свою тему «пистолета Пепеляева» опять-таки не успела.

— Вечерок свободный у тебя? — поинтересовался Гущин благодушно и даже игриво.

— Вполне, Федор Матвеевич. А что?

— Да вот, хочу пригласить с собой — ну туда, к ним, к этим бабам-медиумам. А то я не больно во всей этой белиберде ихней мистической разбираюсь. А ты неплохо подкована.

— В белиберде-то?

— Если занята, скажи — без обид. Я тогда сам, один, или вон лейтенанта Должикова с собой прихвачу, он этой, как ее, дьявол... уфологией увлекается.

— Уфология — это про инопланетян, Федор Матвеевич. А я обязательно с вами поеду. Медиумы — это жутко интересно!

От Главка в Никитском переулке до Малой Бронной было рукой подать, но Гущин для солидности взгромоздился в черный джип, вызванный из главковского автохозяйства.

«Впечатление хочет произвести на дам... На сестер-Парок. Любит иногда — пыль в глаза, — думала Катя снисходительно. — Это мы тут все про него «старик», «дед», «аксакал», а он совсем еще хоть куда, наш Федор Матвеевич, вон кого на Арбате в одиночку взял... чудовище...»

ЧУДОВИЩЕ, ЧТО СЛЕДЫ НЕ ОСТАВЛЯЕТ...

На Малой Бронной «про чудовищ» как-то и не думалось вовсе. Или это лишь показалось Кате на первый взгляд? Возле театра собирались зрители: премьера «Аркадии» Тома Стоппарда, второй звонок... Нет лишнего билетика? Витрины булочной-кондитерской, где продают такой вкусный хлеб. Летняя веранда соседнего кафе полна молодежи. Эх, выпить бы сейчас какой-нибудь «фреш» свежевыжатый — яблоки, морковка и сельдерей для бодрости и капельку рома туда для куража... А вон витрины известного на весь город обувного бутика, где туфли на самых грандиозных в мире каблуках и алой подошве. Как будто наступили на кровь, вляпались по неосторожности, и это «красное», что теперь не смыть, стало модным фетишем... Туфельки, туфельки, туфельки, драгоценная оправа ног... ОН торговал вот такой оправой... У НЕГО там, в его ЛОГОВЕ, было столько обувных коробок... Может быть, по ночам ОН доставал из них вот такие туфли на алой подошве и рассматривал их часами... А потом...

Сколько у НЕГО ран, шрамов на теле... Некоторые свежие, некоторые месячной давности... Что заставляло его причинять себе боль? Раздвоение личности? А что, есть такое раздвоение личности? Доктор Геворкян это знает? Кто, кроме него, ответит Кате на этот вопрос? Да, да, да, она снова непременно поедет туда, в центр... Раны на ЕГО теле свежие и месячной давности... ОН уже поселился тогда на этом своем складе... Был там один... Один среди голых стен, с кое-как закрашенными следами пожара, и обувных коробок... Еще один пожар... И там ведь тоже горело — в Куприяновском лесничестве... дом лесника...

— Приехали, вот их избушка на курьих ножках. А не хило эти бабы-ежки устроились, а?

Катя вздрогнула. Что это? Спит она, что ли, на ходу или грезит? Их служебный джип стоял у дверей небольшого аккуратного особняка — такого милого, такого уютного. Из окон таких вот «избушек» глядит старая Москва, не до конца еще изувеченная новоделами.

Синий вечер, фонари зажигаются на Малой Бронной...

— Извините, на сегодня прием окончен, — это ответил в домофон, когда Гущин нажал его кнопку, какой-то неживой, а может, беспредельно усталый женский голос.

— Милиция, уголовный розыск. Я полковник Гущин из Главного управления внутренних дел по Московской области, па-а-прошу вас открыть!

Дверь распахнулась. На пороге стояла высокая, спортивного вида женщина — блондинка в черной юбке и длинном свитере — из хорошего магазина, рукава его закрывали пальцы. Женщина была в босоножках от Прадо на высокой платформе, а в руках у нее... в руках у нее была мокрая грязная тряпка.

— Простите, но... Чему обязаны?.. Милиция?

— Августа, кто это? Всех вон! Нам сейчас ни до кого! — раздался из глубины дома раздраженный окрик.

— Руфа, это из милиции.

— К нам?

Полковник Гущин этаким чертом попер вперед, Катя просочилась за ним. Просторный холл... кажется, с колоннами, их не успели выломать... Дубовая лестница наверх... Люстра хрустальная, как в Большом театре, стоит, наверное, целое состояние и... Боже, и тут этот ужасный запах! У них в особняке тоже нелады с туалетом?

Тут мимо словно тень промелькнуло странное создание — женщина с темными волосами, молодая, но...
от нее смердело так, что хотелось зажать нос. На ней
было нацеплено что-то вроде шерстяного пончо, и,
кажется, под ним больше ничего не было.

— Ника, уйди отсюда, в ванную быстрее, вымойся.
Мы тут сейчас все уберем. Ступай в ванную, ты что,
оглохла, что ли?!

Та, которую звали Августа, сначала говорила мягко, но потом повысила голос. Было заметно: она не в
себе и, видно, еле сдерживается, чтобы не сорваться.

— Простите, у нас небольшая проблема... Мы сейчас, сейчас... — Она неумело комкала тряпку в круп-
ных, унизанных кольцами руках. — Проходите, нет, не
сюда... вот сюда, прошу.

На стене висел большой портрет какой-то роковой
брюнетки, аляповато писанный маслом, в золоченой
помпезной раме. Из холла двери вели прямо в большой зал, с коврами и кожаными диванами. Но именно эту дверь Августа загородила собой. Однако Катя и
Гущин успели заметить — посреди зала на коленях с
тряпкой и моющим средством ползает еще одна женщина в черном с растрепавшейся прической, потная,
красная, с остервенением что-то трущая, отмывающая.
И смердящая вонь, наполнившая дом, исходит именно
отсюда.

— Вот тут располагайтесь, мы с сестрой сейчас,
одну минуту, позвольте, — Августа оставила их в помещении, похожем на кабинет. Только это был очень
необычный кабинет.

Окно плотно зашторено. Потолок выкрашен черным, стены ярко-красные, на полу черный мохна-
тый ковер, точно шкура. По углам бронзовые тор-
шеры: итальянский новодел под барокко. У окна
небольшое бюро, на нем ноутбук, диски, какие-то

альбомы. Посредине большой круглый стол с фигурной лампой.

— Обстановочка... Словно кто-то обгадился, ейей, — Гущин покачал головой, выдвинул из-за стола кожаное кресло. — Садись, подождем.

Катя не села, прошлась вокруг стола. М-да... обстановочка... Какое странное лицо у той, которую зовут Ника... что-то бессмысленное, блаженное и одновременно испуганное... нет, затравленное...

На бюро целая кипа альбомов. Что-нибудь из области магии? Старинные фолианты на латыни? Как раз нет. Альбом о кино, кинодивы прошлых лет — Грета Гарбо, Глория Свенсон... Странные наряды давно минувшей эпохи, много грима на лицах, темная губная помада и такие смешные шляпки...

Под альбомом лежало фото в рамке. Катя посмотрела на снимок. Молодой человек крупным планом — светлые волосы, хиппово распущенные по плечам. Удлиненное лицо, широкие брови враз-лет, тяжелая нижняя челюсть. Какой-то диссонанс в этом лице, словно лепили его с двух разных моделей. Черный пиджак, белая рубашка и галстук — черный, узкий, с булавкой. Нечасто встретишь двадцатилетнего паренька, одетого так претенциозно. Галстук с булавкой, надо же... И булавка, кажется, антикварная — это видно даже на фото — в форме золотой змеи.

Катя положила фото как раз вовремя — в кабинет вошли сестры-Парки. И Катя с Гущиным ощутили резкий аромат духов, какой-то яркой восточной эссенции, которая не вытеснила вонь, наполнившую дом, а причудливо смешалась с ней.

— Прошу прощения еще раз, у нас проблемы... наша младшая сестра больна. Рады знакомству, я Августина. А это вот моя сестра Руфина, — Августа устало улыбнулась.

— А в чем все-таки дело? — резко спросила Руфина.

Кате она не понравилась с первого взгляда. Этакая стерва... разве так себя должны вести ясновидящие, медиумы? Так вот рявкать? Чем-то они обе сильно встревожены... Приходом милиции? Нет, тут в доме что-то произошло еще раньше...

— Мы расследуем убийство, совершенное в Подмосковье, в Куприянове.

— Убийство? Но мы... а, вы хотите привлечь нас к расследованию как медиумов? Но мы этим не занимаемся, иногда к нам обращаются с просьбой отыскать пропавших, но в расследовании мы никогда не...

— Скажите, пожалуйста, вам знаком этот человек? — Гущин оборвал бормотание Руфины тем, что сунул ей под нос фотографию Михаила Мазина.

Взял с собой, оказывается, не забыл. Плохонькое фото... на паспорт, что ли, сделано? Ну уж какое есть... Вряд ли бывший сотрудник КГБ Мазин любил часто сниматься. Не фотографии же с места убийства им, этим Паркам, показывать, на которые смотреть страшно?

— Этот?

— Позвольте, — Августа заглянула через плечо сестры. — Да, ну, конечно... конечно... Приходил к нам несколько дней назад. Мы сначала подумали — клиент без записи. Но он сказал, что... Он в госбезопасности раньше работал, так он сказал, а приехал к нам на «Вольво»... в понедельник, нет, во вторник. У нас тут все перепуталось, уж простите. Сестра наша так больна, что... Не знаем, что и делать, ни о чем уже не помним, все из головы вылетает.

— А что с вашей сестрой? — спросил Гущин.

— Она пережила сильный стресс во время одного из сеансов. Мы пытались помочь клиентке, а оказалось, что только себе сделали хуже, такую проблему получили... такую проблему, — Августа закусила губы. — И как следствие стресса — недержание, понимаете? Перепутала сегодня гостиную с уборной.

— Да, присмотр нужен, — хмыкнул Гущин. — Я заметил, она у вас немного того... чудная. Значит, во вторник был у вас этот человек.

— Он сказал, что его зовут Михаил Иванович, был так настойчив. Я бы сказала, профессионально настойчив, — Руфина пожала плечами. — Обычно мы избегаем контактов... ну, вы понимаете... Но он был просто очень настойчив.

— У него было к вам какое-то дело?

— Он чуть ли не с порога объявил, что раньше служил в КГБ. Потом завел разговор о нашей матери... Когда-то, мол, давно, еще в семидесятых, встречался с ней. — Августа подошла к окну и раздвинула плотные шторы, впуская в комнату вечер. — Наша мать была известным медиумом, а это ее комната, тут она беседовала с теми, кто приходил к ней за помощью, мы здесь тоже работаем иногда.

Комната для гаданий, предсказаний судьбы... Катя покосилась на красные стены, что ж... Наверное, «так надо».

— Мы сказали, что мать умерла, но это не было для него новостью.

— Газеты об этом писали, ваша матушка была известной личностью. И я ее помню, хотя лично мы не встречались, — заметил Гущин.

— А потом этот Михаил Иванович вдруг спросил: не имеем ли мы известий от нашего брата Тимофея, — сказала Августа. — Простите, вы сказали, что расследуете убийство? Этот человек был убит? Когда? Где?! Я что-то почувствовала, когда он вошел к нам в дом... Помнишь, Руфа, сказала еще тебе потом... Возможно, следовало его предупредить, чтобы он был предельно осторожен, но это было все так неопределенно тогда...

— Что неопределенно? Простите, как вас по отчеству? А то неудобно как-то получается. — Гущин кашлянул.

— Нет, только по именам, таково правило, так еще мамой было заведено. Я Августа, она Руфина, сестра наша младшая Ника — греческое имя, несет Победу в своих слабых руках... А то мое ощущение, когда этот человек вошел к нам... Холодно как-то стало, словно сквозняк... К сожалению, у меня не столь сильный дар, как у нашей Ники, она бы ощутила ВСЕ ЭТО сразу и... Угрозу, что уже над ним нависла... Безвременная кончина, трагическая смерть... Где это случилось?

— В лесу, недалеко от сгоревшего когда-то дома лесника, — Гущин смотрел на Августу.

— Да, где темно, где одни только деревья... Нет, ЭТОГО тогда еще не было. Место, где это случится, я все равно не смогла бы ему описать, — Августа тряхнула волосами. — Нет. Это под силу только нашей сестре, Победительнице. А она сейчас нездорова. И мы... мы совершенно с сестрой потерялись, не знаем, как ей помочь.

— Простите, а что у вас с руками? — вдруг спросил Гущин, указав на ее запястья, закрытые длинными рукавами свитера.

— Это так, пустяки.

— Этот Михаил Иванович спросил, не имеем ли мы известий от нашего брата Тимофея, — перебила их Руфина. И опять это вышло у нее излишне резко, даже грубо. — И этот его вопрос... Наш брат пропал без вести одиннадцать лет назад. Где мы его только не искали, куда только не обращались за помощью. Наша мать... это был такой удар для нее, он свел ее в могилу, понимаете? Неизвестность, полная неизвестность...

Нашли лишь его машину, он приобрел ее буквально накануне своей... я не могу сказать гибели, язык не поворачивается... Но ведь одиннадцать лет уже прошло. Машину нашли где-то в лесу... У нас есть справка из милиции... отписка какая-то... А Тимофей, наш Тим... он словно растаял. Понимаете? КАК БУДТО РАСТАЯЛ... Одна клиентка наша так сказала о своем без вести пропавшем сыне, так и наш Тим... Мать не перенесла этой утраты и умерла. И наши раны до сих пор еще кровоточат. Мы любили его, мы, его сестры, очень любили его, и мы были готовы на все ради него, но... Наверное, это судьба, а может, плата за дар, что был у нашей матери и частично перешел к нам... Возможно, мы должны были расплатиться именно так, понимаете? И все одиннадцать лет мы старались принять это со смирением. И вот вдруг заявляется какой-то кагэбэшник и, словно мы у него на допросе, начинает прямо с порога: имеете ли известия от брата? Знаете ли, где он находится в настоящее время? Бестактный и наглый... И мне не жаль, что он плохо кончил.

— Вы, Руфина, кажется, не слишком жалуете КГБ. Так ведь нет давно этой конторы, — усмехнулся Гущин.

— Они всю жизнь третировали нашу мать. Сначала сами все сделали для того, чтобы она... — Руфина замолчала. Щеки ее вспыхнули, она явно сказала в запальчивости то, что не хотела говорить. — Ну ладно, что теперь об этом вспоминать. В отличие от Августы я ничего ТАКОГО, когда он здесь у нас появился, не почувствовала. Я просто была возмущена до крайности.

— Дело в том, что его труп был обнаружен в нескольких километрах от того места, где нашли когда-то машину вашего брата Тимофея Зикорского, — сказал Гущин. — Место Семивраги, а это Куприяновское лесничество. И там несколько дней назад был обнаружен еще один труп — женщины. Как мы установили, Мазин — ну тот, кто к вам приходил, перед своей гибелью интересовался именно делом вашего пропавшего брата. Так когда все же точно он к вам приходил?

— Во вторник днем, около двенадцати часов, — ответила Августа, — мы были заняты сестрой, с ней накануне во время сеанса случился припадок. Мы так испугались за нее. А потом явился он. Но что мы могли ему сказать? Сказали как есть: о брате ничего не знаем. Вот уж сколько лет. И он уехал на своем «Вольво». А вечером у нас опять с сестрой стало плохо, припадок повторился еще более жестокий и... У нас тут все перепуталось. Честно говоря, мы и забыли про этого старого жучилу... Простите, я не то хотела сказать.

Августа, забывшись, взмахнула руками. И Катя увидела под широкими рукавами свитера бинты на запястьях.

СОВСЕМ КАК У НЕГО ТАМ, ЗА СТЕКЛОМ... ТОГДА...

— Понятно, — Гущин кивнул. — А еще что-нибудь о вашем брате Мазин у вас спрашивал?

— Да, я же говорю — задавал бесконечные вопросы, точно мы на Лубянке, арестованные, — снова перебила Руфина. — Какой марки была машина у Тима. Мы сказали — «БМВ», правда, он был не последней модели, но в очень хорошем состоянии, Тиму какой-то его приятель эту машину устроил. Нам тогда говорили, что, возможно, именно за эту машину его и... О, я до сих пор не могу об этом говорить спокойно!

— Машину ведь нашли, — сказала Августа. — Если бы ее хотели украсть, то украли бы. Еще этот Мазин нас спрашивал о том дне, когда мы брата видели в последний раз.

— И что это был за день?

— Одиннадцать лет прошло. Самый обычный летний день.

— Вы жили тогда в этом доме? — Гущин глянул на бронзовые итальянские светильники, на красные стены.

— Мы живем здесь с середины семидесятых. Наша мать... ее здесь поселили, когда вызвали... то есть перевезли в Москву.

— Кто? А, ну понятно, — Гущин хмыкнул. — Читал я про это. А где до этого жили?

— В Сочи, в Ялте, мать работала в одном из правительственных санаториев, там ее и заметили, ее необыкновенный дар. Но мы этого практически не помним, мы были тогда малыми детьми. Все, что мы помним, связано с этим домом. Это наша жизнь... А тот день... лето... Тимофей был с матерью, и мы... Руфа, ты, кажется, куда-то уезжала?

— Да, хотела ехать во французское посольство за визами, мы с мамой в Париж собирались на несколько дней... не поехали, конечно, куда уж было ехать... Тимофей сказал, что он по делам куда-то и скоро вернется. Сел в машину и... больше мы его не видели. Наш брат... наш Тим... таким, каким он был, больше мы его уже не видели.

— Я понимаю, тяжко все это вспоминать, — Гущин поднялся. — Что ж, спасибо за помощь.

— Уж не обессудьте и простите нас, что встретили так... сумбурно.

— Мы с коллегой все понимаем. Коллега, — Гущин прищурился, обращаясь к молчавшей на протяжении всей беседы Кате, — а вы ведь что-то спросить хотели?

— Скажите, пожалуйста, а вот ваши способности экстрасенсорные... ваш дар, — Катя, казалось, смущенно подбирала слова, — что-то вам о вашем брате подсказывают? Может, ваша мать до своей смерти пыталась как-то узнать о нем... Она же была великой Саломеей, почти легендарным медиумом, как о ней до сих пор пишут — «советским чудом»?

— Пыталась... Но мы ничего не знаем о результатах. Видимо, не было ничего обнадеживающего. И это убило ее в конце концов — горе, она не могла смириться с потерей сына, — ответила Руфина. — Она всегда хотела иметь сына, она любила его больше всех нас. А мы... у нас вместо ответов о нем — темнота. Словно кто-то опустил стальные жалюзи и их не поднять, не раздвинуть.

— Тимофей был на вас похож? У вас есть фото, можно взглянуть?

Руфина подошла к конторке и достала из-под альбома ту самую фотографию. Паренек с длинными волосами, с нелепой золотой булавкой для галстука в форме змеи...

— Он не был хиппи?

— Это фото 1997 года, какие хиппи? — усмехнулась Августа. — Когда он в школе учился, скорее уж панком был.

— Иногда бросают семью, рвут связи, уходят в секты, в монахи даже постригаются.

— А иногда их убивают на большой дороге, и милиция не может найти ни тела, ни убийц. — Августа забрала фотографию. — Это все, что вас интересует?

— Да, — сказала Катя. — Большое спасибо за информацию.

— С гулькин нос информации-то, — в сердцах брякнул Гущин, когда они садились в джип. — Ничего конкретного не узнали. Куют как две кукушки... А третья... Нет, ты ее видела? Чтоб в таком доме, среди таких богатств — на ковер гадить?! Что они, сиделку не могут ей нанять, смотреть за ней?

Медиумы... тоже мне... Парки, это почему их так прозвали?

— По древнеримской мифологии три богини — Парки судьбы человеческие вершили, Федор Матвеевич.

— Обман один, лохотрон. Пользуются именем матери, у той что-то действительно было... Слыхала, как они про КГБ-то? Эта контора мать их откопала и старикам нашим из Политбюро подсунула. Держали ее, эту Саломею, в этом доме как в золотой клетке. Это ж улица такая — Малая Бронная, тут тогда в домах жили писаки, актеры, журналисты иностранные, что-то вроде салона у нее было под колпаком конторы с прослушкой. Наверняка не только колдовала, лечила, но и сотрудничала активно... мамаша-то... А эти дочки ее — бездари полные... Похожи они на брата, сразу видно — одна кровь, несмотря на то, что эта средняя, Августа, намазана вся как кукла. Видела, что с руками-то у нее?

— Видела, Федор Матвеевич.

— Когда вены себе режут, бинтуются так... Да, обстановочка у них... А дом богатый, антиквариата как в музее битком. Неужели это все мать им в наследство оставила?

— Они и сами сейчас практикуют, в Интернете про них...

— Одно мы установили железно — был у них Мазин, причем поехал он к ним сразу после того, как заходил ко мне в управление. От меня прямиком к ним. Значит, цель была у него четкая. А на следующий день убили его.

— Возможно, и есть какая-то связь, Федор Матвеевич, но... С какого конца вы все это распутывать будете?

Гущин вздохнул. Огляделся по сторонам. Улица Малая Бронная, до Главка в Никитском переулке рукой подать. Летний вечер, фонари. Витрина обувного бутика...

— Камер, я гляжу, тут много понатыкано, — Гущин словно размышлял вслух. — Когда концов в деле не найти, тянут нитку за середину. Завтра пришлю сюда своих пленки с уличных камер изъять.

— Зачем? — искренне удивилась Катя. — Мы же и так знаем, что Мазин был здесь. День знаем, час примерный.

— А мне надо точно. То, что они там, эти свихнутые тетки, бормочут, мне этого мало. Может, и еще что на пленке будет, а? Как знать? Может, Мазин не один к ним приезжал, а с кем-то, только тот в его машине остался ждать.

Катя пожала плечами. Честно говоря, она была разочарована. Весь вид Гущина, раздосадованный и усталый, ясно говорил ей — у полковника нет никаких зацепок и визит к сестрам-Паркам не дал ничего полезного. Тянуть нить за середину... А если она сразу оборвется? Что тогда?

Глава 29

РАЗДВОЕНИЕ ЛИЧНОСТИ?

И все же что-то осталось. Как эхо... В пелене сизых сумерек... В электрическом свете...

Забинтованные запястья...

Отвратительный запах, смешанный с восточной эссенцией...

ТАК ЖЕ КАК ТАМ, ТОГДА...

И еще что-то...

Диссонанс... Как будто на рояле взяли фальшивый аккорд...

Где тот рояль?

Что-то осталось... Но быстро стерлось... Почти сразу, как только Малая Бронная пропала из вида.

Видимо, так уж Катя была устроена. Она сразу отсекла от себя все это, потому что желала решить, как ей казалось, куда более важную задачу. В джипе полковника Гущина, как и еще раньше на карьере, она сказала себе: завтра же снова поеду в Центр судебной психиатрии. И пусть кто угодно, даже подружка Анфиса считает это вредным наваждением. Пусть считает. А я поеду. Я должна, я так хочу.

Как сказала, так и сделала. В полдень, наскоро разобравшись с рабочей текучкой, она уже стояла в проходной центра.

— Поднимайтесь в лечебный корпус, вам постоянный пропуск заказан, — сказал охранник.

— Кем? — удивилась Катя.

— Профессором Геворкяном.

ОТКУДА ОН ЗНАЛ? ЗНАЧИТ, ЗНАЛ, ЧТО ОНА НЕ ОТСТАНЕТ, ПРИЕДЕТ СНОВА, И СНОВА, И СНОВА...

А может, и Геворкян думает, что это у нее нездоровое наваждение? Одержимость личностью арбатского убийцы. Его тайной... А в чем эта тайна? В раздвоении личности? Раздвоение, распад... Ну конечно, в этом и разгадка! Но как, когда, где и почему начался этот распад?

— У Пепеляева раздвоение личности, да? — прямо с порога кабинета спросила она у Геворкяна, выпалив: «Добрый день, профессор!»

Геворкян поднял голову от бумаг, лежавших на его столе.

— Вы интересуетесь феноменом расщепления психики, мой молодой коллега?

В голосе была ирония, а вот в глазах... Катя сразу заметила: ведущий специалист Центра судебной психиатрии выглядит как-то иначе, чем в прошлый раз. Раньше у него был действительно «профессорский» вид — солидный, немного даже самоуверенный, вальяжный, а теперь... И ЭТО КАК-ТО СТЕРЛОСЬ. Взгляд вообще трудно описать словами — интерес, сомнение, неуверенность, азарт... Все это было в глазах Геворкяна. И еще что-то — гораздо более сильное — удивление, страх...

— Пепеляев кого-то ищет, — Катя уселась напротив. — Это было видно по нему там, во время той вашей беседы. Но... Левон Михайлович, когда он это говорил, он... он был другой, совсем другой, понимаете? Точнее, это был не совсем даже он. То есть совсем не он. Я понимаю, выглядит так, как будто я несу полный бред. Но... профессор, вы же сами это видели. И в тот, первый раз тоже было что-то не то. Вы же там были, как и я. И я заметила, что и вы... вы тоже это видели! Ведь есть же такая болезнь психическая — раздвоение личности, да? Так вот я и подумала, может, у Пепеляева как раз это самое? И поэтому он такой... ну, вот такой.

— Расщепление психики, коллега, это не болезнь в том смысле, в котором мы ее понимаем, это феномен.

— Но я подумала...

— Вам незнакома, коллега, теория предопределения? Вообще-то это больше характерно для чисто естественных наук — физики, астрофизики... Теория о том, что все, что происходит, становится следствием каких-то событий, которые уже были. И нет ничего случайного под солнцем.

— Я не знаю... Левон Михайлович, я не думала, вообще-то много случайностей бывает, но с Пепеляевым... А при чем тут эта теория?

— Иногда полезно поразмышлять на отвлеченные темы. Применительно к конкретной проблеме. — Геворкян снял очки. — Итак, феномен расщепления психики... Что мы имеем в нашем случае? Неадекватное поведение больного?

— Да оно не то что неадекватное... неадекватным он был, когда на стекло бросился и пытался разбить его, чтобы добраться до... Профессор, он же до ваших студентов пытался добраться! Он убивать хотел снова. Но... не знаю, это был не он. Я подумала, что мне тогда просто померещилось все это. Но потом, когда вы с ним в боксе говорили... И он сказал, что кого-то найдет. Это же не он был, совсем кто-то другой. Даже голос его... точнее, не его... Ой, я не знаю, как это объяснить вам!

— Подождите, коллега, не спешите, вы начали с феномена расщепления психики. Таких случаев очень мало задокументировано на практике, больше об этом ходит легенд, романы сочиняют, фильмы снимают — триллеры... И там все просто. Раздвоение, расщепление... В редких случаях, когда с таким феноменом сталкивается психиатрия, ставится диагноз «диссоциативное расстройство идентичности». И главный критерий, по которому такой диагноз ставится больному, это то, коллега, как именно эти самые личности сосуществуют. Они сменяют друг друга с определенной частотой и регулярностью, и каждая личность обладает собственным устойчивым и относительно продолжительным восприятием окружающей реальности. Так вот за все время наблюдений за Романом Пепеляевым мы этого не видим.

— Простите, я не очень поняла...

— Устойчивости и продолжительности восприятия и регулярности — этого нет в симптоматике. Есть лишь фрагментарность возникновения. Некая странная реакция на внешние раздражители. Понимаете, общая картина совершенно иная. Мы проводили ему исследование на энцефалографе...

— И как он к этому отнесся?

— Нормально, вполне спокойно. Шутил даже...

Катя внимательно посмотрела на Геворкяна. Нет, все-таки что-то произошло с ним, он и сам изменился. ЧТО ТУТ БЫЛО В ЦЕНТРЕ В ЕЕ ОТСУТСТВИЕ?

— Шутил?

— Да, шутил. Энцефалограмма головного мозга патологии какой-либо не выявила. И анализы... анализы тоже... Вот, немного повышенный уровень сахара в крови, только и всего, — Геворкян пролистал подшивку бланков анализов. — Сейчас он принимает антидепрессанты, мы наблюдаем реакцию его организма на них.

— Значит, по-вашему, у него не раздвоение личности?

— Я наблюдал один такой случай, всего один за свою долгую практику. Так вот там картина была совершенно иная. Личности присутствовали в больном, появляясь и исчезая с определенной регулярностью, реагировали, порой даже конфликтовали друг с другом, больной жаловался, что они «все время в нем», что он слышит их голоса.

— Но Пепеляев вам тоже говорил, что слышит голоса.

— Видимо, так ему было проще объяснить свое состояние. Он пытался это сделать, но ему что-то мешало. Эти его увечья, которые он сам себе причинял, были чем-то вроде наказания или пытки... Нет, коллега, голосов, что слышат шизофреники, он не слышит. Он просто не может их слышать, в этом он нам намеренно лжет.

— Я совсем запуталась, Левон Михайлович, — честно призналась Катя. — Мне казалось, что у него все точь-в-точь как в фильме «Психоз».

— Мы наблюдали некую редкую фрагментарность, — повторил Геворкян. — Я лично наблюдал...

До поры до времени все спокойно, а потом вдруг словно нечто прорывает оболочку и появляется.

Он включил ноутбук и повернул экран к Кате, поставив диск с записью. Пепеляев сидел в медицинском кресле в каком-то кабинете, заставленном аппаратурой, опутанный датчиками. Вокруг были врачи. Все оживленно о чем-то беседовали.

«В Твери... ну а что мне было делать в Твери, конечно, поехал в Москву. Как-то сразу повезло с работой, устроился в хорошую фирму, вообще мне нравится заниматься бизнесом. Раньше, помните, приличной обуви не было, это благодаря нам стали разбираться в марках, в брендах... Я сам лично предпочитаю итальянские марки обуви. Но если бы смог, поехал бы в Лондон, там есть такие обувные фирмы, что...»

— Это ОН говорит? Пепеляев?

— Да, он, во время исследований нам нужна была спокойная дружеская обстановка.

— А о расстреле вы с ним так и не говорили?

Геворкян протянул Кате какой-то листок. Что-то намалевано фломастером — какой-то перевернутый куб.

— Это один из его ассоциативных ответов на тест.

— Абракадабра какая-то, — Катя попыталась перевернуть рисунок.

— Нет-нет, все правильно, вот так это нарисовано.

— Что это?

— Ассоциация... Дом. Ничего не замечаете? Пол отсутствует.

— Я не понимаю.

— Крыша присутствует на рисунке, пол отсутствует. Очень необычно. И еще кое-что, взгляните сюда, — Геворкян выложил на стол пачку фотографий.

Катя начала их перебирать. Некоторые были ей уже знакомы — снимки из уголовного дела: жертвы расстрела, снятые там, на месте, экспертами-криминалистами. Другие фотографии Катя видела впервые, на них были запечатлены живые, не трупы.

— Вот специально запросил эти снимки из прокуратуры, — Геворкян начал раскладывать фото как пасьянс — сначала «трупы». — А эти вот мы тут с коллегами сделали сами. Это вот наш охранник, ночью дежурит... Это студенты с факультета... Вы ничего не замечаете?

Катя всмотрелась. Он сказал — студенты? Кажется, вот этого парня я видела там, возле бокса... Студентик в белом халате, явившийся на лекцию вместе с остальными.

— Так вы говорите, что вам показалось, что ОН, Пепеляев, кого-то ищет? — спросил Геворкян.

— Он об этом сказал сам. Только... только голос был другой, не его. А зачем все эти фотографии?

— Ничего не бросается в глаза?

Катя снова всмотрелась. Сравнивать живых и трупы? Геворкян ищет сходства? Но... Никто ни на кого не похож, все разные, как жизнь и смерть.

— Это те студенты, которые стояли возле бокса Пепеляева? Да?

— Да. А это вот охранник. Молодой совсем парень, — Геворкян указал на крайний снимок. И что-то дрогнуло в его голосе.

— Они не похожи. Ну может быть, только...

— Что только?

— Возраст практически один у всех, двадцать лет... И тип внешности, если описывать как для протокола. А эти, которых он расстрелял, вообще были ряженые, в женской одежде, там же было театрализованное представление на Арбате.

— Когда случаются такие вот массовые убийства, речь обычно идет о случайном выборе жертв. Это как правило.

— А вы, что же, в этом сомневаетесь? — тихо спросила Катя.

Геворкян смешал снимки как колоду карт.

— Я приверженец теории предопределений. Ничего случайного под солнцем.

— Но уже реально установлено, что никто из убитых или раненых раньше знаком с Пепеляевым не был. Он просто палил в толпу.

— Там было много людей в тот вечер. А пострадали именно эти. И у нас тут он реагировал не на всех подряд, появлявшихся возле бокса. На меня, например, на других моих коллег, которым за сорок, у Пепеляева вполне нормальная, спокойная реакция. На женщин тоже. Ни женщины, ни мы, врачи, его не интересуем.

— А кто, по-вашему, его интересует?

— А позвольте мне задать вам вопрос, мой молодой любознательный коллега?

СЕЙЧАС СПРОСИТ, КАКОЕ МНЕ ДО ВСЕГО ЭТОГО ДЕЛО? ЧЕГО Я СУЮСЬ? Катя приготовилась к жесткой обороне. Но вопрос Геворкяна был иной.

— Что привело вас сюда именно сегодня? Я ведь сразу понял, что-то случилось. Это видно по вашему лицу.

И Я ПОНЯЛА: ЗДЕСЬ ТОЖЕ ЧТО-ТО СЛУЧИЛОСЬ БЕЗ МЕНЯ.

— Я узнала о результатах дактилоскопической экспертизы пистолета, из которого он стрелял на глазах у всех. Этот пистолет у него Гущин выбил и лично, лично, понимаете, изъял? На пистолете нет отпечатков.

Геворкян встал, собрал со стола фотографии — все до одной и положил их в карман своего халата.

— Пойдемте, коллега.

— Куда? В «третий»? — Катя вспомнила то самое их «внутреннее обозначение». Первый — Чикотило, второй майор Евсюков и третий — ОН, Пепеляев.

— Не зря же мы все эти дни держали его на анти-депрессантах и сильном успокоительном. Быть может, на этот раз он... попробует освободиться, преодолеть хоть ненадолго с помощью лекарств... Будем надеять-ся, что нам повезет.

В ЧЕМ?

Катя видела перед собой только широкую спину профессора Геворкяна, решительно шагающего по коридору. Только белые стены. Опять белые стены. А потом ступени, стол охранника, мониторы слежения и — стекло, как гигантский аквариум.

Катя закрыла глаза: вот сейчас... сейчас...

АКВАРИУМ БЫЛ ПУСТ.

Там, за стеклом, чудовища не было. Где оно сте-регло их?

Геворкян свернул в еще один коридор, минуя бок-сы. Здесь было что-то вроде лечебного отделения — двери палат. Возле одной дежурил охранник, перео-детый санитаром. Геворкян указал Кате на соседнюю дверь.

— Будьте там, коллега.

Катя вошла и опять увидела стекло: соседняя па-лата была как на ладони, но вы были скрыты от глаз ее обитателя.

Пепеляев лежал на больничной кровати на высоко взбитой подушке, забинтованные руки поверх одеяла, рядом на полу смятый журнал с глянцевой обложкой, словно не было сил читать.

Усталость?

Антидепрессанты?

Успокоительное в лошадиных дозах?

ЧТО ОНИ С НИМ ДЕЛАЮТ? ЧЕГО ОТ НЕГО ДОБИВАЮТСЯ?

Он не спал — бодрствовал и был бледен и внешне очень спокоен, покорен. Но было в его лице и что-то странное — нет, не прежнее, дикое, невыразимое словами, так когда-то напугавшее Катю. Другое. Как будто его пополам переехало колесо и он, раздавленный, умирал на обочине.

Катя подошла вплотную к стеклу. Он ее не видел, не замечал. Он был один в больничной палате. А потом дверь открылась, и появился Геворкян. Он приблизился к Пепеляеву, взял его руку, проверил пульс. Потом отпустил, рука упала как плеть. Наклонился и проверил реакцию зрачков.

— Как чувствуете себя сегодня?

— Сносно.

Голос был тот, Первый, как назвала его про себя Катя, но очень тихий, еле слышный, словно и говорить уже не было сил.

Геворкян достал из кармана часть фотографий.

— Узнаете?

— Нет... узнаю...

— Эти люди умерли по вашей вине. Вы убили их.

— Они все умрут.

— Что было перед тем, как вы начали стрелять?

— Они все умрут.

— Что было сначала?

— Я не помню.

— Вы помните. Лекарство поможет вам вспомнить. Вы же хотите, чтобы оно помогло? Вы хотите, чтобы вам помогли?

— Да... хочу...

Пепеляев открывал рот так, словно собирался кричать, но лишь сипел.

— Что было перед тем, как вы начали стрелять?

— Я смотрел... на них...

— Откуда смотрели?

— Сверху... Я их видел... ОН мог там быть... спрятаться среди них...

— Кто ОН?

Пепеляев начал сипеть еще сильнее, руки взметнулись вверх, словно силились схватить, вцепиться во что-то. Но действие мощных лекарств было сильнее — руки снова упали на одеяло как чужие.

— Где вы были до этого?

— Я ничего... не помню...

— Вспоминайте. Где вы находились? Откуда пошли на Арбат?

— Не помню...

— Где был ваш пистолет?

— Рядом... всегда рядом со мной...

— Где рядом?

— У.... ШШШШШШШШШ....

— Боритесь! Вспоминайте!

ТАКИМ КАТЯ НЕ ВИДЕЛА ДОКТОРА ГЕВОРКЯНА НИКОГДА. БЫЛ ЛИ ЭТО ГИПНОЗ ИЛИ ЧТО ТАМ ЕЩЕ... ПОТ ТЕК С НЕГО ГРАДОМ, СЛОВНО И ОН ТАМ, В ПАЛАТЕ, ЛИШАЛСЯ ПОСЛЕДНИХ СИЛ, ТАЩА НА СЕБЕ ЧТО-ТО НЕВЕРОЯТНО ТЯЖЕЛОЕ...

— Где?

— У-уууу... тах-хххты...

— У тахты? Пистолет был у тахты? Где? В доме, в котором вы жили?

Тело Пепеляева внезапно выгнулось дугой на кровати, потом рухнуло на матрас, потом снова выгнулось. Правая рука опять взметнулась вверх и с бешеной скоростью стала чертить что-то в воздухе скрюченным пальцем. Что-то похожее на растянутую пружину... на извивающуюся по песку змею...

Это продолжалось бесконечно долго.

Так долго, что... ВРЕМЯ ПОТЕРЯЛО СВОЙ СЧЕТ.

— Уйдите оттуда!

Катя не поняла, кто это кричит ей. Охранник? Он...

— Что?

— Уйдите, не годится долго на ЭТО глядеть!

Неужели она потеряла сознание? Никакого стекла и смежной с ним палаты не было. Это все ей приснилось? Но...

Геворкян склонился над ней, протягивая стакан воды и какую-то таблетку.

— Левон Михайлович...

— Тихо, тихо... всем досталось... Вот выпейте... Да, всем досталось... И ему, и мне, старому дураку, и вам, коллега...

— Что это было? Там?

— Я пытался ему помочь. Не вышло.

— Не вышло? Он, Пепеляев... Что ЭТО было?!

Геворкян плеснул воды в стакан и себе. Катя потом очень долго помнила эту его паузу. И вопрос, что он задал:

— А вы, коллега, вы ведь ездили к нему... туда, где он жил?

Глава 30

НИКА

Ее не видел никто. Она спряталась. Она очень хорошо умела прятаться, когда хотела. Выдать ее мог только запах, но теперь он был во всем доме, не только в ее комнате с прокисшим от мочи матрасом.

Если ОНО было уже здесь, в доме, внутри, если ОНО сумело сюда пробраться, ОНО искало ее там, внизу.

Внизу...

Голоса в кабинете матери... Там сестры и еще кто-то, какие-то незнакомые люди пришли. Зачем? Ника — младшая из сестер-Парок — прислушалась. В зале сохнет натертый моющим средством ковер. Это ее след, ее отметина... Если ОНО уже здесь, в доме, ОНО учует эту вонь и будет искать ее там...

ВНИЗУ...

А здесь, наверху... Ника сидела в кладовой на втором этаже. Августа же крикнула ей: «Ступай наверх», когда пришли эти, чужие... Ника спряталась в кладовке, сидела в темноте. Нет, не в полной темноте, не в кромешном мраке, похожем на тот той страшной ночью, а просто — в темной кладовке с маленьким оконцем под самым потолком.

Катя и Гущин, явившись в дом сестер-Парок, видели младшую Нику лишь мельком, но она поразила их, как поражала всех, кто с ней сталкивался.

В темноте... нет, в сумраке, клубившемся в тесной кладовке (не зажигайте света, заклинаю, прошу, не зажигайте света, иначе беда!), можно было рассмотреть старые вещи. Их складывали здесь за ненадобностью, потому что — Ника знала это — они уже никому не были нужны.

Каракулевая шуба матери в старом парусиновом чехле от моли...

Свернутый ковер, его убрали из зала — давно, очень давно, там тоже имелись пятна, только бурые... Ника знала, что это мать сделала... порезала себе руки, как и Августа той, прошлой ночью, — только давно, очень давно, когда она, Ника была еще совсем... глупой, маленькой. Но она помнила это, хотя никогда не говорила об этом сестрам.

Картонная коробка со старыми елочными игрушками...

И еще одна коробка — тоже с игрушками: машинками, куклами, с ними когда-то маленьким играл ее брат Тимофей, который...

ОН УМЕР. Так сказала ей сестра Августа. Но она, Ника, ходившая не раз туда... ТУДА... и возвращавшаяся назад ОТТУДА, никогда не встречала его ТАМ.

Коробка с игрушками. Машинки брат ломал, отрывал колеса, курочил, а вот с куклами обращался очень бережно. Эти старые куклы — резиновые, синеглазые, производства ГДР, с ними и сейчас еще можно было играть.

ГДР — что это такое? Ника не знала. Просто видела эти буквы на бирке кукольного сарафана из алого бархата. Она не помнила, как играл брат. Она была тогда очень мала. Она помнила его другим.

Вот он стоит перед зеркалом в черном костюме и поправляет галстук — там что-то блестит...

Вот он опять перед зеркалом в спальне матери. Что-то украдкой берет с ее туалетного столика. Мать входит. Он быстро роняет это и нагибается, чтобы мать не увидела... Но она видит. Саломея, мать, видит все.

«Не смей, слышишь, не смей! В моем доме — никогда. Ты мой сын, слышишь ты?!»

СЛЫШИТ ОН?

Ника в кладовке, скорчившись на полу, зажимает ладонями уши. Она слышит...

Старая коробка с куклами и машинками брата... Здесь, в этой кладовке... он был таким потным, таким тяжелым, но таким сильным... Августа прозвала его Терминатор — у него совсем не было мозгов в голове... Но с ним было так здорово тут прятаться, так было сладко с ним... Он что-то бормотал, она не понимала, потом сопел, распалялся, распаляя ее, а после они уже кричали... Однажды, не дойдя до конца, не кончив, он потянулся через ее голову к этой коробке и достал сломанную машинку, что-то мыча... Она оцарапала ему щеку за это... Было так весело здесь...

ПРЯТАТЬСЯ...

Ш-ш-ш-ш-ш-ш-ш-шшшшш! Кто это там?

Там, за дверью... Прошелестело... проскребло... чешуей... когтями...

ЧТО ЭТО? КТО ЗДЕСЬ?!

Ника прижалась спиной к холодной стене. Только стены, потолок, только стены, так узко, ног даже не протянуть, она тут словно замурована...

Открыть дверь, выскочить с криком? Но там, за дверью... ОНО там, за дверью, ОНО ползет, крадется, цепляясь когтями за старые доски, скребя по бетону... Вырывается, выходит, как змея из своей старой кожи — кольцо за кольцом, член за членом...

ОНО чует... ОНО здесь... ОНО пришло оттуда, следом за ней. Сюда, в дом! Мама, я боюсь! Мама, помоги, мама, где ты?!

ТАМ во время сеанса, когда она, Ника, еле спаслась... ОНО пыталось схватить ее... промахнулось... Пыталось задушить, но она, Ника, сопротивлялась. Ее не зря назвали Никой — Победительницей, и она умела, умела постоять за себя ТАМ — спрятаться, исчезнуть, пойти туда на поиски тех, о ком ей говорили, чьи вещи она ощущала в руках во время долгих сеансов. Пойти туда на поиски и вернуться с известием...

Но ЭТО было сильнее всех... Эта жуткая тварь...

Ярость умножала его силы... мстительная ярость, опалившая ТАМ Нику огнем.

И теперь ОНО здесь. ОНО здесь... Мама, помоги... Иначе...

ОНИ ВСЕ УМРУТ.

Ника еще сильнее зажала уши ладонями. Кто это сказал? Вот... вот сейчас... она же слышала это так ясно. Кто это сказал? Кто это скажет? Где и кому?

Залитый кровью ковер... куски мяса... словно хищник тут пировал... растерзанные, разорванные заживо...

РАСТЕРЗАННЫЕ...

ЗАЖИВО...

ВОТ ТАК...

Ника — младшая сестра-Парка — открыла глаза. Картонная коробка с игрушками брата Тимофея валялась у ее ног. По полу кладовки были разбросаны пестрые клочья, головы старых кукол с выдавленными глазами, маленькие резиновые руки, вырванные из кукольных тел со следами чьих-то зубов.

Глава 31
ПОИСК

Катя еще долго приходила в себя. Покинув центр и профессора Геворкяна, сидела в кафе на летней террасе. Вот так бы век отсюда не уходить, смотреть на белые скатерти, на снующих официантов, на парочку за столиком напротив. Пить капучино с густой шапкой сливок...

Тертый шоколад...

Господи, ну почему я всегда...

Зачем мне это...

Не лучше ли бросить ВСЕ ЭТО прямо сейчас?

Кафе, где она сидела, было на Солянке. До места, где стоял ТОТ ДОМ, рукой подать.

Из кафе путь Кати в этот день лежал к Биржевой площади. Но в Никитников переулок она все-таки зашла. Ведь было по дороге. Дом под номером двенадцать, самый обычный московский особняк... Верхние два этажа забиты, нижний, где склад, до сих пор опечатан. На двери, наверное, пломбы прокурорские, если подойти ближе, то можно увидеть. Но ближе Катя не подошла, стояла на другой стороне переулка. Кругом офисы и банки, а этот старый дом — призрак, он был никому не нужен.

Его никто не покупал, не арендовал до тех пор, пока там не сделали обувной склад и Пепеляев...

Внезапно Катя вспомнила рисунок, что показывал Геворкян. «Нет-нет, не переворачивайте, все нарисовано именно так...» Что он хотел этим сказать? Что он вообще имел в виду?

Из здания банка, что на углу, выходили клерки и все, все до одного как по команде поворачивали головы в сторону старого особняка. Смотрели несколько секунд на забитые окна и спешили прочь. Ну да, они наверняка знают, слышали по телевизору, читали в газетах. Это же все ТАК ПРОГРЕМЕЛО по Москве. Эхо тех выстрелов...

Катя тоже повернулась и пошла прочь, вниз. к Биржевой площади. В кармане ее лежала записка Геворкяна. Он написал ее сразу... почти сразу...

ВООБЩЕ ИХ ЛИ ЭТО ДЕЛО С ПРОФЕССОРОМ — ПРОВЕРЯТЬ? ДЕЛО АРБАТСКОГО УБИЙЦЫ ВЕДЕТ МОСКВА. ОДНАКО ПОЛКОВНИКУ ЕЛИСТРАТОВУ ГЕВОРКЯН НЕ ПОЗВОНИЛ. НАПИСАЛ ЗАПИСКУ, ВРУЧИЛ ЕЙ, КАТЕ. И ОТПРАВИЛ...

Она вошла сквозь стеклянные двери в просторный вестибюль. Сразу видно солидное государственное учреждение.

— Мне нужен Валерий Юрьевич Смирнов, — сказала она охраннику. — Могу я позвонить? Вот у меня его телефон записан.

Чинный охранник кивнул и показал Кате, где внутренний телефон. Да, это, конечно, не мэрия, но все равно то еще учреждение — зеленый мрамор, стеклянные бесшумные лифты.

— Вы внизу ждете? — осведомился у Кати приятный баритон, едва лишь она набрала номер и назвала себя. — Минуту, я сам спущусь. Левон Михайлович мне звонил.

Лифт спустил в вестибюль к Кате обладателя приятного баритона — Смирнова.

— Здравствуйте, рад знакомству. Для профессора... для дяди Левона все, что могу, сделаю, — Смирнов улыбался (Катя так и не поняла, какую должность в Москомимуществе он занимал). — Он назвал мне адрес. Правда, не сказал, зачем ему все это так срочно понадобилось.

— Это связано с больным, с его пациентом.

— А... опять потеря памяти, наверное... амнезия, — Смирнов сразу стал серьезным. — У меня с отцом такое случилось, представляете? Разбился на машине, сам не пострадал, а вот шок... Все забыл, нас, родных, никого не узнавал. Профессор Геворкян, дядя Левон, ему помог, спас... А то бы... В общем, ладно, пока вы ехали сюда, я запросил стартовую информацию по этому дому — номер двенадцать в Никитниковом переулке. Это же рядом, Центральный округ. Дом — муниципальная собственность и вместе с тем архитектурный памятник девятнадцатого века. Там несколько лет назад был пожар.

— Да, это я слышала, — Катя кивнула. — А нельзя ли установить, что было в этом здании раньше? И кто были владельцы или арендаторы? Что за организация, фирма?

Она говорила все это, послушно повторяла слова Геворкяна. Не было ли ЭТО гипнозом с его стороны в отношении ее? Какая, собственно, разница, кто жил в этом доме раньше? Где тут связь?

И внезапно...

Она вспомнила, как была ТАМ, внутри, вместе с опергруппой.

«НА РАМЕ ПЯТНА, И ТУТ НА СТЕНЕ ТОЖЕ... НУ-КА ДАЙТЕ СЮДА СВЕТ!»

ПОХОЖЕ НА КРОВЬ... ТУТ НА СТЕНЕ ЧТО-ТО НАРИСОВАНО...

Пятна копоти и еще что-то... На кирпичной стене.. Темный зигзаг, бурая размашистая линия с резкими изгибами.

Палец Кати прочертил ее в воздухе, следуя за...

УЙДИТЕ! НЕ ГОДИТСЯ ДОЛГО НА ЭТО ГЛЯДЕТЬ!

Что?

— Что с вами?

— Ничего, простите... так, голова закружилась, наверное, от кофе...

— Я говорю, узнать все прямо сейчас не получится. Конец рабочего дня, архив надо запросить, а он скоро уже закроется. Обещаю, завтра или в крайнем случае послезавтра, — Смирнов с высоты своего роста смотрел на Катю. — Документы поднимем. Позвоните мне и приезжайте, прямо поднимайтесь в мой кабинет, договорились?

— Спасибо. Я обязательно позвоню. Еще раз извините за беспокойство.

Катя вышла на Биржевую площадь, дошла до Ильинки и поймала на углу машину. Можно было уже ехать домой, но...

— Никитский переулок, пожалуйста, — сказала она водителю.

В Главке за его крепкими надежными стенами можно было укрыться... подумать, собраться с мыслями. Там все было привычным, знакомым. Отрезвляющим. Только факты, только доказательства, никаких фантазий.

И может быть, полковник Гущин еще на месте. Он никогда так рано домой не уходит с работы.

И ЭТО ХОРОШО.

— Что? Опять что-то стряслось?

— Нет, Федор Матвеевич.

— А, меня не обманешь. Я стреляный воробей.

С Гущиным Катя столкнулась на входе в Главк. Когда все сотрудники уже собирались по домам, он откуда-то явился на машине — страшно деятельный и энергичный. Лысина его блестела, словно отполированная.

— Духота сегодня какая, а? Как в бане парит. Ну, что еще не так, рассказывай.

Они поднимались по лестнице в розыск.

ЧТО РАССКАЗЫВАТЬ? КАК ТАКОЕ РАССКАЖЕШЬ СЛОВАМИ?

— Геворкян держит Пепеляева на сильных антидепрессантах, — начало вышло совсем неубедительным.

— А пусть хоть он там совсем ими обожрется, гад, — полковник Гущин хмыкнул. — Болтал бы только хоть что-нибудь на суде потом...

— Федор Матвеевич, а я ходила...

— Погоди ты с этой своей каруселью. У нас тут знаешь какие дела?

— Опять кого-то убили?

— Чур, не к ночи будь помянуто, чур меня, а то снова поднимут... Нет, тут куда интереснее дела пошли. Это кто там у нас прохаживается по коридору? — Гущин кинул орлиный взор свой на коридор розыска. — А... Маслов... Баклуши все бьешь?

— Никак нет, товарищ полковник. Только что пленки окончательно отсмотрели. Есть результат.

— Слыхала? — Гущин торжествующе подмигнул Кате. — Есть результат. Я только первую пленку оттуда увидел, сразу понял... Нет, не зря, рано еще на пенсию-то... нюх оперативный — его не обманешь.

Они вошли в кабинет — там было несколько сотрудников розыска, казалось, забывших, что день рабочий давно окончен.

На столе — два ноутбука и какое-то видео — нечеткое, расплывчатое изображение.

— Сейчас сделаем почетче и укрупним, — оперативники шумно отреагировали на появление шефа, — Федор Матвеевич... эта пленка того же дня. А эти две предыдущие.

Кате галантно подвинули стул, чтобы и она тоже могла посмотреть. Что еще за пленки такие? А, Гущин говорил, что он хочет изъять...

— Записи видеокамер со зданий на Малой Бронной улице, — оперативник дотронулся до экрана монитора, «перелистывая» файл. — Вот тут дата и время указаны. Это пленка с камеры ювелирного магазина, что как раз напротив того дома.

— Медиумов наших, ворожей. Я ж говорил, что глянуть надо, — Гущин заскрипел стулом. — Ну, ну... хорошо... зер гут... Это, значит, Мазин приехал... Его машина, и вот он сам выходит.

Катя увидела на пленке черную иномарку. Мужчина... невысокий, в сером костюме. Все-таки какое нечеткое изображение, и все как-то плывет... Да, это Мазин, теперь она тоже узнает его, потому что видела здесь, в управлении розыска, тогда. А если бы не видела его живым, то... С тем, что обнаружили там, в лесу в Куприянове, мало сходства, нужен весь профессионализм, чтобы это сходство найти. Живое и мертвое...

— Приехал на машине один, — констатировал Гущин.

— Но это мы и так ведь знали со слов этих женщин, — возразила Катя.

— То, что он не один приехал, они могли и не знать, могли и соврать... Но он тут на пленке один, и в машине никого нет. Теперь дайте-ка тот, другой кадр. Это уже другая камера — с обувного магазина, что на углу Малой Бронной и Спиридоньевского. Панорамный снимок. Вон дом Саломеи и дочек ее, машина Мазина... то же самое время указано... а это что здесь, на углу, ну-ка глядите хорошенько, у вас глаза молодые, зоркие.

— Фургон... нет, синий пикап, марка «Фиат», — оперативники снова зашумели. — Товарищ полковник, Федор Матвеевич... там еще раз он мелькает.

— Укрупните изображение, номера и быстро по банку данных мне, — Гущин смотрел в монитор. — Пока ничего... молчок, тишина... совпадений, сами знаете, полно... Так, где он там мелькает, когда?

— Вот пленка, здесь та же дата, но время другое, десятью минутами раньше.

Катя увидела на пленке — это был действительно «панорамный снимок» Малой Бронной со стороны Спиридоньевки. Дом сестер-Парок, но на этот раз перед его дверями не было «Вольво» покойного Мазина. На противоположной стороне улицы стоял какой-то мужчина — крупный, бородатый — и смотрел на окна. И эта же камера зафиксировала на углу синюю машину с надписью на борту «Уют и комфорт». Мужчина с бородой стоял спиной к ней, припаркованной на приличном расстоянии, он смотрел на окна несколько секунд, а потом поплелся по улице.

— Ну-ка, давайте просмотрим до конца, есть еще пленка? — спросил Гущин.

— Вот, это уже третья камера с офисного здания напротив театра. Вот этот тип идет... идет... вот, в машину садится. Серый «Шевроле». Федор Матвеевич, а эта машина тоже уже мелькала, когда мы пленки отсматривали.

— Давайте ищите. Номер крупняком и тоже пробить.

Катя пыталась сосредоточиться, но... Все как-то путалось... «Вольво» Мазина, «Шевроле», «Фиат». Черт, но они же говорили именно про фургон или пикап марки «Фиат», когда исследовали следы протекторов и...

— Ага, вот серенькая подъезжает, — Гущин снова заскрипел стулом. — «Шевроле»... судя по всему, не новая, но в хорошем состоянии. Это когда было?

— Двумя днями раньше. Время 16.30. Тут женщина за рулем, Федор Матвеевич.

Катя увидела, как из серой машины, в которую на той, другой пленке возле театра на Малой Бронной садился бородач, вышла очень толстая женщина с копной платиновых волос, такой неестественной, что сразу было ясно — это парик. Незнакомка была похожа на пивной бочонок на толстых коротких ножках. Она куталась в цветную пашмину и прижимала к груди большую кожаную сумку — пожилая, но явно молодящаяся автомобилистка. Она направилась к дверям особняка сестер-Парок и по дороге оглянулась.

Прямо в камеру.

— Стоп! Этот вот кадр увеличить и вырезать отдельно, — Гущин шлепнул ладонью по столу. — Ба, знакомые лица... Очень мне интересно, что все это значит?

Глава 32
В РАЗРАБОТКУ

— Знакомые все лица, — Гущин разглядывал снимки толстой блондинки, их скопировали с пленки и распечатали.

Сложная гамма чувств... Но сомнение преобладает — Катя видела это по его лицу.

— Лямина сюда давайте, опять консультация нужна.

— Товарищ полковник, время-то...

— И правда, поздновато уже беспокоить ветерана, — Гущин глянул на часы. — Ладно, завтра с утра.

— Мы проверили машины.

— Так, что по ним?

— «Фиат» принадлежит Дьякову Григорию Георгиевичу, уроженцу Читинской области, а «Шевроле» принадлежит Дьяковой Ларисе Павловне, уроженке Ростова.

— Дьяковой, значит, Ларисы тачка, — Гущин смотрел на снимки. — У Лямина по ней информация была, он говорил.

— Есть еще ее доверенность на машину на некоего Петра Дьякова, сейчас уточним по банку данных ГИБДД. — Оперативник начала куда-то звонить.

— Адреса их нужны. — Гущин закурил. — Давайте адреса.

Катя подумала: ну все, теперь они тут засели на всю ночь. Фамилия женщины точно знакомая, ее недавно упоминали в связи с тем старым ограблением банка... А этот висяк всплыл...

Труп в карьере. Марина Заборова — бывшая подруга Евгения Цветухина, красавца-брюнета с синими глазами, который ее и прикончил, — ведь именно такую версию она, Катя, посчитала для себя самой простой и самой вероятной. При чем тут какие-то Дьяковы? Вообще кто они все друг другу?

— Что как мышь на крупу надулась? — хмыкнул Гущин. — Вон чайник на подоконнике, пряники мятные, угощайся, небось голодная? Шла бы ты домой.

НУ ВОТ, УЖЕ ГОНЯТ ВЗАШЕЙ!

— Сейчас пойду. Только вот кофе вам заварю, Федор Матвеевич. — Катя занялась электрическим чайником и банкой растворимого кофе. Поиск... оперативная рутина... Сколько раз такое уже было. Сейчас возьмут этих Дьяковых в плотную разработку и начнут копать.

ПОЧЕМУ ОНИ НЕ ИЩУТ ЦВЕТУХИНА В СВЯЗИ С УБИЙСТВОМ ЗАБОРОВОЙ?

И... СТОП...

Она чуть не расплескала кипяток. Стоп... Погодите, погодите... А при чем тут вообще сестры-Парки, дочери ясновидящей Саломеи? Ведь эту Ларису Павловну Дьякову камера засняла входящей в их дом...

— Ну что с адресом? — Гущин был в нетерпении.

— Прописаны и проживают в нашем подмосковном Дзержинске, «Фиат» — автомашина химчистки-прачечной, хозяйка химчистки все та же гражданка Дьякова, — доложил оперативник.

— Так, кому-то из нас придется прямо сейчас в Дзержинск ехать... майор Маслов, кажется, тебе и придется. Ничего пока не предпринимать. Информация нужна — это все пока. Так, завтра с утра вытаскиваем сюда в розыск ту свидетельницу-китаянку, она видела, как Заборова садилась в машину.

— Федор Матвеевич, где ее теперь найдешь?

— Адрес разве не записали?

— Да у них, которые с бывшего Черкизона, по сто адресов!

— Чтоб была здесь в розыске завтра. Время — до обеда, ответственные — вы и вы, — Гущин уже не шутил.

Катя поставила перед ним чашку кофе — задобрить старика надо, а то сейчас раскричится. Ну вот она и попала в свою привычную среду, как и хотела. Стены Главка крепки и надежны, в окнах розыска на первом этаже свет горит... Машины во внутреннем дворе, похожем на колодец. Суконные милицейские будни. Теперь взяли след и будут раскрывать, раскрывать до посинения... Но как же ВСЕ ЭТО, вся эта суконщина, вся эта рутина УСПОКАИВАЕТ. Вот она сейчас еще капельку послушает тут в кабинете Гущина, как они «уже раскрывают», и потом можно будет домой, к Анфисе, та, наверное, уже заждалась ее.

Это вам не Центр судебной психиатрии, полный маньяков... Где у каждого свое место, свой номер — первый у Чикатило, второй у майора Евсюкова и третий... третий у НЕГО...

ГОСПОДИ, ОТЧЕГО ОН НЕ ОСТАВИТ МЕНЯ В ПОКОЕ?

ЗАЧЕМ МНЕ ЗНАТЬ, КТО ДО НЕГО ЖИЛ В ТОМ ДОМЕ?

ЧТО НАМ С ГЕВОРКЯНОМ ЭТО ДАСТ?

Гущин искал что-то в справочнике телефонов районных ОВД.

— Номер участкового мне мобильный, который эту территорию в Дзержинске обслуживает.

Забыв про кофе, Гущин уже кого-то внимательно слушал в трубку, бросая отрывистые короткие вопросы.

И снова — сложная гамма чувств...

А обычно вид у полковника благодушный и простоватый...

Лысина блестит, как медный таз...

Катя сходила помыла чашки, налила в электрический чайник свежей воды. Кто о них тут в розыске позаботится, если засядут на всю ночь «раскрывать»? Да, все же РАБОТА, повседневная РАБОТА классно мозги прочищает. Слушай, запоминай, потом будет статья об успешном раскрытии.

ТОЛЬКО ВОТ КАКОГО ИМЕННО ДЕЛА?

ЧТО-ТО ОНА СОВСЕМ ЗАПУТАЛАСЬ...

— Дьякова ранее трижды судима. Значит, та самая, ошибки нет, фото не врет, — Гущин выдохнул, словно сбросил с себя какой-то груз. — Участковый докладывает... Нареканий нет, лет пятнадцать уж вроде как тихо живет. Владелица химчистки, раньше имела несколько приемных пунктов, теперь нет, бизнес свернула... У нее два взрослых сына — эти самые Григорий и Петр, машины одна на младшего, другая по доверенности на старшего. Живут в частном доме, адрес: улица Силикатная, недалеко от железнодорожных путей. Участковый в доме никогда не был, не удосужился — выговор ему за это влепить... На участке есть другие постройки — сарай, баня, гараж. Возможно, и подвал в доме имеется... И еще кое-что он мне сказал, этот участковый...

Катя с сумкой была уже на пороге кабинета. Домой, домой, к Анфисе, к ее плюшкам, малиновому варенью... Сейчас она возьмет такси и полетит по вечерней Москве домой — успокоенная, возвращенная к реальности...

— Они держат собаку бойцовской породы.

Катя замерла. Гущин произнес это так, словно забил гвоздь. Забил гвоздь в стену и повесил картину.

Только эта картина пока еще была ЧЕРНЫЙ КВАДРАТ.

Глава 33

ИЗВНЕ

В этот вечер все валилось из рук. Рюмка водки и та... Рюмка-рюмашка... Лариса Павловна Дьякова, Мама Лара, в розовом махровом халате, в шлепанцах на босу ногу, смотрела по телевизору «Боярского» и пила.

Эх, когда-то хорош ты был, пацан с усами... И пел... Что-то там про «такси зеленое» гундосил... Нравился. А теперь постарел шибко.

Ох!

Осколки рюмашки на полу, взять бы совок, щетку...

Ничего, Петька, сын, дома — уберет. Заявился тут домой сам не свой. Пиджак порван. А Гришка, младший, так и не приехал домой ночевать. И сейчас его нет. Звонил — пьяный: мама, я люблю тебя... Мама Лара, помоги...

Чем поможешь, если пьет?

Как убили ту суку, все в доме кувырком. И нет никакой радости. И здоровья нет в теле. Грудь болит. И такая усталость, словно камни таскала весь день, а ведь весь день за порог не выходила. Из химчистки опять звонили насчет договора с комбинатом с Докукина, не поехала, не повезла договор.

Стол, покрытый клеенкой, бутылка водки, стакан...

Сынок... Сынок Петруша, хочешь рюмашку? Нет его в доме, в гараже сидит, вид делает, что с машиной занимается...

Бабу себе нашел, по ресторанам, по театрам ее водит.

Как убили ту суку в подвале — все, все, все кувырком...

Так ничего и не узнали, так ничего и не сделали путного. И денег не вернули. И не отомстили. Только в крови измарались зазря. Теперь, если найдут, потянут... К ответу потянут...

Не найдут.

С банком-то тогда ничего, никого не нашли. Не дознались.

И что же так сегодня тяжело-то на сердце? Чует оно, что ли, беду? Болит, болит... Пьешь, не зальешь никак. И сынки... гады они, сынки, только о себе, только о себе, на мать — плевать.

МАМА ЛАРА, ПОМОГИ!

ПОМОГИ!

Кто это зовет? Хрипит?

Лариса Павловна тупо смотрела на почти пустую бутылку водки. Над столом, покрытым клеенкой, рдел оранжевый абажур, и бутылка в его свете отбрасывала на стол маленькую четкую тень. Как будто стрелка часов...

И вот она дернулась и поползла вперед, словно считая минуты.

Лариса Павловна встала.

— Петька! Марш сюда!

Нет ответа от сына.

— Петька! Говорить с тобой хочу! Мать твоя хочет!

Нет ответа. Сидит в гараже. Было бы куда уйти — давно бы бросил и этот дом, и химчистку, и псалюдоеда, и ее — свою мать...

К бабе бы той ушел, в которую втрескался по уши. Чем она его только взяла-то? Дылда, на нормальную бабу не похожа... Та, сестра ее, вроде как получше, покруглее. А эта доска доской.

— Я кому говорю! Марш ко мне!

Темный пустой дом. Только питбуль Рой зарычал спросонья: чего орешь, разоряешься? Нет у тебя сыновей.

Нет сыновей? Как это нет?! Рожала от разных мужиков, кормила... Гришка в Чите вон родился, и потом ее сразу в Астрахань досиживать перевели, как кормящую мать, потому что там климат мягче...

Как это нет сыновей?! А банк когда грабили? Тот чертов банк на Новой Риге. Отсюда ведь уехали все втроем, она благословила — и сыновей, и его... Женьку Цветухина... Кто инструмент доставал? Кто деньги платил? Там вся штука была в том, чтобы быстро сделать все. Быстро, моментально. Сигнализацию как вырубить, чтобы менты не наскочили, Женька полгода там, в банке, изучал, прикидывал, кумекал. Но без инструмента хрен бы они сейфы вскрыли и ту дверь в хранилище. А инструмент она достала —.ему и сыну Петру. Сила-то у него как раз та — шниферить, хоть и молодой тогда был еще.

Одиннадцать лет назад.

Как это нет сыновей?!

Это ОН ее бросил — Цветухин, а дети... Нет, дети со мной... до конца...

Вон только сказала: убей! Убил, глазом не моргнул...

Лучше бы не убивал...

— Сынок! Поди ко мне... сынок... плохо мне что-то...

Темная полоска на освещенной абажуром клеенке как стрелка часов медленно ползет... Что за морок? Вот тут, бывало, с НИМ сидели, выпивали... Не так, конечно, как она сейчас хлещет. А культурно. За твою удаль, Женька! За твою красоту, Лара!

Про красоту ей твердил... Как, бывало, в постели обнимет, сердце, сердце зайдется, упадет...

Вот и сейчас куда-то падает... Стрелка-тень ползет, как червяк...

И ведь ничего от него не осталось на память. Ничего не оставил, когда бросал, убегал со всеми деньгами.

Почему она тогда не настояла, чтобы он... чтобы они все втроем все, что взяли там — деньги, ювелирку из сейфов, — привезли бы сюда, в дом? Побоялась тогда — вдруг заметут? Вдруг наследили там, в банке? Женька Цветухин сказал: место одно есть, надежное. Пусть ТАМ полежит, пока тут все не уляжется. В постели ведь сказал ей, когда ласкал-ублажал, а она тогда в тумане была, со всем соглашалась. Дура... ах какая же дура...

Работали с Петькой там, внутри, в хранилище, вместе. Гришка на стреме был за рулем, ждал. Сюда домой в ту ночь не поехали. Цветухина высадили где-то в центре, а сами вдвоем рванули в ночной клуб — ну чтобы алиби было в случае чего. Всю, мол, ночь там с девками зажигали. Алиби-то так и не понадобилось тогда. Никто не спросил.

А Цветухин на следующий день заявился. Тогда-то она от счастья пьяная была — такое дело удалось, такой куш сорвали, такой любовник возле юбки ее как пришитый, и теперь такая жизнь их всех ждет... Такая жизнь...

Голову она потом ломала — зачем он приезжал тогда, отчего вернулся? Ведь если решил ее кинуть со всеми деньгами, то... Паспорт ему был нужен, вот что, водительские права. На дело в банк он никакие документы с собой не взял. Оставил здесь, у нее, — на всякий случай. За ними потом и вернулся. В кожаной куртке был... Она не знала, как его приласкать... «Слушай, давай сделаем ЭТО по-быстрому, а?» — «Торопишься?» — «Нет, дело одно срочное, сейчас поеду, вечером вернусь».

Они сделали это по-быстрому, закрывшись в спальне. Она даже не разделась. А он просто расстегнулся... Да, она вытащила у него из джинсов тот ремень. Пряжка была холодная, было неприятно, щекотно...

Щекотно было...

И потом все одиннадцать лет...

Ничего не осталось от него, ничего. Ни одной вещи. Ремень тот кожаный и тот те дуры-колдовки, Саломеины дочки шизанутые, не вернули.

Как она, эта их младшая, ремень-то на шею себе накинула и...

Лариса Павловна внезапно ощутила, что ей не хватает воздуха. Она попыталась подняться из-за стола. Двинула стол и опрокинула бутылку с водкой. Та покатилась, покатилась по клеенке, но... Тень в пятне электрического света, которую она, эта бутылка, уже не отбрасывала, осталась. Темная полоска. Словно стрелка невидимых часов... эта стрелка продолжала двигаться. Ползти, приближаясь к «полуночи», а может, к «полудню».

Лариса Павловна схватилась руками за горло и ощутила под пальцами что-то упругое, извивающееся, как тело змеи. Она хотела крикнуть, позвать сына, так и не откликнувшегося на ее зов, но голоса не было. Только хрип, а невидимая, но осязаемая петля на горле сдавливала все сильнее, сильнее, как будто змея и...

Послышался странный звук — скрежет, словно где-то царапали когтями по камню, по бетону, пытаясь вырваться... продраться, пробиться наружу...

Наружу — извне...

Питбуль Рой хрипло залаял, ворвался — загривок вздыблен и... тут же заскулил испуганно, трусливо, распластался на брюхе и пополз, пополз прочь...

ПО-МО-ГИ...ТЕ-Е-Е!!

Мама Лара рванула что есть силы у себя на горле петлю... На долю секунды, лишь на сотую долю секунды она увидела у своего лица... прямо у своего лица... гнойные струпья, как растрескавшаяся чешуя, сгнившие губы над ощеренными клыками... Рука, похожая на звериную лапу, лишенная кожи, опутанная сеткой вздувшихся гнилых вен, будто лезвиями вспорола когтями ей грудь и вырвала сердце.

Пульсирующее, живое...

А-А-А-АА-ААААА!!!

Вопль был слышен на улице, слышен в гараже. Когда Петр Дьяков вбежал в дом, он увидел свою мать на полу с черным от удушья лицом. У двери валялся мертвый питбуль. Он словно пытался спрятаться, уползти от чего-то, но так и не смог.

Глава 34
ОДИННАДЦАТЬ ЛЕТ НАЗАД

Оперативная группа во главе с полковником Гущиным выехала в подмосковный Дзержинск — Катя узнала об этом утром от дежурного по розыску. Но только как информацию для... Ой, конечно, там, в Дзержинске, все тоже чрезвычайно интересно и, наверное, будет о чем написать в свое время в статье для «Криминального вестника Подмосковья». Там все так запуталось и сплелось. Но ее собственные розыски... Нет, ТО дело подождет, там Гущин, а ЭТО дело ждать не может. Катя все утро была как на иголках и еле дождалась двенадцати часов, жадно схватила трубку и набрала номер Смирнова из «Москомимущества».

— Добрый день, рад слышать, приезжайте, кое-что удалось узнать.

Ну, какой, скажите, может быть тут Дзержинск? И даже трупы в карьере и в лесу... те жуткие трупы подождут...

Перед зданием на Биржевой площади было припарковано много машин — то ли совещание, то ли «сбор всех частей по тревоге».

Смирнов встретил ее, как было и условлено, в своем кабинете (прозрачный лифт вознес Катю на шестой этаж в тихую обитель, застеленную дорожками синего цвета), однако он явно куда-то торопился или просто цену себе набивал.

— Вот тут документы, посмотрите, вам их сейчас отксерят, может быть, Левон Михайлович сам захочет их изучить. Та первичная информация подтвердилась: здание — муниципальная собственность и одновременно исторический памятник середины девятнадцатого века, отсюда и вся загвоздка — то плачевное состояние, в котором он находится все последние одиннадцать лет.

— Одиннадцать лет? — переспросила Катя.

— Да, увы, разрушается на глазах, а ведь это наследие города. Ну не то чтобы знаменитый архитектор его строил, но все-таки — типичное здание старой Москвы, раньше сколько таких было — в Замоскворечье, в Зарядье, на Таганке, а теперь где они все? На арендаторах вина, целиком на них одних. Здание так и не оправилось после пожара.

— Я слышала про пожар. Но кто арендовал этот дом в то время?

— Так, начнем все по порядку — вот тут, смотрите, все указано, тут копии документов еще Моссовета. С 1957 года здание принадлежало ЦК партии, там располагалось машинописное бюро на всех этажах. С начала девяностых... уже были попытки оформить аренду... Но шли споры в арбитраже, тогда по поводу партийной собственности все спорили, спорили... Вот с 1995 года по август 1998-го помещения на первом этаже здания арендовала фирма «Восток юниверсал». Причем сделано это было с нарушениями. Уже тогда весь дом требовал ремонта и реставрации, и раздавать его «по кускам» нельзя было, он должен был перейти в руки того из владельцев, который бы гарантировал сохранность исторического облика здания и сделал хотя бы косметический ремонт. Но увы, этого не произошло. В тот же месяц август в доме начался пожар, к счастью, его быстро потушили, а то бы и знаменитая церковь Троицы в Никитниках могла пострадать... Да и после этого снова шли затяжные споры о принадлежности, Министерство культуры покушалось, делало запрос... Но памятником федерального значения дом не был признан, тут вот отчеты комиссии полностью... Выходит, что все одиннадцать лет дом действительно пустовал. Хотя были попытки его и арендовать, и даже приватизировать, но... Тут вот отказ от аренды... И еще один... Трижды отказывались. Интересно, почему? — Смирнов недоверчиво хмыкнул. — И только три месяца назад была оформлена аренда первого этажа обувной фирмой... вот тут ее название, посмотрите, под склад... Слушайте, до меня же только сейчас дошло, ЧТО ЭТО ЗА ДОМ! — Смирнов посмотрел на Катю. — Я же в газете читал... Ну да, Никитников переулок, обувной склад... это же тот арбатский жуткий случай... бойня...

— У профессора Геворкяна на экспертизе тот самый пациент.

— Да что вы говорите? Убийца? Надо же, — Смирнов, кажется, даже забыл, что куда-то спешил. — А я-то... Ох ты... Кстати, как выяснилось, по этому адресу на днях уже был сделан один запрос.

— Кем?

— Серьезной конторой, не МВД, другой. Вам понятно? Приезжал человек оттуда, я, правда, с ним не встречался, мой секретарь Надежда Георгиевна... Надежда Георгиевна, на секунду, — Смирнов вызвал секретаршу.

Она была молода и хороша собой. Брюнетка, строгий дресс-код.

— Помните недавний запрос? Был посетитель, — сказал Смирнов.

— Да, конечно, я же вам сразу доложила. Был звонок из ФСБ, попросили принять. Но вы уже уехали в мэрию на совещание, когда они звонили... И он приехал буквально через полчаса — пожилой такой, в сером костюме.

— Как фамилия?

— Он не представился, просто сказал, что звонили и... Вас хотел видеть, но... Потом, когда я подняла вот эти документы, он заинтересовался той фирмой...

— Обувной? — спросила Катя. ПОЖИЛОЙ, В СЕРОМ КОСТЮМЕ... ЗВОНОК ИЗ ФСБ. — Скажите, пожалуйста, а голос у него был какой? Бас, да? Густой такой, как колокол, а сам он был небольшого роста?

— Да, точно, забавно так, несуразно, — секретарша кивнула. — Он запросил данные о фирме «Восток юниверсал», но там же аренда закончилась одиннадцать лет назад, и что стало с этим предприятием... с этим магазином восточных товаров...

— Магазином восточных товаров?

— Да, я забыл вам сказать, — Смирнов пролистал документы. — Вот тут указана цель аренды. Арендован был весь первый этаж дома под магазин восточных товаров — мебель, пряности, ароматы, текстиль, художественные работы, а также видеопродукция из стран Юго-Восточной Азии, из Таиланда.

— Значит, там был магазин товаров из Таиланда, а потом случился пожар? — уточнила Катя. — А причина его не указана?

— Написано в акте: короткое замыкание... ну да, дом старый, проводка ни к черту... а тут приписка, возможно, и поджог... Да, и это могло быть — помните, что в девяностые творилось, беспредел. Вполне и конкуренты могли поджечь.

— И потом все одиннадцать лет здание стояло пустым?

— Получается, что так. Центр города, странно... И эти отказы от аренды... Вот — арендовано флористическим салоном, и через неделю — отказ... И еще отказ, они все уезжали оттуда очень быстро. Да, дом стоял пустым. Кто бы мог подумать: в двух шагах от Кремля — пустым!

— А по этой фирме «Восток», по магазину еще есть какие-нибудь сведения? Фамилии владельцев?

— Этим и тот посетитель интересовался, — вмешалась секретарша. — Там значится фамилия коммерческого директора — некто Петросян Платон... И я подумала, — секретарша взглянула на Смирнова, — не мог ли это быть Платон Саркисович, который...

Смирнов помолчал.

— Вполне, — сказал он наконец. — Дом в центре, в двух шагах от Кремля... Вполне, вполне... Ну-ка, там подписи должны быть, — он снова пролистал бумаги. — Его завитушки, узнаю. Бизнес он тогда уже имел, а бизнес и государственная служба, в общем... Вряд ли что-то узнать у него сможем, даже если это и он тогда все это возглавлял.

— Никак невозможно? — Катя взирала на Смирнова с такой надеждой.

— Ну, сложный человек, понимаете? Очень сложный и осторожный.

— Не могли бы дать мне его телефон?

— Могу, только вряд ли у вас что-то получится. Не станет разговаривать.

— Но почему?

— Сложный человек, — ответил Смирнов уклончиво. — Установка такая по жизни. А может, это и не тот Петросян, мало ли в Бразилии донов Педро... Хотя Платон и подпись... его это подпись, точно. Ладно, ради Левона Михайловича, ради профессора, который моего отца от психушки спас... Вот что, я сам ему позвоню и постараюсь договориться, чтобы он принял вас. Может, как армянин армянину окажет содействие профессору Геворкяну... На это и надо бить — на их армянскую солидарность, больше-то просто не на что. Никаких рычагов воздействия — увы.

Глава 35
ЗАДЕРЖАНИЕ

— Не пойму, что тут у нас ночью творилось. Я крик услышал из дома Дьяковых. Не один я слышал, вся наша улица, все соседи разом с постелей повскакали! На двор кинулись.

Полковник Гущин и приехавшие вместе с ним в подмосковный город Дзержинск оперативники беседовали со свидетелем — соседом семьи Дьяковых по улице Силикатной. Сосед был пожилой, обстоятельный, но, видно, ночные события вывели его из душевного равновесия надолго.

— В аду так орут, когда черти кожу дерут. Ей-богу, никогда ничего подобного... Чтобы женщина так кричала... чтобы она, Лариса, вот так... Выскочил я на улицу — тьма хоть глаз выколи и забор... Ихний забор такой... разве что увидишь?

— Но все-таки что вы видели ночью? — Гущин на-
стаивал. Свидетельские показания сейчас были очень
важны.

По прибытии в Дзержинск оперативная группа
сразу столкнулась с проблемами. До приезда Гущина
и его команды наблюдение вел местный участковый.
Но у него в эту ночь, как назло, было несколько вы-
зовов на места происшествий. Под утро он прибыл на
Силикатную улицу и застал дом Дьяковых пустым, а
соседей в великом страхе и брожении умов.

— Итак, что вы видели? Мысль об убийстве вам на
ум пришла? — Гущин «помогал» соседу Дьяковых.

— Перво-наперво, как же! Так Маше, жене, и сказал: убили, а может, в дом влезли — режут, грабят...
Но как я на двор-то свой выскочил и к калитке ки-
нулся... В общем, решил обождать, не соваться. А тут
и соседи повысыпали: Семеныч, что там? Кто кричал?
Ну, собрались... Я подумал, были бы грабители, то не
выдержали бы, потому как огласка уже... А тут фары
светят — «Скорая» кандехает и прямо к Дьяковым.
Он-то машине ворота распахнул, ну тогда я понял —
не разбой там у них, а...

— Кто «он», назовите, пожалуйста, конкретно.

— Да старший сын Ларисы — Петр. Ох, и вид у
него был... Он и в «Скорую» с ними сел, когда ее
на носилках санитары из дома выносили, сначала-то
сердце пытались запустить этим самым... ну разрядом-
то... а потом понесли, а он за ней, рыдает, как пацан.
Сел туда с ней, в «Скорую», и ворота даже не закрыл.
Вона они, гляньте — до сих пор настежь.

— И больше Петр Дьяков в дом не возвращался?

— Нет, вернулся около восьми утра. Я на дворе
кур кормил, видел, как он по улице шел... Ну, сразу
понял — померла Лариса-то... Тогда она еще померла,
ночью, когда на носилках ее выносили. Не вытащили

они ее — врачи-то, не откачали... Ох и лицо было у Петьки, не видел я его таким никогда. А потом он собаку пошел хоронить, лопату взял.

— Собаку хоронить? Утром? После того, как мать его отвезли в больницу?

— Ну да, я еще подумал — чего это... Кто знает, что там у них было ночью? Крик такой, что стекла задрожали... Верите, я холодным потом с головы до ног облился. До сих пор забыть не могу — вон руки дрожат.

— А что за собака у них была? Правда, что бойцовской породы? — спросил Гущин.

— Этот, как его... Буль... ну морда такая вся как у гиены. Злой кобель, чуть кто к воротам их подойдет, сразу кидается, лает.

— И куда Петр Дьяков пошел пса хоронить?

— Не знаю, туда куда-то, к гаражам, — сосед Дьяковых махнул в сторону железнодорожных путей. — Хоть и утро было уже, а я... побоялся спрашивать у него, что и как. Такой видок у него был — краше в гроб кладут. А потом он в машину сел и уехал.

— В какую машину?

— Две у них. Легковую он взял, серую иномарку. На ней все Лариса в магазин да за пивом ездила. Лихо водила баба... А ворота-то так и не закрыл он, словно и возвращаться не собирался — заходи кто хочет, бери все.

— А другого сына Ларисы Дьяковой что, не было?

— Гришки-то? Не видел я его. Нет, ночью там у «Скорой» не было его, только Петр, старший. А младший вот уж несколько дней не появлялся. И машины его, на которой он из химчистки белье возит, мы с женой тоже не видали.

— А вообще обстановка в их доме какая все это время была?

— Да какая обстановка? Я ж говорю — заборище у них, не в щели же мне с улицы подглядывать, — свидетель пожал плечами. — Жили как все. Тихо, ну иногда поскандалят... В основном покойница, Лариса, все сынов уму-разуму учила. Попивала она шибко, а так ничего вроде — жили своей семьей, сепаратно. Химчистка у них вон была, значит, деньги имелись. Одевались, питались, дом вон какой у них.

— Подвал в доме у них есть?

— А как же. У нас тут в частном секторе без подвалов нельзя, потому что огороды у всех. Что посадим, то и едим.

— А женщины, молодой женщины вы у них примерно неделю — две недели назад не видели на дворе?

— Нет, не видел. Чего зря врать, — свидетель покачал головой, — да Лариса-то и не позволила бы сынам баб водить домой. Вот так она их держала. Что скажет, то и выполняют. Волевая была... да, крутая, я бы сказал, недобрая... Но царствие ей небесное, о покойниках плохо не говорят. Но это они из-за нее до сих пор в холостяках бегают. Уж больно командовать ими любила.

Однако прежде чем заходить с обыском и понятыми в пустой дом Дьяковых, полковник Гущин лично отправился в местную больницу — в морг, где по распоряжению следователя прокуратуры в спешном порядке шло вскрытие трупа Ларисы Дьяковой.

ТО, ЧТО ОНА УМЕРЛА ИМЕННО СЕЙЧАС, КОГДА ОНИ В СВОЕМ РАССЛЕДОВАНИИ, КАЗАЛОСЬ, ПОЧТИ ВПЛОТНУЮ ПРИБЛИЗИЛИСЬ К...

Нет, в такие совпадения полковник Гущин не верил, отказывался верить. Разговаривая с соседом Дьяковых и другими свидетелями ночных событий на улице Силикатной, он был убежден, что Лариса Дьякова — одно из главных звеньев ЭТОЙ ЦЕПИ, которую они только-

только нащупали, убита. Кем? Собственным сыном? Решающее слово было за судебно-медицинской экспертизой о причинах ее смерти.

— Простите, но я не понимаю, зачем пороть такую горячку? — Врач, проводивший авральное вскрытие, был измотан и зол. — Неужели такой очевидный случай не мог подождать до завтра?!

— Вы сказали, очевидный случай? Какова причина смерти Дьяковой? — Гущин ВСЕ РАВНО НЕ ВЕРИЛ.

— Да инфаркт, обширный инфаркт миокарда... Сердце в клочья разорвалось... на почве застарелой ишемической болезни и неумеренного потребления алкоголя. Уровень его в крови умершей велик. Самая обычная смерть.

— Но мы подозреваем убийство. Вы уверены?

— Абсолютно уверен. — Врач закурил. — Что я, инфарктов не видел, что ли? Правда, у этого общая картина очень уж брутальная... Потом пьянство хроническое — вот и результат. О своих подозрениях можете забыть, это смерть вследствие естественных причин.

— Но свидетели в один голос твердят, что слышали ее крик.

— Бывает. В картину инфаркта как раз вписывается — острые загрудинные боли. — Врач затянулся сигаретой. — Копию заключения я вам пришлю позже.

Гущин вышел из здания больницы, плюнул в сердцах.

— Назад на Силикатную!

Возле дома Дьяковых уже ждали сотрудники местного ОВД, эксперты, участковый и понятые из соседей.

— А собака-то ихняя не бросится?

— Сдохла собака.

— Как так сдохла? И она тоже?!

Часть оперативников осталась во дворе осматривать гараж и хозяйственные постройки. Гущин, после того как вскрыли дверь (она была не заперта, просто захлопнута), вошел в дом.

Тяжелый какой запах... Что-то он напоминает... ЧТО ОН НАПОМИНАЕТ?

На террасе хаос и бардак — осколки разбитой бутылки, еще какое-то стекло. На столе на грязной клеенке — закуска. Полосатый коврик сбит — тут на полу лежала Дьякова, когда врачи «Скорой» пытались запустить ее сердце. Кругом валяются обертки от игл, шприцы, пустые ампулы, клочки ваты...

— Подвал, здесь подвал! Вход со стороны кухни у лестницы, — доложили оперативники.

Когда Гущин спустился ТУДА, он понял — нет, не напрасно. Это тот самый след.

— Пол и стены совсем недавно мыли, скребли. Мы возьмем образцы на наличие следов крови.

— Товарищ полковник!

— Что там еще? — Гущин намеревался осматривать этот подвал лично и очень тщательно. Возможно, именно здесь они — эта странная семейка — и держали Марину Заборову. Если только, конечно, это и правда были ОНИ, те самые.

В Дзержинском ОВД ждала свидетельница-китаянка, последней видевшая Марину Заборову — в тот день, когда в районе аэропорта Домодедово шел дождь и та голосовала, стремясь поймать частника, а потом села в машину — на глазах у свидетельницы. Только пока некого и нечего было опознавать. Лариса Дьякова умерла, машины во дворе отсутствовали, а сыновья...

— Товарищ полковник! Он! Синий «Фиат» в начале Силикатной, направляется сюда прямо к дому. С поста по рации только что доложили.

— Полная готовность!

Солнечный свет улицы после сумрака подвала показался Гущину резким и неприятным.

Синий «Фиат»-пикап с надписью на борту «Уют и комфорт» въехал в настежь раскрытые ворота. Из машины выпрыгнул молодой парень — смуглый брюнет в кожаной косухе. Мгновение, всего лишь одно мгновение он в полной прострации взирал на дом, на приближавшихся со всех сторон к машине оперативников, а потом вдруг крикнул что-то хриплое, нечленораздельное, кажется, проклятье и...

— Стой! Будем стрелять!

Григорий Дьяков, забыв о том, что ворота за его спиной открыты, бросился через весь двор к сараю, что вплотную был пристроен к забору. Видимо, хотел вскочить на крышу, а оттуда сигануть на соседний участок. Но это был глупый и заведомо проигрышный маневр. Оперативники стащили его вниз, скрутили.

— Менты... Добрались все-таки... Менты, сволочи... все равно ничего не скажу, слышите вы?! — Он хрипел, выплевывая из себя ругательства.

— Скажешь, сынок, — Гущин на своем веку видел много задержаний. — Все скажешь, и прямо сейчас. Ну-ка давайте его туда, в подвал. Там осмотр еще не закончен.

Глава 36
ЛЮБОВНИК

Руфина сама лично открыла входную дверь на настойчивый и резкий звонок (новую горничную так и не нашли за эти дни, а домофон, как назло, сломался) и... попятилась.

— Вы кто? Вам кого?

— Мне Августину... Августу, дома она? Мне видеть ее нужно, дома она?!

Руфина узнала его — тот бородач, поклонник, с которым они познакомились в ГУМе, но какой же он сегодня странный... пугающе странный...

— Подождите, куда вы?

— Она дома?

— Дома, но она занята... пожалуйста, подождите и... Зачем она вам так срочно понадобилась?

— У меня мать умерла.

— О... простите, простите меня... проходите, сядьте, на вас просто лица нет... мои соболезнования.

— А вы ее сестра, я вас помню. — Петр Дьяков опустился на диван в зале.

Руфина глянула на его грязную куртку, на толстый слой глины, налипший на кроссовки.

— Еще раз примите мои соболезнования и... вам определенно надо выпить. — Она подошла к стене и открыла бар. — А что случилось с вашей матерью?

— Я сначала даже не понял, испугался... А потом врачи, когда приехали, сказали — сердце. Но я не знаю, я был в гараже, а она в доме, я услышал, как она кричит, страшно кричит.

— Вот коньяк, вам надо успокоиться. Пейте.

— Где Августина?

— Она занята, у нас посетительница. Посидите, придите в себя, я сейчас посмотрю, как они там. Скоро Августа должна освободиться. И...

— Что? — Петр Дьяков поднес к губам хрустальный бокал с коньяком. Хрустальный бокал, память о великой Саломее...

— Если тут одна особа вдруг появится, не обращайте внимания. Это наша младшая, она больна.

Покинув нежданного гостя, закрыв за собой плотно двери, Руфина неподвижно застыла в холле. Августа принимала очередную клиентку в бывшем кабинете матери. В этом кабинете часто любил сидеть и брат Тимофей. Приходил, располагался в кресле возле старинного бюро. Мать вставала поздно и всегда, поднявшись с постели, с чашкой горячего шоколада шла в кабинет — к сыну. И они разговаривали. А иногда в отсутствие матери Тимофей (тогда еще совсем мальчик) украдкой поднимался в ее спальню. Но мать гневалась, застукав его возле своего туалетного стола. Гневалась, умоляла, просила... Просила, гневалась, умоляла — и так все годы, пока он рос и мужал, пока он был еще с ними...

А теперь кабинет занимала Августа. И сейчас она там с клиенткой, которая... Нет, нельзя допустить огласки. У клиентки высокопоставленный муж. Она приехала инкогнито на такси. И если этот придурок, этот бородатый тюфяк, которого Августа для чего-то держит подле себя, увидит ее, то...

Руфина подкралась к двери кабинета и приложила ухо к замочной скважине. Скоро они там закончат?

— Ваш сын вырос, несколько лет назад вы пытались завести еще одного ребенка, но у вас был выкидыш, и это отдалило вас от мужа. А когда вы захотели снова восстановить отношения, он оказался не готов. Сейчас вы живете с мужем практически раздельно, хотя из-за его служебного положения развод для вас обоих невозможен. Муж отгораживается от вас делами, длительными поездками в регионы, а вы... вы не можете простить ему измены... Начинаете день бокалом мартини и заканчиваете...

— Это все правда, чистая правда. Откуда вы знаете? — Клиентка рыдала. А голос Августы был голосом истинной Парки.

— Снимите, пожалуйста, ваше обручальное кольцо. Вот так. Дайте его мне, смотрите сквозь него, что вы видите?

— Ничего... туман, это слезы, простите... радугу, я вижу радугу!

— Это хороший знак, — Августа зашуршала чем-то там, за дверью кабинета. — Мы сейчас с вами прочтем вот эту мантру. — Я буду читать наизусть, а вы вот по этой бумажке.

«ГОЛОВУ БАБЕ МОРОЧИТ, — Руфина вслушивалась в происходящее. — КОГДА НИКИ С НАМИ НЕТ, ЧТО МЫ МОЖЕМ... НИЧЕГО, НИЧЕГО, ВОТ МАТЬ ПОСМЕЯЛАСЬ БЫ НАД НАМИ... А ВЕДЬ МЫ ДУМАЛИ, ЧТО ВМЕСТЕ МЫ ГОРЫ СВЕРНЕМ. И БРАТ ТИМОФЕЙ НАДЕЯЛСЯ... А ЧТО ПОЛУЧИЛОСЬ? ПРОВАЛ. ПОЛНАЯ ДУХОВНАЯ КАСТРАЦИЯ... ЕСЛИ И ЕСТЬ НАКАЗАНИЕ — ТО ВОТ ОНО... ВОТ ОНО... МНЕ-ТО ЗА ЧТО? Я ВЕДЬ В ЭТОМ НЕ УЧАСТВОВАЛА, А ТО, ЧТО СМИРИЛАСЬ И ТЕРПЛЮ, РАЗВЕ ЗА ЭТО МОЖНО КАРАТЬ, ОТНИМАТЬ ДАР? НО У НАС ОТНЯЛИ ДАР, И ТОЛЬКО НИКА... ПОБЕДИТЕЛЬНИЦА НИКА ЕГО ИМЕЕТ, НО ПЛАТИТ ЗА НЕГО СВОЮ ЦЕНУ, СТРАШНУЮ ЦЕНУ...»

— Тут так мелко написано, я не вижу без очков, — клиентка всхлипывала. — Скажите, откуда вы все это знаете? Ведь это же секрет!

«НЕ ТАКОЙ УЖ И СЕКРЕТ, — Руфина хмыкнула. — ЕСЛИ КАК СЛЕДУЕТ ПОДГОТОВИТЬСЯ К СЕАНСУ, ПОРЫТЬСЯ В ИНТЕРНЕТЕ НА РАЗНЫХ ТАМ ЖЕЛТЫХ САЙТАХ, ВСЕ СПЛЕТНИ СОБРАТЬ, ТО МОЖНО И УГАДАТЬ С ТРЕХ РАЗ. АВГУСТА К ВАШЕЙ ВСТРЕЧЕ ХОРОШО ПОДГОТОВИЛАСЬ. И ПОТОМ ВСЕ ЭТИ ВАШИ ПРОБЛЕМЫ ТАК ПОХОЖИ...»

— Вы стесняетесь носить очки. Вашему мужу это не нравится. Ничего, просто держите этот листок в руке, я сама прочту мантру. Все устроится. Вы же видели радугу, а это благоприятный знак. Жизнь не кончается в пятьдесят лет.

— Мне бы стало намного легче, если бы мы развелись, честное слово, — голос клиентки дрожал. — Когда я не вижу его, я... привыкаю, а потом нам надо ехать вместе на какое-то официальное мероприятие, протокол требует и... Он берет меня под руку, и это такая мука, если бы вы знали... Ведь я всегда любила его и сейчас люблю, это он не любил, женился на мне только из-за карьеры.

— Мантра очистит ваши чакры и откроет их навстречу той радуге, что присутствует в вашей ауре. В следующий сеанс, когда вы приедете, мы попытаемся связаться с кем-то из проводников, благожелательных к вам.

— С кем?

— Может быть, с духом вашей покойной бабушки... Проводники, мы их так называем.

— О боже, но...

— А пока примите мой совет — заведите любовника. Молодого, сильного, пусть жадного до денег, но с неуемным аппетитом, вы понимаете? Ну, кто-нибудь из охраны, у вас же там такие красавцы-атлеты... Если потребуется, заплатите ему. Не принимайте ничего всерьез, просто относитесь к этому как к спорту, секс есть секс. И не бойтесь огласки, вспомните принцессу Диану, вы так на нее похожи, дорогая моя. И заверяю вас — результат не заставит себя ждать. Все мужчины, какие бы посты они ни занимали, — бешеные ревнивцы, а вы расцветете как роза.

Руфина разогнулась, потерла поясницу — подслушивать у замочной скважины — это же чистый радикулит. Ничего, сейчас они закончат, и Августа вежливо ее выпроводит — такси ждет за углом. На вопрос, а зачем вы ездили на Малую Бронную, всегда можно

ответить: «Я была в обувном бутике «Кристиан Лубу-
тэн».

Такси ждет за углом...

Сколько таких вот на желтых такси с шашечками
приезжали в свое время к матери...

Этот тюфяк, бородач, сказал, что мать его умерла.
И наша...

Наша тоже...

Великая Саломея умерла. Ее сердце разбилось вдре-
безги, когда она поняла, что больше у нее нет сына...

ТИМОФЕЙ...

— Что? Что ты тут торчишь под дверью? Что еще
стряслось? Опять Ника? Не пускай сюда, нельзя, чтобы эта курица расфуфыренная ее увидела, — Августа
в шелковой шуршащей юбке до полу и черной блузке
вышла из кабинета.

— Твой ухажер приперся, — прошипела Руфина.

— Какой ухажер? Терминатора я его старухе не за-
казывала, не звонила.

— Тот, бородатый...

— Ах тот, — Августа дернула плечом. — Решился
все же прийти в гости. Без зова. Ладно, сейчас я приду, только эту посажу в такси. Где он?

— В зале сидит. Говорит, у него мать умерла.

Запах духов... Руфина вдохнула: сколько же Августа вылила на себя? Целый флакон? Все утро жалова-
лась, что в доме пахнет дерьмом... Не так еще будет
вонять, если они опять... если та страшная ночь по-
вторится...

Прошло десять минут, а может, больше или меньше — кто считал? Петр Дьяков, слегка осоловевший от
коньяка, выпитого на пустой желудок, от бессонной
ночи, от горя, сидел на диване, смотрел на портрет
женщины в черном платье с узким смуглым лицом,
державшей в руке хрустальный шар. Стало быть, это

Саломея, их мать... Вот она какая была... И, помня легенды о ней, Мама Лара отправилась к ее дочерям — «вдруг помогут». Кто поможет ей самой теперь там...

Двери распахнулись, но света в зале не прибавилось, наоборот, стало как-то даже сумрачнее, темнее. Петр увидел Августу на пороге.

— Ты? Здесь?

Он поднялся и пошел на нее, как бык идет на тореро, а может, пьяный от коньяка тореро идет на быка. Ближе, ближе... Августа очутилась в его медвежьих объятиях. Он попытался повернуть ее лицо к себе, чтобы губы были ближе... Балеты, рестораны, вся эта фигня... он давно ее хотел, он сразу ее захотел, едва увидев там, в магазине возле винных стеллажей. Хоть бы поцеловать сначала... Костлявый какой подбородок... и сила... такая сила...

— Пусти! Ты что меня лапаешь? — Августа с неожиданной злостью и силой оторвала его руку от своего лица. Она была вся как стальная пружина, но это его и заводило, распаляло.

— Мать умерла... сегодня... погибаю, не могу без тебя... такой ужас, что я пережил... ну хоть пожалей...

Она вырвалась из его рук, а он сполз вниз, цепляясь за шелк ее одежд. И остался там, внизу, на коленях у ее ног.

— Ну не надо, успокойся, слышишь? Успокойся... я тут, с тобой, я просто не люблю, когда меня вот так хватают, как шлюху, — Августа сначала наклонилась, а потом тоже опустилась на колени рядом, заглядывая в его лицо. — Что? Беда, да?

— Мать... мама...

— Беда, беда...

— Так кричала... И когда я к ней вошел... я не знаю, что это было... Страшно, понимаешь? Я мужик, никогда ничего не боялся, а тут... Я вон вылетел, бросился к телефону. Потом «Скорая» приехала, а я... до врачей я так туда к ней и не входил, потому что... испугался...

— Я не понимаю, — Августа всматривалась в его лицо. — Ты успокойся.

— Я всю ночь был в больнице, хотя мне сказали сразу — все, мол, надежды нет, но я не мог домой вернуться, пока темно было. Потом уже утром приехал, забрал собаку... мертвая она, сдохла... шерсть дыбом... зарыл, закопал и сюда к тебе, я сразу о тебе подумал, может, поможешь...

— Чем?

— Ну как же, — Петр Дьяков сжал ее руку. — Вы же... вы же все ее дети, — он кивнул на портрет Саломеи. — И мать знала, вы же разное можете. И такое, когда в доме... я не знаю, что это было... нечисто было, не так — я это почувствовал, у меня волосы дыбом встали, как у Роя, у пса... Вы же медиумы, мать, моя мать к вам ездила.

— Твоя мать? Когда?

— Неделю назад.

— Как ее звали?

— Мама Лара... Лариса Павловна.

Августа резко встала, попыталась поднять с пола и Дьякова. Но тут...

Звук был такой, словно скрипит старая рассохшаяся дверь. Они обернулись.

Под портретом Саломеи стояла Ника. Как она появилась в зале, они не заметили. Темные пряди, когда-то шелковистые и густые, теперь свисали нечесаными патлами по обеим сторонам ее лица. Она улыбалась, но ЭТО трудно было назвать улыбкой, скорее оскалом. ЭТОТ ЗВУК, этот непередаваемый словами звук — скрип, скрежет, хрипение, казалось, шел прямо из ее утробы.

— На хвоссссстеее... принессссс, на хвосте-е-е за сссссссо-бой-й-й... сссюда-а-а, прямо сссюда-а-а-а, — она указывала скрюченным пальцем куда-то в окно. — Тот раз-зззз не вышшш-шш-ло-о-о, выйдет тепе-е-е-ерь...

Августа схватили сестру за плечи, резко тряхнула:

— Очнись! Слышишь, очнись! Прекрати!

Ника что-то косноязычно мычала, но Августа продолжала ее яростно трясти, а потом даже наградила двумя звонкими пощечинами.

— Перестань! Очнись!

Ника поникла, потом подняла голову, взгляд ее стал более осмысленным. Она озиралась, словно впервые видела зал, портрет матери...

— Домой не ходи.

Петр Дьяков вздрогнул: ЕМУ ПОКАЗАЛОСЬ... ЕМУ ПОМЕРЕЩИЛОСЬ, ЧТО ЭТО СКАЗАЛА ЕМУ МАТЬ. УСТАМИ ЭТОЙ ВОТ... СРАЗУ ВИДНО, ЧТО БОЛЬНОЙ, НЕНОРМАЛЬНОЙ...

— Что?!

— ДОМОЙ НЕ ХОДИ... ИЗ ПОДВАЛА НЕ ВЫПУЩУ.

А это сказал уже совсем другой голос. Петр Дьяков попятился. Лицо Августы стало белее мела.

Глава 37

ДОПРОС

Это был САМЫЙ СТРАННЫЙ ДОПРОС, который полковник Гущин вел в своей жизни. И дело было не в вопросах и ответах, дело было в ощущениях.

ЭТО возникло сразу, как только они снова зашли уже вместе с арестованным Григорием Дьяковым в дом.

Сбитые половики...

Следы, оставленные «Скорой»...

И еще что-то...

Григорий Дьяков сначала выходил из себя: где моя мать? Что вы с ней сделали? Что тут было? Где моя мать?! Где брат? Но вдруг он буквально поперхнулся, словно очередное ругательство кляпом забило ему рот. Вытаращенными глазами уставился куда-то в стену. Гущин долго потом не мог забыть этот его взгляд...

А когда они спустились в подвал к работавшим там экспертам, то... То Гущин убедился, что ЭТО СТРАННОЕ, ОЧЕНЬ СТРАННОЕ ЧУВСТВО испытывает здесь в доме не только он один.

— Не по себе что-то очень, Федор Матвеевич, — тихо, так, чтобы никто не услышал, шепнул ему старший криминалист Сиваков. — Мрак прямо какой-то тут кругом.

— Что с уликами? Есть? — спросил Гущин.

— Стены, пол явно пытались замыть недавно. Экспресс-анализ указывает на наличие следов крови. Сравним с генетическим материалом по убийству Заборовой, думаю, результат будет положительный. Но...

— Что еще?

— Не по себе здесь как-то, — снова повторил эксперт. — И ребята тоже это чувствуют. На воздух хочется скорее отсюда.

— Ваша работа? — Гущин показал Дьякову снимки, сделанные там, в Куприяновском карьере. — Ну? Ваша? Твоя?! Говори же, ведь все знаю — как к воде тащили, хотели топить, собака еще ваша там была. Ну?!

Григорий Дьяков втянул голову в плечи. Но не от окрика Гущина, нет. Его тело внезапно с ног до головы пронзила острая неуемная дрожь. Потом он снова как-то дико и странно глянул — куда-то туда, мимо Гущина, мимо экспертов, словно что-то увидел на серых бетонных стенах подвала. Лицо его покрылось мелкими каплями пота.

— Здесь пытали ее?

— Да... тут...

— Ты и твой брат?

— Да.

— А мать... Лариса Дьякова?

— Она... она тоже была... где она?

— В больнице, — Гущин не мог ему сказать правду.

— В больнице, — Дьяков смотрел куда-то мимо. Зрачки его были расширены, как у наркомана. Но то был не наркотик, то был ужас — Гущин понял это, потому что и сам вдруг...

ЭТОТ ЗВУК... негромкий, еле осязаемый, еле слышный звук, словно что-то треснуло — кокон, скорлупа, и заскребло, заскребло, заскребло когтями по бетону, пытаясь вырваться... добраться... проникнуть сюда...

ЭТО ПРОСТО НЕРВЫ... НЕРВЫ РАЗЫГРАЛИСЬ, Я НИЧЕГО НЕ СЛЫШУ. Гущин стиснул зубы.

— Что с тобой? — громко и резко спросил он Дьякова.

— Я... давайте уйдем отсюда... ради бога, я прошу, давайте уйдем скорее отсюда.

— Совесть заела? За что пытали Заборову? За что убили ее?

— Я... не могу здесь.

— Банк на Новой Риге одиннадцать лет назад кто взял? Вы?

— Мы... но я не... я пацан был, я просто не знал тогда, — лицо Дьякова сморщилось. — Я не знал, это все мать, все она... она и эту бабу убить велела, крикнула мне: «заткни ее»... Я не хотел... А тогда давно с этим банком... мы ничего не получили, ни копейки, ни бакса... У матери хахаль был Цветухин Женька...

Он все забрал и мать кинул... Мы все вместе делали, Петька-брат там в хранилище с ним был, сейфы вскрывал, я ждал в тачке... Мы должны были поровну все иметь, а он, Цветухин, он нас всех кинул, забрал все и сбежал... Мы все эти годы искали его, мать искала... А эта девка, она с ним спала, информацию ему давала по банку, по сигнализации... Она могла знать, где он скрывается, но...

— Она сказала вам, где Цветухин?

— Нет, кричала, что не знает, что уже много лет ничего не знает о нем... Пожалуйста, я прошу вас, давайте уйдем отсюда!

— Уйдем, когда скажешь мне все. Всю правду, — Гущин ощутил, как пот струится и по его лицу. Что-то давит... так давит... Вот-вот выберется и раздавит, расплющит в прах. — Искали, говоришь, подельника все эти годы? Где искали? По каким адресам?

— По всем... мать через своих пыталась узнать... к гадалкам даже ездила... Мы все адреса проверяли, но он, Цветухин, он врал нам тогда, к матери приезжал, спал с ней и врал ей в глаза — понимаете? Он уже тогда все хотел забрать себе, все деньги. Те адреса, которые он называл, — все были липа... Один только... но я всего раз там его видел и то случайно... а потом там был пожар, все сгорело.

— Где сгорело?

— В том доме, там был какой-то магазин, барахло из Таиланда... Но я однажды Женьку там видел... А три дня назад этот адрес был в газете, я увидел его случайно и...

Григорий Дьяков внезапно с силой оттолкнул от себя Гущина, снимки с места убийства веером разлетелись. Тело Дьякова согнула судорога, оно завертелось волчком, словно какая-то сила засасывала его в себя. А потом эта же сила бросила его на бетонный пол, на то самое место, где когда-то был сооружен ворот-дыба, но предусмотрительно разобранный, когда здесь в подвале подчищались все следы.

— Вытащите меня отсюда! — завизжал Дьяков. — Клянусь, я все расскажу, только вытащите... Неужели вы ничего не слышите?! Уйдем отсюда скорее-е-е!!

Глава 38
АРМЯНСКАЯ СОЛИДАРНОСТЬ

Ждать пришлось долго, так долго, что... Катя даже подумала в который уж раз: на кой черт мне все ЭТО сдалось?

Из всех известных Петросянов на ум приходил лишь юморист из «Кривого зеркала». Но и то правда, мало ли в Бразилии донов Педро... А тот Платон Петросян, чье имя прозвучало в связи с арендой дома в Никитниках одиннадцатилетней давности, оказывается, был еще и «крайне сложным», осторожным, неуступчивым.

— Я с ним связался, кажется, мы договорились. По крайней мере, имя профессора Геворкяна на него впечатление произвело. Он согласен встретиться с вами. За остальное не ручаюсь. Там уж вы сами действуйте. — Смирнов вывел Катю из состояния отрешенности и скуки.

А ГОВОРЯТ, ЧТО ВСЕ ЧИНОВНИКИ — БЮРОКРАТЫ... НЕ ВЕРЬ ТОМУ, ЧТО ГОВОРЯТ...

— Спасибо вам большое, — Катя была искренне благодарна.

— Петросян ждет вас через сорок минут в японском ресторане отеля «Балчуг Кемпински».

От Биржевой площади до отеля ехать было недалеко — всего-то через мост. Но на Славянской площади, на Варварке и Китай-городе стояла мертвая пробка. Опаздывать Катя не собиралась, есть встречи, на которые невыгодно опаздывать. И наддала хода. Вниз к Варварке, на мост к Балчугу. С моста, если повернуться спиной к Кремлю, открывался совершенно дикий, марсианский какой-то вид на грандиозный пустырь — в самом сердце города, затянутый уродливыми аляпистыми щитами. Когда-то здесь была гостиница, ее сломали, и теперь тут то ли заброшенная стройплощадка, то ли просто помойка.

Именно сюда смотрели окна ресторана, в этот несуетный час он был тих и благороден, весь отделанный темным деревом. На фоне окна, на фоне строительного пустыря, на фоне щитов с рекламой футбола, Катя увидела невзрачного лысого человечка в отлично сшитом черном костюме. У него были темные глаза — проницательные и колючие.

— Присаживайтесь.

— Добрый день, спасибо.

— Кофе?

— Спасибо, — Катя положила сумочку.

Пить кофе в японском ресторане...

— Черный или со сливками?

— Со сливками.

— Неожиданный звонок.

— Да, но мы просто вынуждены к вам обратиться.

— «Мы» — это кто? Была названа фамилия профессора Геворкяна. Это очень уважаемый человек. В том числе мной уважаемый. Хотя мы и незнакомы.

— У него сейчас сложный пациент. Он пытается разобраться, помочь.

— Он... хорошо, а вы? Я так понял, что вы из милиции?

— Да, но... В этом деле я помогаю профессору. Поймите, это крайне важно.

— Крайне важно что? — Платон Петросян бросал
вопросы как мячи — только успевай ловить.

— До того, как совершить преступление, пациент
профессора проживал по адресу: Никитников переулок, 12. Там был склад обуви, его арендовали после
долгого перерыва. Последним арендатором перед пожаром, что там был, являлась ваша фирма «Восток
юниверсал».

— Я только ссужал деньги. И это было давно.

— Да, но...

— Где же связь? Что хочет узнать глубокоуважае-
мый мной профессор Геворкян?

— Я пока не знаю, какая тут связь. Но мы хотим
собрать все факты, все данные. Это очень сложный
случай, я бы сказала даже, странный случай... Пациент
профессора Геворкяна совершил тяжкое преступление.

— Я читал в газете, сразу увидел знакомый адрес.

Перед Катей поставили чашку кофе. Она поблаго-
дарила.

— Никакой связи. Магазин, под который я давал
деньги, закрылся одиннадцать лет назад. В том доме
мерзость и запустение.

— Да, мерзость и запустение... И ни я, ни профессор Геворкян не видим связи, однако...

— Что? — Глаза Петросяна по-прежнему были ко-
лючими, но в них вспыхивали искорки интереса. —
Так что?

— Нам просто необходимо собрать все факты, —
ответила Катя.

СЕЙЧАС ОПЯТЬ СПРОСИТ «ЗАЧЕМ?», И Я НЕ СМО-
ГУ ЕМУ ОТВЕТИТЬ, И НАША БЕСЕДА УМРЕТ САМА
СОБОЙ...

— Да, в связи с тем, что было в газете, я тоже этот
адрес вспоминал. — Петросян откинулся на спинку
деревянного самурайского кресла. — Ну тогда, один-

надцать лет назад, перед дефолтом, все как-то хотели заработать, куда-то вложиться со смыслом... Этот магазинчик... Почему бы и нет, думал я тогда — тайские штучки, разная восточная дребедень, это тогда продавалось, это покупали. В общем, ко мне поступило предложение, и я согласился. Я рисковал только деньгами, нельзя сказать, что это были большие деньги, но по тем меркам, одиннадцать лет назад, это был бизнес. Этот парень, который все затеял... Я не сразу понял, что он это все не всерьез. Так дела не делают, когда хотят вернуть то, что вложено в дело, и еще какую-то прибыль получить... Но у него были свои взгляды, свой интерес, и поначалу я мало на все это обращал внимания... Знаете, тайские штучки — мебель из ротанга, керамика и прочее... для любителей — азиатское порно пополам с пакетиками благовоний, шоу трансвеститов из Бангкока... Это не мой стиль, мы не секс-шоп открывали... И меня это как-то стало напрягать, а потом я узнал, что этот парень, мой номинальный компаньон, вообще...

— Что вообще?

— Он стал где-то пропадать, уволил почти весь персонал, сказал, что сам будет смотреть за магазином, что по выходным там будет работать его девушка... Все оказалось враньем. Потом я узнал, что он работает в банке охранником.

— Работает в банке охранником?!

— Я не поверил сначала, у меня в голове не укладывалось. Но это было так, я навел справки. Дела в магазине шли все хуже и хуже, там все было заброшено, пущено на самотек. И я понял... в общем, понял, что тут что-то нечисто. Что это не для меня. И я вышел из этого предприятия. А потом был дефолт, и все покатилось к чертям. Магазин закрыли. И затем там случился пожар — это все, что я знаю.

— Как звали вашего компаньона?

— Разве этого нет в документах?

— Нет. Там только ваша фамилия и ваша подпись.

— Странно. Я бы даже сказал, ловко... Его звали Женя, симпатичный такой был, молодой. Евгений Цветухин.

— Как? Как вы сказали? — Катя едва не уронила чашку.

— Судя по вашему вопросу, я поразил какую-то цель... важную цель, да?

— Не могу вам даже пока сказать... честное слово, я... Цветухин работал в банке охранником...

— Я имел дело только с ним, но там был еще один. Второй. Не знаю его имени, я с ним дел не вел. Видел, может быть, пару раз. Тоже молодой, гораздо моложе... Немного вычурный, эксцентричный, с хорошими манерами. Уж не знаю, кем он доводился Цветухину, но, кажется, они были очень близкими друзьями, насколько я мог заметить. Больше мы не встречались — с тех пор, как я вышел из дела. Спустя какое-то время я ехал мимо на машине и решил посмотреть, как там и что. И увидел заброшенное здание и следы пожара. Вы хотите еще что-то спросить?

— Все эти годы дом пустовал. Все, кто пытался его арендовать, очень быстро отказывались от аренды.

— Ничем не могу помочь. — Петросян усмехнулся, обнажая мелкие зубы. — Мои наилучшие пожелания профессору Геворкяну.

Глава 39
ОСТРЫЕ ГРАНИ

Как добралась до Главка, Катя не помнила — все выветрилось, выветрилось... Острые грани точили свое жало, они угрожали. Катя почти физически ощущала:

в ЭТОМ ДЕЛЕ с самого начала были лишь одни острые грани, как они все до сих пор ухитрились не пораниться о них насмерть?

БЫЛО ДВА РАЗНЫХ ДЕЛА... АБСОЛЮТНО РАЗНЫХ... И ВОТ ОКАЗАЛОСЬ, ЧТО ЭТО ОДНО ЦЕЛОЕ... ОДНО В РАЗНЫХ СВОИХ ВРЕМЕННЫХ ИПОСТАСЯХ...

Все выветрилось, кроме этого ЦЕЛОГО, ЕДИНОГО. Но ждать снова пришлось долго, очень долго. Катя сидела в кабинете Пресс-центра с включенным ноутбуком и пыталась... Нет, она ничего не записывала, она ждала полковника Гущина, который, по словам дежурного розыска, «задерживался в Дзержинске».

Гущин вернулся около десяти вечера. Катя встретила его внизу у КПП. Она уже готова была выстрелить в него своей новостью, но...

Вот странное дело: если бы у полковника Гущина на его глянцевой лысине рос хотя бы один волосок, то Катя... она бы сказала: он какой-то встрепанный, наш старина. Встрепанный в этот летний июньский вечер. ИЗМОЧАЛЕННЫЙ...

— Федор Матвеевич, да что с вами?

— А что со мной? Ничего. Порядок в танковых войсках.

Однако заявлено это было таким тоном, что Катя не поверила. Но некогда, некогда, некогда было разбираться, анализировать. Катя шла за Гущиным по коридору розыска по пятам и бомбардировала его, паля из всех своих орудий.

НОВОСТЬ... ВСЕМ НОВОСТЯМ НОВОСТЬ... БЫЛО ДВА РАЗНЫХ ДЕЛА, АБСОЛЮТНО РАЗНЫХ, А СЕЙЧАС...

ЧТО ЖЕ СЕЙЧАС?

И опять пришлось долго ждать. Но теперь пауза была просто необходима. Пусть и затянувшаяся пауза.

— Итак, — изрек наконец полковник Гущин, — что же мы теперь имеем в остатке...

И он в свою очередь выдал свою новость: о показаниях Григория Дьякова, данных им после задержания там, в доме, где они все ощущали себя как в логове хищника.

— Не может быть. Федор Матвеевич, что же...

— Может. Как ты говоришь? Было два разных дела... даже три, а теперь...

— А в убийстве Мазина Григорий Дьяков тоже признался?

— Об этом я его допросить не успел.

— Почему? Как же так? Ведь этот труп найден тоже в Куприянове, а они там были...

— Не успел допросить. Не знаю, что там с ним случилось, с этим парнем... Как будто с катушек сорвался. То ли истерика, то ли косить начал... Нет, не похоже, что притворялся, нет. Знаешь, когда на твоих глазах с катушек начинают сходить, то и сам ты невольно... — Гущин замолк. — Кофейку, что ли, горячего, а? Если честно, я бы коньяка хватил граммов двести для баланса, м-да... Ладно, в общем, муть там какая-то была с этим Дьяковым, и насчет Мазина я его так и не сумел допросить, не успел. Ничего, это от нас не уйдет, очухается, проспится, завтра по новой допрос начнем. А пока...

— Значит, Марину Заборову они вместе с матерью и братом убили.

— Лариса Дьякова умерла вчера ночью. Вроде инфаркт... Хотя я сначала заподозрил, что пришили ее. Но эксперт категоричен — инфаркт, и потом... В общем, не знаю, в доме у них дух какой-то тяжелый... Не знаю, признаться, теряюсь даже... Но улики мы собрали полностью, следы крови в подвале, хоть и убраться там Дьяковы успели тщательно. ДНК-экспертизу проведем, она не соврет.

— А брат Дьякова, Петр, он что же, получается, сбежал?

— Выходит, что так. И пока неизвестно, где он. Собаку сдохшую зарыл и в бега...

— Собаку... — Катя смотрела на Гущина. Что там было в доме Дьяковых? Отчего у полковника ТАКОЙ вид?

— И здесь фамилия Цветухина всплыла. Банк они все вместе брали, а потом он, по словам Григория, их всех кинул. Искали столько лет, но так и не нашли. Заборова там, в подвале, сколько они ее ни пытали, так ничего им и не сказала. Вроде тоже не знала, где Евгений Цветухин сейчас. Адресок всплыл, надо же... Никитники, 12. — Гущин закурил, глубоко затянулся. — А ты, Екатерина, молодец. Хоть и не в свое дело мешаешься, как обычно, но... молодец. Хвалю. Петросяна бы этого твоего допросить тут у нас.

— Он не пойдет. Точнее, прийти придет, если вызвать повесткой, но от всего откажется.

— Обыск надо делать повторный по вновь открывшимся обстоятельствам ТАМ. — Гущин снова глубоко затянулся.

— Федор Матвеевич, Пепеляев единственный, кто за эти одиннадцать лет жил в доме, где склад, а раньше был магазин. Остальные, кто пытался арендовать, по неизвестным причинам почти сразу же отказывались от аренды.

— Что ты хочешь этим сказать?

— Я? Не знаю, но профессор Геворкян, он...

— Вновь открывшиеся обстоятельства — это не Пепеляев, — отрезал Гущин. — Это Цветухин, о котором мы с тобой столько всего узнали за эти сутки. Он деньги туда мог привезти после ограбления банка, спрятать их там, раз у него там магазин был свой. При таком раскладе, если учесть, что Дьяков показывает и этот твой Платон Петросян, получается, что специально Цветухин в банк в охрану устроился, план у него был такой долгоиграющий. Готовился он к ограблению тщательно — Ларису Дьякову в подельницы взял, учитывая ее старые уголовные связи, сынков привлек в роли шестерок. А если кинуть их хотел, все себе забрать, то и к этому готовился заранее. Хазу себе там, в этом магазине, соорудил. А потом ударился в бега с деньгами, а магазин свой поджег, чтобы следы замести, чтобы подельники никаких уже концов не имели.

— Но там кто-то второй был. Петросян еще о ком-то упоминал, о каком-то приятеле Цветухина.

Гущин помолчал.

— Не все сразу, — он смял сигарету в пепельнице, — убийство Мазина висит, об этом с Дьяковым толковать будем, как только мозги ему вправят. Их рук это дело — я на девяносто процентов в этом уверен. И вообще... Зачем покойная Лариса Дьякова к дочерям Саломеи ездила? Григорий бормочет, что вроде как «гадать», может, отыщут пропавшего Цветухина. Но это же бред. Или ложь. И сами они, оба Дьяковы, там, на Малой Бронной, возле дома сестер ошивались. Записи-то с камер не врут, мы же по этим пленкам на них вышли. Ничего, нос не вешай, будем дальше разматывать клубочек. Но сначала — повторный обыск ТАМ, — Гущин взялся за телефон, — Елистратову из МУРа я прямо сейчас звоню, нам без его помощи не обойтись. Дом-то опечатан.

— Профессор Геворкян тоже должен присутствовать там, в Никитниках, — сказала Катя. — Вы обязаны его поставить в известность.

— Сама ему звони, если хочешь, — буркнул Гущин.

— Нет, вы, Федор Матвеевич, — Катя здесь уступать не собиралась. — Вы сами знаете, это такое дело...

не совсем обычное дело, так что Геворкян должен присутствовать. Тем более что он очень, понимаете, ОЧЕНЬ хотел побывать в доме, где последнее время жил Пепеляев.

Гущин только засопел и махнул рукой: ладно, будь по-твоему.

Перед тем как набрать номер полковника Елистратова, он вызвал к себе дежурного по розыску:

— Все данные на Петра Дьякова для объявления его в федеральный розыск.

Это было сказано уже вполне будничным деловым тоном, и Катя сразу как-то успокоилась.

Острые грани... пока удавалось лавировать между ними...

Пока удавалось...

В эту ночь свет во всех кабинетах розыска горел до утра. Не спали и на Петровке, 38, — полковник Елистратов объявил для своего отдела план «Сирена».

В особняке на Малой Бронной тоже в эту ночь не спали. Объявленный в федеральный розыск Петр Дьяков сидел в зале, пил коньяк. Графин из хрусталя баккара — память о великой Саломее — был почти пуст. Янтарная жидкость на самом дне.

Хрустальное дно...

Нет, нельзя сказать, что он пережил эмоциональный шок, когда младшая из сестер-Парок Ника сказала... произнесла те слова. Или кто-то их произнес... Правда, он видел, как шевелятся ее губы, но...

Нет, нет, нет, для шока он был слишком толстокож. Он ведь не испытал шока даже там, в подвале, когда родной его брат, которого он с детства помнил маленьким плаксой и ябедой, а иногда веселым и радостным, быстрым как молния, подвижным как ртуть, в присутствии матери, которую они любили, да, очень

любили и почитали и слушались всю свою сознатель-
ную жизнь, всадил... вот именно всадил нож по самую
рукоятку в живот той, что висела, вздернутая на крюк,
и кричала, истекая...

Истекая, кричала...

Хотелось просто заткнуть уши и выскочить из подвала, но это был не шок... нет, это было просто противно... противно и хлопотно... Но совсем не жаль...

А когда эта безумная девка, ЕЕ сестра, там, в комнате, вдруг выдала эти чудные слова и голос был...
голос был...

Петр Дьяков поднялся, пнул ногой хрустальный
графин, стоявший на полу возле дивана.

— Августа... Августина!

— Что ты орешь на весь дом?

Оказывается, ОНА уже давно здесь — стоит у дверей, скрестив руки на груди. Прекрасные свои сильные
длинные руки спортсменки. Такая женщина... таких
женщин нет больше на свете — он сразу это понял, еще
там, при первой их встрече, и его как током ударило.

Вот ЭТО был шок, а вовсе не... А безумная сестра
ее просто кривлялась, просто гримасничала и строила
рожи, меняя свой голос, делая его похожим... похожим...

— Августа...

— Что тебе?

Не прогнала. Он явился без зова, а она не прогнала, значит...

— Там на картине твоя мать?

— Да.

— Красивая. Но ты лучше.

— Пусти, ты пьян.

— Ты лучше — слышишь? Не знаю, что это такое,
но в других этого нет, а в тебе это есть, и это сводит
меня с ума.

— Пусти, я сказала!

— Я же по-хорошему хочу... И ты хочешь, я же вижу, как ты смотришь на меня, как смотрела там, в ресторане.

— Ты там с братом подрался.

— Так из-за тебя ж.

— Пусти меня!!

— ОТПУСТИ ЕЕ! СКАЗАНО ТЕБЕ БЫЛО — НЕ СМЕЙ ЛАПАТЬ ЕЕ КАК ШЛЮХУ!

Все еще прижимая Августу к стене прямо под портретом, что вот-вот готов был рухнуть, сорваться на их головы, все еще шаря потной ладонью под ее задранной юбкой, шуршащей, пропитанной тяжелым ароматом духов, все еще ощущая телом своим ее упругую грудь... налитые шары, укрытые черным шелком, он обернулся и...

Руфина — старшая сестра-Парка — с распущенными светлыми волосами возникла из сумрака зала. В руках ее был нож странной формы, она приставила острие к шее Дьякова.

— Отпусти сестру.

Он был пьян. И сразу не понял. Лезвие медленно, очень медленно пошло вниз — от уха к кадыку. Он сразу опустил руки, отпрянул. Точно в шею его ужалил скорпион.

— А теперь уходи. Побыл — уходи, пошел прочь. Августа, скажи ему!

— Уходи.

— Я к тебе пришел, моя мать мертва... Я тебя люблю, слышишь? Что ты ее все слушаешь, эту суку?!

— Убирайся.

— Я с тобой быть хочу! Хочу, чтоб ты стала матерью моих детей!

Руфина резко ткнула ножом прямо ему в лицо, и он снова отпрянул, пятясь как рак, шатаясь, потому что коньяк, весь этот их чертов старый, выдержанный французский коньяк... Руфина снова ткнула в него лезвием — не поранила, пугнула, и он уже отскочил как заяц. А она захохотала. А вслед за ней захохотала и Августа — неудержимо, истерически, бешено, словно выплевывая из себя все то, что накопилось, с чем было так страшно существовать.

Глава 40
СТРАШНАЯ СМЕРТЬ

Операция по адресу: Никитники, 12, началась в десять утра. Такого количества милицейских машин Катя не видела никогда. Сейчас здесь были все — и областной Главк, и Петровка, и специальная оперативная группа из МВД. Полковник Гущин, полковник Елистратов мелькали в толпе коллег, они опять работали в «одной связке». И Катя не докучала им, не мозолила глаза. Она отыскала профессора Геворкяна — тот приехал в Никитники, наверное, раньше всех (Гущин позвонил ему, как и обещал), но патрульные, не узнав его, сначала не хотели пускать за ограждение, потому что...

Потому что все в этой операции было особенным. Дело о массовом расстреле, об убийствах сомкнулось вплотную с давним нераскрытым громким делом об ограблении банка на Новой Риге. И все, все члены этой многочисленной, принадлежащей к разным ведомствам, оперативной группы ждали от повторного обыска ЭТОГО ДОМА чего-то именно в этом направлении поиска, в русле этой версии.

Все, кроме профессора Геворкяна. Катя сразу поняла это по тому, как он смотрел на дом, где жил Роман Пепеляев, на дом, откуда он отправился на Арбат убивать. Геворкяна интересовали не миллионы, украденные когда-то из отделения банка на Новой Риге, так и пропавшие бесследно. Геворкяна интересовало что-то ДРУГОЕ. Совсем другое в этом ЛОГОВЕ.

— Левон Михайлович, между прочим, это только благодаря вам я узнала много нового об этом деле, — Кате хотелось как-то разрядить напряжение, и она начала рассказывать о Петросяне и о том, что тот «лишь только из уважения к знаменитому своему земляку»... И тут заметила, что Геворкян слушает ее рассеянно. Не отрываясь смотрит на окна дома, на дверь, с которой оперативники в присутствии следователя прокуратуры уже снимали печати.

Сняли печати и вошли.

Катя и Геворкян вошли самыми последними.

Тусклый свет электрической лампочки под потолком. Но почти тут же свет стал ярче, потому что эксперты включили переносные прожекторы.

Серые стены.

Тот запах... слабый, но все равно ощутимый, вонь, что, казалось, пропитала серый бетон...

Коробки, коробки, коробки, коробки с обувью...

В тот раз их просто проверяли выборочно, теперь же стали разбирать всю эту разноцветную картонную гору. Открывать каждую коробку.

Работы на целый день, но народу участвовало в обыске много, даже порой мешали друг другу. Ничего, сейчас все наладится.

Стулья, тахта... Все те же предметы, что и в прошлый раз.

Катя огляделась — помещение было бы просторным, если бы не такое количество обувных коробок. Но это же склад. А прежде тут был магазин восточных товаров. Что там Петросян говорил? Тайские штучки?

Вот откуда тот бурый шарик, что она подняла здесь тогда... Куда он делся? Она не помнит. Потеряла, но не суть важно теперь. Анфиса правильно сказала, что это похоже на ароматический шарик для курильниц — афродизиак. Тайские штучки... Азиатское порно... Что Петросян хотел этим сказать?

Мутное зеркало на стене. Краска под ним пузырится. Эксперты стены простукивают, они ищут тайник. Тайник с деньгами, в этих стенах. Но ведь тут же был пожар, все горело, плавилось. Гущин думает, что пожар устроил Цветухин перед побегом от подельников. Тогда получается, что все деньги он забрал с собой. И что же они ищут?

Тахта. Здесь спал Пепеляев. Сейчас у тахты не такой жуткий вид. В прошлый раз все было сбито, скомкано, словно тут бились в корчах, кусая себе руки, полосуя кожу ножом... Пятна на стенах. И этот рисунок. Темный зигзаг на стене. Пепеляев сделал это своей кровью. И тогда во время сеанса он тоже чертил ЭТО в воздухе... Зигзаг... Похоже на змею, на след змеиный, гюрза, когда ползет по песку, такой след оставляет. Гюрза, песчаная эфа, гадюка... Змея...

Профессор Геворкян тоже смотрел на рисунок.

— Что, Левон Михайлович? — спросил его подошедший Гущин. В запарке операции это было его первое обращение к профессору.

— Другие художества есть?

— Нет, только это.

— А что в шкафу?

— Все то же — обувные коробки.

Шкаф — это был единственный громоздкий предмет мебели. В прошлый раз эксперты его открывали и осматривали. Теперь же освобождали полностью, простукивая дверцы, стенки, щупая и вынимая полку за полкой. В прошлый раз Катя видела этот шкаф, но не обратила на него особого внимания. А теперь задумалась, подошла поближе. Если стулья, тахта и все прочее, хоть и замызганное, но все же было новое, наверняка купленное Пепеляевым, то этот шкаф... Ничего особенного — старый, поеденный жучком... Он что же, тут всегда стоял у стены? А как же пожар?

— Следы копоти на дверцах и на стенках, — точно угадав Катины мысли, сообщил эксперт. — В какой-нибудь из бывших соцстран еще сделан — польский или румынский... Дуб, массив, — он постучал по створке. — Во делали, на века, в огне не сгорел, сверху только слегка обуглен.

Шкаф освободили, слегка наклонили, проверяя стену сзади, простукали — ничего.

— Убирайте из этого угла коробки на середину, — командовал полковник Елистратов.

Сдвинули тахту и начали квадрат за квадратом простукивать пол, постепенно освобождая пространство от коробок и снова загромождая. Снятые разноцветные крышки, и там внутри в бумаге обувь различных фирм — ботильоны, сапоги, замшевые туфли, босоножки, балетки, кожаные голенища, бархат, позолота, стразы, круглые и острые носы, шпильки... У Кати зарябило в глазах. Каблуки, похожие на стилеты, алые подошвы...

И эта вонь — еле уловимая, но тошнотворная...

— Тут какой-то шов, — один из экспертов — он работал на коленях на полу перед шкафом — сдвинул мешающую пеструю груду, — шов... Бетоном заделывали...

Все сразу сгрудились, начали лихорадочно убирать коробки.

— Это не шов, в полу лаз. И все замазкой заделано, не бетоном, а замазкой на основе бетонной смеси, причем... Так, погодите, тут вот прибор показывает следы сажи... Причем еще до пожара... наглухо задраивали, пытались замаскировать, да неудачно.

— Подвал? Ну конечно, в таком доме, как я сразу-то не подумал, — Елистратов хлопнул себя по бедрам. — Дом, рухлядь купеческая, в таких всегда либо лабаз, либо подпол был. Шкаф, к черту, двигаем отсюда!

Дубовый шкаф со скрежетом заскользил под напором дюжих плеч.

— Тяжеленный какой, а ведь пустой. И такой вес, чудно́, — Гущин сам двигал вместе со всеми. — Ну-ка, сынки, погодите... давайте еще раз проверим, что-то подозрительно мне, больно тяжел.

Снова простукали двери, стенки, полки — ничего, глухо.

ОНИ ИЩУТ ТАЙНИК С ДЕНЬГАМИ ИЗ БАНКА...

Катя смотрела не на шкаф, а на пол. Когда шкаф отодвинули, стал заметен глубокий четырехугольный шов в толще пола, действительно тщательно замазанный, задраенный наглухо, спекшийся в пламени пожара.

— Что там внизу? Ну-ка, — Гущин сам, опять-таки лично «простучал», отбирая хлеб у экспертов.

Гулкий звук.

Внизу что-то было.

— Вскрываем!

— Дрель сюда, самое крепкое сверло — Гущина потеснили эксперты.

Визгливый, бьющий по нервам звук дрели. Но Катя терпела все, затаив дыхание, стараясь ничего не упустить.

ВОТ ОНО. ВОТ... ТО, РАДИ ЧЕГО МЫ ВСЕ ЗДЕСЬ...

Спекшийся бетон отваливался кусками. И через несколько минут работы стала видна плита... нет, крышка... Остатки спиленной ручки, когда-то крышку за эту ручку поднимали... Лаз, вход в подвал.

Скрежет...

— Взяли!

Крышка с грохотом отвалилась набок. Это действительно был вход в подвал. И там было темно.

— Все, тишина, фонарь сюда. Спускаемся первыми я, Гущин и эксперт, — скомандовал полковник Елистратов.

Катя смотрела, как они спускаются. Вниз, в темноту вела узкая каменная лестница.

Шаги... Эхо... Желтое пятно фонаря... Возглас Елистратова хриплый...

— Вот черт!

Вниз спустились еще двое экспертов.

Было очень тихо в помещении склада. Все понимали, что-то найдено.

— Здесь внизу тело... Мертвец!

Катя увидела, как на висках профессора Геворкяна выступили капельки пота. Она стояла у самого края лаза.

ЭТОГО ОН ЖДАЛ ОТ ДОМА УБИЙЦЫ ПЕПЕЛЯЕВА? ВОТ ЭТОГО? ЕЩЕ ОДИН ТРУП?

— Видимо, пролежал тут в подвале несколько лет. И черт... в каком же он состоянии...

Слова доходили из подвала наверх словно сквозь вату. Катя увидела, как Геворкян, неловко согнувшись, взялся за бетонные края и начал осторожно спускаться вниз.

Катя ринулась за ним.

— Какая страшная смерть.

Это сказал один из экспертов. Катя еще ничего не видела — только бетонные ступени, только спину Геворкяна, который спускался, потом желтое пятно электрического фонаря, остановившееся на...

Мертвец лежал ничком у подножия лестницы, будто в последнем своем усилии пытался выбраться, вскарабкаться наверх. Полуистлевшее тело со сгнившей плотью. Темные волосы.

— Брюнет, примерно, тридцати лет, давность смерти... лет восемь-десять, может, чуть больше. Нет, это не Пепеляев его тут бросил еще живого.

— Живого? — это спросил профессор Геворкян.

— Смотрите, какие борозды на полу — здесь, здесь, а вот тут следы крови и... смотрите... его кисть отрубленная, правая кисть... Множественные рубленые раны на теле. Видимо, он боролся с убийцей до последнего, но потом стал слабеть от потери крови... Раны на темени, но не глубокие, скорей всего, он пытался закрыться от ударов руками.

Катя похолодела: эксперт был другой, и место было другим, а вот детали, которые он описывал, механизм нанесения ран почти слово в слово повторял... Где она слышала все ЭТО? Там, в лесу, в Куприяновском лесничестве, где тоже был пожар?

— Брюнет, — Гущин наклонился над трупом. — Давайте-ка его перевернем осторожно. Все сняли на пленку в этом положении трупа?

— Да, — один из экспертов держал камеру. — Тело долго находилось почти в идеальной среде, поэтому неплохо сохранилось. Большое количество рубленых ран, но умер, скорее всего, не сразу, через какое-то время от потери крови и от недостатка воздуха. Страшная была смерть, смотрите, как он пол царапал...

Катя отвернулась, когда труп перевернули.

— Брюнет, значит, — повторил Гущин. — Опознать можно будет, если фото дополнительные еще найти, если родственников его отыскать кровных... экспертизу генетическую назначим, но... И потом у нас свидетель Гришка Дьяков есть и второй его братец Петр, тот, что в бегах, и третий — армянин, который ему деньги ссужал на магазин... Должны опознать и без экспертизы...

Катя не смотрела, не могла. Гущин не назвал фамилию мертвеца, но...

ОНИ, ДЬЯКОВЫ, ИСКАЛИ ЕГО СТОЛЬКО ЛЕТ, А ОН ВСЕ ЭТО ВРЕМЯ БЫЛ ЗДЕСЬ, В ПОДВАЛЕ СВОЕГО БЫВШЕГО МАГАЗИНА... ЗАМУРОВАННЫЙ ЗАЖИВО...

— Осторожно с отчлененной конечностью! — предупредил эксперт.

И от этого замечания Кате совсем стало нехорошо. «Кисть вон отсек, как сухой сук»... И это она уже слышала...

— Там что-то есть, внутри! Хватка какая, зажал намертво. Поэтому и руку отрубили ему, а достать все равно не смогли. Очень осторожно кладите конечность сюда, сейчас я попытаюсь извлечь это. Вот. Что это такое?

— Золото вроде. Ну-ка, ну-ка, — голос Гущина внезапно сел. — Ах ты... А ведь я такую вещицу уже видел. Екатерина, посмотри, ведь и ты ее видела тоже!

Катя, растерявшая все свое любопытство, теперь мечтавшая лишь об одном — выбраться скорее наверх, обернулась. В свете фонаря на бетонном полу что-то блестело. Надо было спуститься и подойти. Надо было сделать великое усилие — снова сойти в этот подвал, столько лет служивший могилой.

Это была золотая булавка для галстука в форме змеи. Катя увидела и вспомнила.

ЭТО БЫЛ ЗНАК.

УЛИКА.

Булавка для галстука. Катя невольно повторила изгиб золотой линии — сначала мысленно, а потом нарисовав в воздухе пальцем.

Зигзаг... Точно такой же, как и тот, кровавый, там, наверху, на стене.

Глава 41

ВТОРОЙ

ВСЕ РАВНО ТО БЫЛО КАК ЭХО...
СВИСТ СТРЕЛЫ, ЛЕТЯЩЕЙ ИЗ ТЬМЫ...
ТЕНЬ ГУСТАЯ В СОЛНЕЧНЫЙ ПОЛДЕНЬ...
ТЕНЬ САМОЙ ОСТРОЙ ИЗ ГРАНЕЙ...

В фильмах-детективах розыски продвигаются вперед с молниеносной для зрителя быстротой. Смена кадра и... новый эпизод. А потом снова новый эпизод. В жизни все долго и трудно.

Ждали результатов экспертизы ДНК и микрочастиц. А перед этим ждали результатов поиска кровных родственников Евгения Цветухина. Подняли из архива полное досье ОРД по делу об ограблении банка на Новой Риге. Подключили к поиску подполковника Лямина, помнившего все детали событий одиннадцатилетней давности.

Ближайшей кровной родственницей Цветухина оказалась сестра. Его дед, с которым он когда-то проживал в одной квартире на проспекте Мира, давно умер. За изъятием образцов для экспертизы ДНК, необходимой для опознания, в Челябинск, где сестра проживала с семьей, самолетом отправилась группа экспертов. МВД взяло весь ход расследования под свой контроль, и поэтому с финансированием дорогостоящих исследований проблем, к счастью, не возникло.

И все это клубилось, ширилось, развивалось, гудело, как некое грозовое облако. Катя именно ТАК все это и воспринимала — грозовое облако, там, высоко, на горизонте. А здесь — тень. Все еще тень.

Она рвалась ехать в Центр судебной психиатрии — именно сейчас, после всего, что открылось в подвале ЕГО дома. Но не решалась.

Нет, это был не страх. Какое-то иное, гораздо более сложное чувство. Ей хотелось, чтобы профессор Геворкян позвонил и сказал: ну вот, теперь мне все абсолютно ясно. Мы поняли, разобрались. Но Геворкян не звонил.

В один из дней, когда все напряженно ждали результатов экспертиз, Катя, придя в кабинет Гущина, услышала фразу:

— Да, вот по этому адресу: улица Малая Бронная. Доставите обеих сюда. Двух сестер. Младшую привозить в управление не нужно, она, кажется, не вполне вменяемая у них. Все понятно?

Это означало, что близится следующий этап.

Но Катя не различала пути.

ТЕНЬ ПОКАЗЫВАЕТ СВЕТ,

А ПРАВДА — ЗАГАДКУ...

СТРАШНАЯ СМЕРТЬ... КТО ЭТО СКАЗАЛ? КТО-ТО ОДИН, НО ОНИ ВСЕ ОБ ЭТОМ ДУМАЛИ ТАМ, ВНИЗУ...

— Личность убитого установлена, вот только что результаты экспертизы пришли: Цветухин Евгений Александрович... А по мне, и ДНК сравнивать не надо было, сразу я это понял, как... увидел его там. Брюнет, — Гущин покачал головой. — Маршрут-то какой крутой...

— Что, Федор Матвеевич?

— Путь-то какой мы к этой его тайной могиле прошли.

Катя смотрела на Гущина. Он сказал — путь? Но она не видела пути. Все пути вели лишь в одно место — в этом деле в одно — в Центр судебной психиатрии.

— Что-то во всем этом деле есть. Не нравится что-то мне шибко, — Гущин говорил как бы нехотя. — Еще там, на Арбате, как увидел я ЕГО глаза... шибко не понравилось мне ВСЕ ЭТО... Пистолет — что? Пистолет выбить можно, обезоружить. А вот то, что в глазах его было... Да и сейчас есть, то, что внутри, что наружу рвется...

Катя не сводила с Гущина глаз. Вот только что он говорил о Цветухине и потом сразу же без какого-либо логического перехода — о Романе Пепеляеве. Но они никогда не встречались в жизни. Их разделяло одиннадцать лет. Люк в подвал, замазанный бетоном, замаскированный, прижатый дубовым шкафом — то ли румынским, то ли чешским, пережившим пожар, лишь слегка обуглившимся... Тот шкаф был надгробием в том доме в том переулке. Их разделяло одиннадцать лет. И они никогда не встречались при жизни. Отчего же теперь в словах Гущина они... так странно объединяются в нечто единое, целое?

Или ей, Кате, это лишь кажется?

— Эксперты и еще кое-чем огорошили тут нас с коллегой Елистратовым. МУР вон тоже в затылке чешет, — произнес Гущин уже совсем другим, своим обычным тоном. — Факты, никуда не денешься. Будем мозговать. По результатам экспертизы ДНК на месте обнаружения трупа гражданки Заборовой, на месте ее убийства в подвале дома Дьяковых обнаружены следы Ларисы Дьяковой, Григория Дьякова и их кровного родственника — это, без всякого сомнения, Петр Дьяков, ищем мы его. Все еще ищем. Григорий Дьяков и сам убийства Заборовой не отрицает. А вот убийство Мазина в Куприяновском лесу на себя не берет. Отказывается.

— Значит, все же удалось его допросить? — спросила Катя.

— Следователь прокуратуры с ним сейчас бьется. Вроде пришел в себя подозреваемый-то наш, — Гущин кашлянул. — Но я бы на все эти его отказы наплевал и забыл и так начал бы его допрашивать, долбить, что мама не горюй, если бы не опять-таки факты.

— Какие факты?

— Экспертиза выявила на месте убийства Мазина там, на пепелище в Куприяновском лесу, следы ДНК совсем другого фигуранта. Другого, понимаешь? И они совпали с образцами, изъятыми в подвале, где мы обнаружили зарубленного Евгения Цветухина. Эксперт говорит: атмосфера в том склепе идеальная, отсюда и сохранность для биоматериала высокая.

Катя стиснула пальцы, говорить она не могла.

— И удары, что Мазину наносились, практически идентичны тому, как Цветухина приканчивали — сначала удар сзади по голове, а потом уже не разбирая куда, лишь бы убить, не дать возможности подняться на ноги, закрыться. Эксперт утверждает, что первый удар по голове сзади был нанесен неожиданно для обоих потерпевших с большой силой. А это означает, что и Мазин, и Цветухин убийце своему доверяли, без страха спиной к нему могли повернуться. Значит, знакомы были и не слишком-то его опасались. А он этим воспользовался и тогда — одиннадцать лет назад, и сейчас.

— Вы деньги искали из банка там, в доме...

— Искали, гляди, что нашли там, в подвале, когда лестницу осматривали.

Гущин открыл файл в ноутбуке с оперативным фото.

— Что это такое, Федор Матвеевич?

— Цифры — это начало номера серии. Банковская купюра это... фрагмент, со следами крови, кровь — Цветухина, а вот серия... серия совпадает. Дело об ограблении банка на Новой Риге сейчас вновь открыто, а там полный список есть, в том числе и серии похищенных из сейфа банкнот указаны. Если все сходится, если я правильно понимаю, то Цветухина убивали именно за эти вот деньги, что он украл и которыми делиться с Дьяковыми не захотел. Но как экспертиза ДНК показывает, топором его там, в подвале, не Дьяковы били. И не они там его еще живого умирать страшной смертью бросили.

СТРАШНАЯ СМЕРТЬ...

ВОТ ОПЯТЬ...

— Банкноту убийца смял, швырнул под лестницу, кровь на нее попала, оттого и бросил. А руку он потому Цветухину отрубил, что штуку ту золотую достать пытался, пальцы разжать не мог. Так и не сумел, хоть и топором орудовал. Помнишь, где мы видели такую вот штуку золотую?

— Я помню, Федор Матвеевич.

— И у меня память хорошая, профессиональная, — Гущин хмыкнул. — Хотя видел я ту фотку его там, на бюро... в кабинете ихнем, мельком. Но запомнил — больно хипповая вещь для двадцатилетнего пацана.

— Но мы можем ошибаться, — сказала Катя. — Мало ли золотых булавок для галстука, пусть и таких необычных.

— Конечно, можем ошибаться. А вот чтобы исключить любую ошибку, дополнительную проверку надо провести. И я об этом с утра уже позаботился.

— Федор Матвеевич, дорогой, говорите, не томите — что?!

— Вон, в сорок шестом кабинете уж два часа заседают, — Гущин кивнул на дверь. — Сама ж говорила — с характером мужичок, смурной. Ничего, там наши с ним вежливо, культурно, важняк ведь свидетель-то...

А Елистратов специально из МУРа капитана Баграмя-
на прислал. Ты же говорила, что он земляков-армян
шибко уважает.

— Вы вызвали на допрос Петросяна?

— Ага, и пора поглядеть, как там у них все — в
ажуре или как. — Гущин открыл новый файл. — Узнаешь? Это не из архива фотография, из федерального
банка данных лиц, без вести пропавших. Саломеи сынок... Тимофей Зикорский... И если там сейчас, в сорок шестом кабинете, твой Петросян подтвердит, что
это тот самый и есть — ВТОРОЙ, то... То это дело
снова повернет туда, куда мы и не ждали.

Он встал и по-хозяйски, как истинный начальник,
отец своих подчиненных, направился в сорок шестой
кабинет. Катя... она медлила лишь секунду.

Платон Петросян, сыщики и коллега из МУРа —
чернобровый капитан Баграмян мирно курили и...
беседовали о футболе, о том, как «провально сыграли «наши» в стыковых матчах со словенцами. А ведь
столько денег дуракам платят... Голландца-тренера на-
няли, и чтоб вот так бездарно... по-идиотски, с таким
счетом, и никаких надежд на чемпионат! Позор! За
державу обидно!».

— День добрый, Платон Саркисович, — вежливо
поздоровался Гущин. — Ну, как тут у нас?

— Мне пообещали, что мое имя никогда не будет
фигурировать в деле. И я не буду вызван в суд. Я не
большой любитель ходить по судам, уж простите.

— Да, да, это частная информация.

— Вы даете мне гарантии?

— Даю, конечно, — Гущин энергично закивал.

— Собственно, мы уже обо всем договорились,
ждали только вас, товарищ полковник, — сказал капитан Баграмян из МУРа.

— И? Вы подтверждаете, Платон Саркисович?

— Да, я подтверждаю, — Петросян смотрел на монитор ноутбука, оттуда глядел человек, пропавший без вести одиннадцать лет назад. — Это тот самый тип, которого я видел в магазине... в нашем магазине, мы владели им совместно с Евгением Цветухиным.

— Вы знаете имя этого человека?

— Нет, не знаю.

— При каких обстоятельствах вы его видели?

— Я приехал в магазин, это было давно. А он... он был там с Женей. Мне показалось, нет, я сразу заметил, что они хорошо друг с другом знакомы... близкие друзья.

— Вы могли бы назвать какие-то особые приметы?

— Ну я уже не помню, столько лет прошло... Молодой, моложе Жени, ему было лет двадцать шесть. Хорошо сложен, светлые волосы... Да, и одет вот так же — в костюм и рубашку, — Петросян указал на снимок. — Тут на нем под пиджаком что-то вроде свитера, а тогда была белая рубашка... И он носил золотые запонки в форме змеи, да... Нет, простите, не запонки. Это была золотая булавка для галстука. Я эту деталь запомнил, она его выделяла среди сверстников, те черт-те во что обычно одеты — драные джинсы, косухи, а этот нет — такой вычурный, претенциозный... И эта вещь — старинная, дорогая. А я в хороших ювелирных вещах толк знаю.

СВЕТ ПОКАЗЫВАЕТ ТЕНЬ...

САМАЯ ОСТРАЯ ГРАНЬ...

Дочерей Саломеи привезли в управление розыска в три часа дня. Сестры-Парки... Катя вспомнила их дом — такой большой, просторный. А ведь там можно спрятаться. И жить все эти одиннадцать лет.

Гущин приказал доставить двух старших сестер — Руфину и Августу. Но Катя... Катя предпочла бы поговорить с той, третьей, младшей и такой странной. Если она не в своем уме, то... Блаженные порой правду говорят куда быстрее.

— В связи с чем нас сюда привезли? Нам с сестрой ваши люди не дали никаких объяснений, просто велели собраться, — Руфина — старшая сестра-Парка — негодовала.

— Мне это напомнило, как за мамой приезжали, — сказала Августа — средняя сестра-Парка, — кагэбэшники... Собраться в течение четверти часа... Черная «Волга» у подъезда, и куда повезут... Мама никогда этого не знала — то ли в Кремль старцев лечить, то ли на Лубянку в тюрьму.

Катя отметила, что, несмотря на жаркий июньский день, обе сестры опять в черном. В брюках из черного хлопка и модных кружевных троакарах. Рукава троакара Августы очень длинны, на ее запястьях все еще повязки? И какая великолепная у них обувь, босоножки от Прадо... Что Пепеляев бы, интересно, сказал? Ах да, он же никогда не встречался с их братом при жизни... Но может быть, в другое время...

В КАКОЕ ДРУГОЕ ВРЕМЯ?

КОГО ОН ИЩЕТ?

И ОТЧЕГО ПОРОЙ КАЖЕТСЯ, ЧТО ЭТО — НЕ ОН?

КТО ЖЕ КОГО ИЩЕТ — ТАМ... И ЗДЕСЬ...

СВЕТ, ТЕНЬ... СВЕТ ПОКАЗЫВАЕТ ТЬМУ, А ПРАВДА... В ЧЕМ ТУТ ЗАГАДКА?

— На этот раз, дамы, извиняться за вот такое наше с вами неожиданное рандеву не буду, — полковник Гущин был не намерен слушать упреки и сравнения с Лубянкой. — Вызвали мы вас сюда, потому как того требуют интересы уголовного дела. И сейчас я вам задам тот же самый вопрос, что и в ту первую нашу встречу. Только, уважаемые, очень прошу... настоятельно вам советую — подумайте хорошенько, прежде чем будете на него отвечать. Итак, вопрос: где ваш брат Тимофей?

— Что-то случилось, да? — Руфина схватилась за сердце. — Я же чувствую, вы спрашиваете это таким тоном... Что-то случилось... Он... вы тело нашли... труп... Это Тимофей, наш Тима, да?!

— Мы нашли труп. Это некто Цветухин Евгений, убитый одиннадцать лет назад в собственном магазине восточных товаров... жестоко искалеченный, брошенный умирать в подвале, задыхаться там, истекать кровью... Где ВАШ брат?

— Мы же сказали вам — мы ничего о нем не знаем... Он пропал без вести, как будто... как будто растаял, — Августа положила руку на плечо Руфины.

— А у нас есть основания предполагать, что ваш брат Тимофей Зикорский жив, — сказал Гущин. — Более того, на его совести — два убийства. Убийство гражданина Цветухина и... совсем недавнее, то, что произошло в Куприяновском лесничестве, где он убил гражданина Мазина, посещавшего вас накануне.

Кате показалось, что старшая сестра-Парка Руфина, глаза которой выкатились из орбит, хлопнется в обморок — вот сейчас, прямо здесь у стола...

— Жив? Тима жив? — Нет, это воскликнула не она, это воскликнула Августа. — Это точно? Вы... вы правду нам говорите? Тима жив?! Я ТАК И ЗНАЛА... Я ВСЕГДА ЭТО ЗНАЛА...

— Что вы знали, уважаемая?

— Что он не умер, — Августа была сильно взволнована. — Она... она никогда не встречала его ТАМ. Она постоянно нам об этом твердила...

— Кто? — Гущин смотрел на сестер пристально.

— Ника, наша младшая... Она никогда не встречала его ТАМ.

— Где там?

— Там, — Августа уже взяла себя в руки, ее голос, хрипловатый, гортанный, был строгим. — ТАМ, господин полковник... ТАМ... Где мы все будем со временем, и вы, и я... Со временем, не сейчас.

— Вы шутите, уважаемая?

— Нет, о таких вещах я никогда не шучу.

— Я задал серьезный вопрос. Мы расследуем дело об убийствах, об ограблении банка и...

— Вы спросили, и я ответила. Я всегда чувствовала, знала... что он, наш Тим, жив, потому что моя младшая сестра Ника во время своих путешествий ТУДА не видела его среди мертвых.

— Вы издеваетесь?

— Нет, я говорю вам правду. То, что думаю. Ника, она это может, она единственная из нас получила этот дар от нашей матери... Вы пожилой человек, полковник, не может быть, чтобы и вы об этом не задумывались порой... Что нас ждет ТАМ? Куда мы уйдем? Об этом, именно об этом нашу мать Саломею спрашивали все эти сильные мира сего... Что будет? Они хотели знать, они все бы отдали за то, чтобы узнать... У матери был великий дар, Ника получила лишь малую его часть и расплатилась за это сполна. Мы все расплатились за это. И я, понимаете, полковник? И я тоже — я плачу свою цену за это. Но она, Ника... она порой уходит туда и возвращается оттуда... Ника, Победительница... Она говорит, что видит... Она не встречала Тимофея там никогда. Может быть, это та цена, которую он заплатил?

— Да он жив! Ваш братец... Где-то скрывается. И я спрашиваю вас... Оставьте наконец эту свою мистическую заумь и отвечайте как положено! Я спрашиваю: когда вы видели Тимофея в последний раз?

— Одиннадцать лет назад, — за сестру ответила Руфина.

— У меня нет оснований вам верить.

— Как угодно, но это правда, Тимофей был с нами одиннадцать лет назад. Потом его не стало. И наша мать не вынесла этого, этой потери, она умерла.

— Так, ладно, — Гущин (Катя видела это) начинал злиться, — допустим, вы все эти годы с братом не встречались. Фамилия Цветухин вам знакома?

— Да, я припоминаю, — Августа кивнула, — у Тимы был такой знакомый... его звали Женя. Очень красивый молодой человек, он даже бывал у нас в доме. Но потом мать не захотела его там видеть.

— Мать? Ваша мать? Почему?

— Он начал оказывать ей недвусмысленные знаки внимания. Такой молодой и такой наглый.

— Вашей матери? Но она же намного старше его была.

— Вот именно.

— А с братом вашим что его связывало?

— Я не знаю точно, — Августа пожала плечами. — Они оба были молоды... любили хорошие машины. Кажется, Цветухин помог Тиме купить «БМВ»...

— В магазине восточных товаров в Никитниках ваш брат бывал?

— Этого я не знаю. Не могу вам сказать. У брата была своя жизнь. Если он с кем и делился, то только с матерью. С нами почти никогда.

— Отчего же, когда ваш брат пропал без вести, ваша мать — она тогда написала заявление в милицию — не указала в списке лиц из круга его общения Цветухина? — грозно спросил Гущин. — Я смотрел материалы по розыску, вашу мать опрашивали, она фамилии разные называла, их проверяли... Но фамилии Цветухина там нет.

— Мать не хотела его упоминать. Я объяснила вам. Он ее оскорбил своими домогательствами.

— Об этом надо спрашивать маму, — перебила сестру Руфина. — Почему она не хотела... Если бы вы знали, что она пережила, когда Тим пропал. Все те ужасные полтора года перед ее смертью она вся извелась, места себе не находила. Но кому какое было до этого дело? Вы же, милиция, вы же его, Тима, даже не искали тогда... Просто отписывались... И прокуратура отписывалась... Всем было все равно — пропал и пропал человек.

— Место есть в Подмосковье — Куприяново, там мы обнаружили труп Мазина — знакомо оно вам?

— Нет, — Руфина покачала головой, — никогда не слышала.

— Там лесничество. И несколько лет назад был там пожар, дом лесника сгорел. А лесника — Акимов была его фамилия — сбила машина на дороге буквально перед самым пожаром.

— Зачем нам все это знать?

— А такое место — Семивраги, вам знакомо?

— Н-нет... подождите... что-то... нет.

— Возле этих самых Семиврагов одиннадцать лет назад обнаружили машину вашего брата.

— Да, теперь я вспомнила.

— Это от Куприяновского лесничества совсем недалеко. Если идти к Каширскому шоссе через лес, то как раз мимо дома лесника... Машину Тимофея нашли там. А через полтора года лесник Акимов трагически погиб в ДТП и дом его сгорел.

— Я не понимаю, зачем нам все это знать?

— Если ваш брат не умер, а у нас есть веские основания это предполагать, — Гущин и сам говорил веско, — то могло вот что произойти там, в этих Семиврагах. Он приехал туда, намеренно бросил машину, путал следы. Но его увидел лесник Акимов. И потом уже после... возможно, он пытался шантажировать вашего братца, и тот его прикончил, задавил, инсценируя ДТП.

— Зачем, зачем ему путать следы? Зачем выдавать себя за пропавшего без вести, погибшего?

— Зачем? Затем, что он убийство совершил — убийство своего дружка Цветухина из-за денег, которые тот украл. Про деньги из банка вам ничего не известно?

— Я не понимаю, о чем вы нас спрашиваете. — Августа решительно встала. — Я окончательно запуталась. Сестра моя... разве не видите — ей плохо... Мы, конечно, рады помочь доблестным органам. Но не в таком тоне. Сейчас не прежние времена, здесь не Лубянка, и вы не помощник Андропова, который смел кричать на мою мать и топать ногами, вы просто полковник... мелкая сошка... А я... О, жизнь научила нас, что от таких вот шавок, особенно от таких, возомнивших о себе, надо защищаться. Закон это позволяет. Нас что, в чем-то обвиняют с сестрой?

— Нет пока, но...

— А раз нет, то мы будем защищать свои права согласно закону. В следующий раз все ваши вопросы будут к нашему адвокату.

— Закон не запрещает мне потребовать у вас забор образцов для сравнения ДНК, — Гущин разозлился. — Вы ближайшие кровные родственники подозреваемого в убийстве.

— Пожалуйста, нам нечего скрывать. Забирайте образцы — хотите у меня, хотите у сестры, — Августа кивнула на Руфину. — Хотите дом обыскивайте. Я повторяю — нам нечего скрывать. И вы не смеете так с нами обращаться. Мы ничего противозаконного не сделали.

— Простите, я погорячился.

— Может быть, я тоже погорячилась. И меня простите. Но вы должны понять. Мы в нашей семье пережили огромное горе — сначала брат, потом мать. Мы рады бы помочь, но...

— Еще раз извините за резкость.

Катя видела: Гущин не желает с ними собачиться — правильно, это самый провальный путь сейчас, путь в тупик. Для экспертизы позарез нужны образцы ДНК, чтобы окончательно подтвердить, что там, в подвале с Цветухиным и в лесу с Мазиным, был именно Тимофей... А если сестры упрутся, то... Никакой прокурор их не заставит помогать следствию.

— Я бы хотел, чтобы вы сейчас ненадолго проехали в экспертное управление. Забор образцов ДНК — это совершенно безболезненно, — Гущин шел на попятный. — Ручаюсь, что...

— Хорошо, когда с нами говорят по-человечески, мы всегда рады помочь, — сказала Руфина. — Вам от нас обеих эти образцы нужны?

— Да нет, если вы согласитесь, вас одной будет вполне достаточно.

— Хорошо. Тогда я поеду к вашим экспертам. Если не возражаете, сестра вернется домой, мы не можем надолго оставлять нашу младшую одну. Она больна, вы же сами это видели.

Глава 42
ПРИПАДОК

В кабинете профессора Геворкяна в Центре судебной психиатрии было полно народа — полковник Елистратов вместе со своим отделом по раскрытию убийств практически в полном составе нагрянул как снег на голову.

Хотя они с Геворкяном знали друг друга больше двух десятков лет, эта беседа для обоих была не из легких.

На столе Геворкяна лежали две отсканированные фотографии из оперативно-разыскного дела: снимок Евгения Цветухина и Тимофея Зикорского. Кроме этого, здесь же на столе была и еще пухлая пачка снимков — тех самых, которые Геворкян когда-то показывал Кате.

— Не понимаю, что вы хотите всем этим сказать, Левон Михайлович, — Елистратов перебирал снимки. — При чем здесь вообще это? Мы приехали допросить арбатского урода. На его обувном складе под полом труп найден. Висяк одиннадцатилетней давности на подходе к раскрытию. Ну, допустим, установили мы там на месте, что Пепеляев к этому убийству не причастен и в подвал он физически не мог спуститься, так как там все было заделано наглухо, но...

— Что «но»? — спросил Геворкян.

— Ну, не знаю, допросить мы его обязаны в связи с этими фактами. Хотя бы формально. Мне протокол нужен, и следователю прокуратуры он необходим. А ваша экспертиза бог знает на сколько может затянуться, какие вы тут с ним психологические финты проделываете — это не моя головная боль, моя головная боль — скорейший ход расследования теперь уже нескольких дел, объединенных в одно производство.

— Вы излишне торопитесь, ни к чему хорошему это не приведет.

— Да бросьте, Левон Михайлович, давайте пойдем к Пепеляеву в камеру... или в палату, где он у вас обретается, я задам ему пару-тройку вопросов, лейтенант вон запишет, и все.

— Я еще раз прошу вас взглянуть на эти снимки.

— Да что мне в этих снимках?

— Такое ощущение, — Геворкян прищурился, — что вы излишне торопливы.

— Намекаете, что я Гущина с его областной командой обскакать хочу? Мы вместе по этому делу теперь работаем, — Елистратов хмыкнул. — Сплелось-то все как... Сколько лет я в уголовном розыске, а порой удивляться не перестаю, как иногда все переплетается между собой туго — события, факты, судьбы... Ладно, профессор, давайте ведите меня к этому поганцу... Щас я его там... давно у меня руки чешутся... в глаза ему поглядеть. Может, чего вы тут с ним по психиатрии своей не сумели достичь, я достигну своими фирменными методами.

— Извольте, мы сейчас пойдем в бокс, туда, в «третий». Но прежде сравните эти снимки.

— Ну смотрю, сравниваю, ну что?

Геворкян разложил на столе фотографии жертв арбатского расстрела, а также фото студентов, посещавших центр в ТОТ день, и фото молодого охранника. Снимок Тимофея Зикорского он убрал. А вот снимок Цветухина положил сбоку.

— И что дальше? Парни... Эти вот бедолаги с Арбата ряженые. А это кто? А, вы говорили, это ваши... на них Пепеляев тогда среагировал и на охранника тоже, да? — Елистратов смотрел на фото. — Ну и что? Ничего. Вы с Цветухиным сходства ищете? Абсолютно никакого сходства.

— А теперь? — Геворкян заменил снимок Цветухина на фото Тимофея, сына Саломеи.

— И тут тоже... нет, погодите, — Елистратов склонился над столом. — Погодите, погодите... Нет, хотя... Нет. Не верю. Когда Пепеляев стрелял в толпу, это был случайный выбор жертв. Так всегда бывает по таким преступлениям.

— Вы видите эти снимки?

— Вижу. Ну и что? Что вы пытаетесь мне доказать? Сходство? Да, есть сходство, тип один и той же внешности, и возраст примерно одинаков и... черт, вот этот паренек совсем почти такой же, как этот наш «без вести пропавший»...

— Это Ганичев, студент. Вот тут фамилии на обороте.

— Ну и что? Что во всем этом, я вас спрашиваю? Это все люди посторонние, к делу не относящиеся. Пусть вот этот, этот и этот — эти с Арбата жертвы, но... Черт, и этот похож... Ряженый... Так ведь праздник был на Арбате, дурака они там валяли, молодые, а Пепеляев начал стрелять — ни с того ни с сего.

— НЕ БЫВАЕТ НИ С ТОГО НИ С СЕГО. Понимаете, не бывает такого. Всегда, всегда есть причина.

— И какая же это причина? — спросил Елистратов.

Геворкян молчал.

— Ну же, Левон Михайлович, договаривайте. Какая причина? Мертвец, что ли, в подвале? У него под ногами? По крышке гроба которого он там на этом складе ходил? Так, что ли, по-вашему? — Елистратов побарабанил по снимкам. — Так мы знаете, куда с вами уйдем? По такой-то дорожке? С такой-то версией? К тому же мы ведь в подвале труп не Тимофея Зикорского нашли. Совсем не его труп, а человека, которого он убил из-за денег, как мы теперь подозреваем.

— Он его ищет, — сказал Геворкян.

— Кто? Пепеляев?

— Нет, не Пепеляев.

Наступила пауза. Потом Елистратов обернулся к своим подчиненным, слушавшим этот спор с непроницаемыми лицами.

— Ну-ка выйдите отсюда, ребята, на пару минут.

Сыщики вышли.

— Ладно, я согласен, сходство есть. Да, они похожи — эти ваши фото и... Но ни один суд этого не признает. Ни один обвинитель не сможет на ЭТОМ выстроить свою версию обвинения. А я хочу, чтобы этот подонок... Пепеляев, я о нем сейчас говорю и только о нем, чтобы он сел пожизненно. Девять жертв на его счету, девять человек, четырех он там положил, один в больнице уже умер, остальные при смерти. И я хочу, чтобы он был наказан. Именно ОН, понимаете вы это? Потому что пистолет был в его руке. И пусть там какая-то непонятная чертовщина с отпечатками... Но подтвердить, что пистолет был именно у него, могут десятки свидетелей. И на суде все это прозвучит.

— Вы не помните, сколько было там ступеней?

— Где?

— Когда мы спускались туда... Не помните, сколько их было? Их было ровно девять. Когда мы оттуда выходили после осмотра, я сосчитал... Ровно девять.

— Хорошо, пусть в том подвале было ровно девять ступеней. Теперь мы можем пойти туда, в бокс к нему, и я его допрошу в вашем присутствии? Чисто формальный допрос на протокол.

— Я не знаю, какие будут последствия.

— Любые последствия я возьму на себя. Вы только не вмешивайтесь.

Геворкян молча начал собирать снимки. Елистратов забрал у него два — фото Тимофея Зикорского и фото Цветухина. Эти снимки он взял с собой.

Больничные коридоры...

Гул огромного города — там, за стенами...

Здесь — тишина...

Синие тени, длинные тени...

Закат... солнце садится прямо в городские кварталы...

Солнце катится вниз...

Ровно девять ступеней...

Там, внизу, кто-то ждет...

— Слушай, Пепеляев, а неплохо ты тут устроился. Койка вон какая мягкая, белье чистое. Кормят, поят по часам тебя, как в санатории. А ты тут врачам лапшу на уши вешаешь, студень заливаешь. Так, что ли, а?

Полковник Елистратов стоял посреди «третьего» бокса. Романа Пепеляева из процедурной палаты снова вернули сюда, за стекло. В пустом боксе появился только один новый предмет обстановки: вместо кушетки — кровать, привинченная к полу. Пепеляев сидел на ней боком. Он снова был в своей больничной пижаме. Повязки на руках отсутствовали, и видны были багровые шрамы на коже.

Елистратов категорически настоял, чтобы в «третий» зашел только он с оперативниками, без врачей. Геворкян, его коллеги, охранники центра остались за стеклом. По их лицам было видно, что они готовы... К чему? Возможно, к самому худшему. Но ни в какие пререкания с командой МУРа они не вступали, просто ждали развития событий.

— И как же живется тебе тут, Пепеляев? — спросил Елистратов уже громче. Потому что на первый свой вопрос он ответа от подозреваемого не получил.

— Сносно.

— Откосить думаешь от суда? Ну, скажи, скажи хоть один раз правду. Откосить надеешься?

— Мне все равно.

Пепеляев произнес это без всякого выражения. Но Елистратову, уже «заведенному» спором с Геворкяном, в его тоне почудилась издевка. А может, она там и была — еле уловимая? Жгучая, как змеиный яд.

— Посмотри на меня. Я в уголовном розыске четверть века. Я таких, как ты, видел, Пепеляев. Я таких, как ты, как облупленных знаю. И мне до мотива, почему ты там, на Арбате, ни в чем не повинных людей расстреливал, дела нет. Главное — факт налицо, и он уже доказан. Ты это сделал, и ты за это будешь отвечать. Ты, Пепеляев. И откосить от наказания я тебе не дам. Но я во всем честность люблю. Такой уж я человек. Честными мы должны оставаться даже вот с такими, как ты.

— Честными? — Пепеляев, кажется, заинтересовался. Впервые за все эти дни лицо его оживилось.

— Да, — Елистратов достал из кармана пиджака снимки. — На тебя еще одно убийство повесить пытаются. Но я знаю, это не ты убил. Я уверен. Но доказать я это смогу, только опираясь на твои показания. Знаешь, что мы под полом склада твоего обувного нашли?

Пепеляев поднял голову.

Профессор Геворкян, отделенный от происходящего в боксе стеклом, буквально приник к нему, стараясь уловить малейшее изменение в чертах своего пациента.

— Нет, не знаю. Что?

— Труп одиннадцатилетней давности.

Было очень тихо в «третьем».

— Ты проживал в Москве одиннадцать лет назад? — спросил Елистратов. По его знаку один из оперативников достал протокол допроса и диктофон, начал записывать показания.

— Нет.

— Где ты находился?

— Я жил в Твери. Мать была жива.

— Когда впервые ты попал в дом номер 12 в Никитниковом переулке, где сейчас твой обувной склад?

— Три месяца назад, нет, уже три с половиной.

Геворкян, отделенный стеклом, следил за мимикой Пепеляева, за его руками. В один из первых допросов следователь спрашивал его именно об этом, и тогда Пепеляев прибегнул к акту членовредительства, лишь бы не отвечать. Но теперь он был спокоен, даже безучастен... Или это только казалось?

— О том, что под полом есть подвал, ты знал? — спросил Елистратов.

— Нет.

— Этот человек тебе знаком? — Елистратов показал фото Евгения Цветухина.

Пепеляев протянул руку, но... Она вдруг упала как плеть к нему на колени. Он встал. Его лицо по-прежнему ничего не выражало. Уже более энергичным жестом он взял снимок. Геворкян, Елистратов, сыщики, врачи-психиатры, охранники — они все видели этот жест. Пальцы Пепеляева накрыли лицо на снимке. Скрюченные пальцы, на одну лишь долю секунды ставшие похожими на хищные когти... Потом они расправились, расслабились. Пепеляев провел ими по лицу Цветухина, точно лаская.

— Нет, я его не знаю. Он был убит? Вы его нашли?

Он говорил ровно, спокойно. Но вот странность — Елистратов и оперативник, который вел протокол, на миг отвлеклись, оба как по команде глянули на потолок. Им почудилось... За стекло через динамики ЭТОТ ЗВУК не прошел. Но им показалось... Что-то прошелестело, проскребло — чешуя по бетону или что-то в этом роде, но ведь и стены, и потолок в «третьем» были забраны матами...

— Мы нашли то, что от него осталось. Значит, не знаешь его?

— Нет.

— Ладно, так и запишем. А я давно спросить тебя собирался, Пепеляев, — Елистратов кашлянул (Чушь, ерунда, все морок и бред!). — Там, на складе, рисуночек мы один нашли. Кровь ты на него свою не пожалел. А что сей рисунок обозначает?

— Я не помню.

— А вот тут некоторые версию любопытную выдвигать стали, что, мол, неслучайных людей ты там, на Арбате, побил. Что, мол, прицельный огонь вел по вполне определенным мишеням. И, мол, мишени эти... люди, тобой убитые, похожи кой на кого. Ищешь, мол, ты вроде кого-то, а? Ищешь вот таким вот способом.

Пепеляев молча вернул фото Цветухина.

— Не желаешь отвечать?

— Мне нечего сказать.

— Ладно, так и запишем — на этот вопрос подозреваемый ответить затрудняется. — Елистратов был, кажется, даже доволен и косо глянул в сторону стекла, за которым стоял профессор Геворкян. — Ну, и последний вопрос, чисто формальный. Вот этот человек тебе не известен? Мы его в этом убийстве подозреваем. Ищем активно. Взгляни, может, узнаешь? Может, он приходил на склад, видел ты его? Может, женщины, его сестры, приходили, чем-нибудь интересовались?

Елистратов передал фото Тимофея Зикорского. Пепеляев взял снимок. Взглянул...

— Его сестры? — спросил он.

— Ну да, — Елистратов ответил машинально. — Они недалеко, на Малой Бронной живут, пешком дойти могли... Может, они когда на склад приходили, что-то узнать пытались?

— Сестры? — повторил Пепеляев.

НЕТ, НЕ ПЕПЕЛЯЕВ. ОНИ ВСЕ ТАМ, В БОКСЕ, УСЛЫШАЛИ СОВСЕМ ДРУГОЙ ГОЛОС.

Пальцы судорожно сжались, комкая, сминая фотографию сына Саломеи. Дальнейшее произошло в мгновение ока — Пепеляев пошатнулся. Лицо его побагровело, и он рухнул как сноп на маты.

Когда в «третий» вбежали врачи, он уже хрипел.

— Пульс еле-еле! — Геворкян оказался рядом с ним одним из первых. — Это сердце, может, инфаркт, вызывайте «Скорую»! Я же говорил, я предупреждал о последствиях! Вызывайте «Скорую», реанимационную бригаду! Иначе мы его потеряем!

Глава 43

ВИДЕНИЕ АНФИСЫ

В тот момент, когда Катя позвонила ей с работы, Анфиса бодрым шагом пересекала двор Института скорой помощи имени Склифосовского. На часах было шесть вечера. И над больничным корпусом висел оранжевый шар, клонящийся к закату.

— Алло, Анфис, привет, ты где?

— В «Склифе». Помнишь, я про нашу старшую по подъезду тебе говорила — у нее с сердцем плохо стало, когда ей стояк ремонтники меняли, — Анфиса аппетитно жевала бургер, купленный в «Макдоналдсе» на Садовом кольце. — «Скорая» ее в «Склиф» увезла, а сегодня она мне звонит по мобиле, просит помочь ей. Она совсем одинокая, некому навещать, а у нее туалетная бумага кончилась и паста зубная. Вот иду в кардиологию, несу, минералки ей купила, фруктов, ну и бумаги мяконькой, конечно. Уж разорилась на итальянскую. Она хорошая бабка, только наш капремонт ее совсем доконал. Немножко посижу с ней. А дома часиков в восемь буду. Где ты, подружка, я не спрашиваю. Большой милицейский секрет.

— Где-где, на работе я, скоро начну собираться домой потихоньку. Анфис, тебе что приготовить на ужин?

— А что у нас там в холодильнике есть? Рыбки хочу жареной, в гриль ее положи, и картошечки фри... Или жирно будет на ночь? Стремно? А, все равно — один раз живем. Я помидоры купила азербайджанские на рынке. Там, внизу в холодильнике. Ну все, пока, Кать, тут мне сигналят, я дорогу загораживаю «Скорой».

ЭТО БЫЛА ВПОЛНЕ ОБЫЧНАЯ ФРАЗА, которую Катя услышала в трубку. Она не удивилась, не встревожилась. Она и предположить не могла, ЧТО СЛУЧИТСЯ там, во дворе Института Склифосовского, через несколько минут.

«Скорая», сигналившая Анфисе, остановилась у подъезда приемного покоя, похожего на длинный гулкий туннель. Анфиса, особо никуда не торопившаяся, подошла к приемному, когда из «Скорой» сначала выпрыгнул медбрат в синей униформе, а затем... двое штатских. В руках у них были «АК».

Анфиса застыла на месте. Увидеть вооруженных людей возле больницы... ей сразу вспомнился захват госпиталя террористами и...

— Проходите, проходите, девушка. Быстрее, тут не на что смотреть! — скомандовал один из автоматчиков. — Давайте выгружайте его!

Анфиса не знала, что автоматчиками были сотрудники МУРа, приезжавшие вместе с полковником Елистратовым в Центр судебной психиатрии. Привести в сознание Пепеляева там, в боксе, так и не удалось.

Были вызваны сразу две бригады «Скорой», и врачи приняли решение — немедленно везти пациента в Институт Склифосовского в реанимацию.

В «Скорую», куда загрузили Пепеляева, сели двое оперативников (автоматы они достали из багажника елистратовского служебного «БМВ» — все свое вожу с собой). Елистратов вместе с Геворкяном сели в «БМВ» и почти весь путь следовали за «Скорой». Однако, как назло... или по странному стечению обстоятельств где-то в районе площади Трех вокзалов они отстали. «Скорая», спеша довезти больного до реанимации, включила «сирену» и...

Она опередила «БМВ» на каких-то десять минут, но этого оказалось достаточно.

— Что с носилками?

— Механизм заело, не скользят, — медбрат сунулся внутрь кузова. — Сейчас я из приемного привезу, подождите!

Анфиса стояла напротив «Скорой». Она все еще колебалась и подозревала. Нет, конечно, это никакие не террористы, хоть и с автоматами... Те бы ее наверняка уже как свидетеля прикончили, но... Но что, собственно, тогда здесь происходит? Кого привезли в «Склиф» под дулами автоматов?

Дверцы «Скорой» были распахнуты. Один из автоматчиков курил, отвернувшись, чтобы дым не попадал внутрь машины. Второй неуклюже присел, застегивая «липучку» на кроссовке.

И в этот момент Анфиса увидела в кузове «Скорой» человека.

У него было что-то с лицом... Потом, когда Анфиса вспоминала ЭТО, она каждый раз ощущала, будто ее насквозь пронзает острое жало. Описать ЭТО было так трудно... слов нельзя было подобрать... У ЧЕЛО-

ВЕКА ЧТО-ТО БЫЛО С ЛИЦОМ... ЧТО-ТО ДО ТАКОЙ СТЕПЕНИ НЕХОРОШЕЕ, ЖУТКОЕ, ЧТО...

На какое-то краткое мгновение в этот тихий июньский вечер, когда заходящее солнце слепило глаза, как багровый прожектор, Анфисе показалось, что... эта тварь, там, в «Скорой», и на человека-то не была похожа.

Но это видение длилось лишь миг, а потом...

Тварь прыгнула на спину присевшего на корточки оперативника и рванула его голову за волосы вверх. Он только охнул и ткнулся лицом в асфальт. Второй обернулся на этот звук и успел дать очередь. Но и его опрокинули ударом в грудь, когтями вцепившись в лицо, смяв, расщепив стальное дуло автомата, словно фольгу.

А потом — только топот удаляющихся шагов.

Анфиса пришла в себя уже сидя на асфальте. Она не могла вспомнить... наверное, упала сама, когда прозвучали выстрелы? Сумка, набитая бутылками с минералкой и рулонами туалетной бумаги, валялась рядом.

Топот удалявшихся шагов...

ОН обернулся. Анфиса видела — ОН смотрит на нее, словно оценивая, прикидывая...

Теперь его лицо было совсем другим. Можно даже сказать, совсем обычным. И все же...

Ужас парализовал Анфису.

Но вот ОН отвернулся.

И скрылся.

КАК БУДТО РАСТАЯЛ... Оперативник с разодранным лицом стонал, пачкая кровью асфальт. Во двор Института Склифосовского въезжал черный служебный «БМВ» с милицейскими номерами. По гулкому туннелю приемного покоя медбрат катил носилки.

Глава 44

КРАСНОЕ ПЛАТЬЕ

Позвонив Анфисе, Катя начала медленно... очень медленно собираться домой. Полковник Гущин с самого обеда был на совещании в прокуратуре, так что узнать последние новости было не у кого.

Катя выключила ноутбук, убралась на рабочем столе — вечно такой хаос к концу дня. Достала пудреницу и блеск для губ, взглянула на себя в зеркало.

Собственно говоря...

Нет, ничего... просто...

Больше всего на свете ей хотелось, чтобы раздался звонок профессора Геворкяна и он сказал: ТЕПЕРЬ МНЕ ВСЕ ЯСНО.

В подвале того жуткого дома...

ОН был сыном ясновидящей Саломеи...

А ДРУГОЙ был грабителем банка...

А ТРЕТИЙ... вот и выходит, что Пепеляев всегда был именно ТРЕТИЙ... Он был торговцем обувью и убийцей...

Но убийцей был и сын Саломеи...

Тогда на допросе его сестра сказала, что их другая сестра «не встречала его среди мертвых». И результаты анализа ДНК говорят о том, что по крайней мере неделю назад, когда произошло убийство в Куприяновском лесу, ОН был жив.

Гущин вполне справедливо может предполагать, что сестры лгут, что они знают, что он — Тимофей Зикорский... их брат Тимофей жив. И скрывается... Скрывается потому, что убил своего друга Евгения Цветухина, присвоив деньги, похищенные из банка... Где же те деньги? Что стало с ними спустя одиннадцать лет? У сестер... у этих сестер-Парок богатый дом,

Гущин сразу тогда это отметил... и там много вещей, дорогих, очень дорогих, явно купленных совсем недавно... это не наследство ясновидящей Саломеи, это современные инвестиции в дорогие бренды... Сколько, интересно, они зарабатывают гаданием и общением с потусторонним миром?

Гущин будет добиваться ордера на обыск дома на Малой Бронной, подозревая, что Тимофей мог все эти годы скрываться там, у сестер... Дом-то большой... Но это означает, что Парки лгут. По глазам человека можно прочесть, как по книге... Что можно было прочесть по их глазам? В первую встречу там, в их доме? И во вторую — здесь, в стенах Главка? Ничего. Вроде не лгали, вроде говорили правду — обе... Две старших сестры... Руфина, Августа... Как она тогда еще себя назвала? Ах да, Августина, имя произносится и так и этак, как кому нравится... Но ведь есть еще и третья — младшая. И она не была допрошена ни тогда, ни сейчас.

А что, если... До Малой Бронной от Главка так близко. А что, если и правда самой попытаться? Если старшие сестры там, можно просто придумать предлог — я хочу, чтобы вы мне погадали... они же медиумы, у них полно клиентуры... Могут отказать, но что-то подсказывает, что не откажут — захотят сами понять, зачем пожаловал снова к ним представитель правоохранительных органов — после официального допроса, после забора данных на экспертизу ДНК. Старшая, Руфина, сделала это добровольно, и анализ показал наличие родственных связей. СЕГОДНЯ ЭТИ ДАННЫЕ В РОЗЫСК ПРИШЛИ. ЭТО САМОЕ ГЛАВНОЕ ПОДТВЕРЖДЕНИЕ. Там, в лесу, на месте убийства Мазина, и в подвале, на месте убийства Цветухина, в обоих случаях был один и тот же человек — близкий родственник Руфины...

Брат Тимофей, но...

ЭТО ВЕДЬ НЕ ОКОНЧАТЕЛЬНОЕ ПОДТВЕРЖДЕ-
НИЕ. Для того чтобы оно стало бесспорным, нужен
еще один анализ ДНК, когда с исходными образцами
сравнивается ДНК самого подозреваемого.

А местонахождение Тимофея Зикорского до сих
пор не установлено. Где он может быть? Если старшие
сестры лгут, то... может, младшая... как ее там зовут...
Ника? Младшая Ника скажет, пусть она и не совсем
в своем уме, но...

Если все же попытаться? Прямо сейчас пойти туда,
к ним? Выдумать предлог — погадайте мне на картах
Таро или... ой, да что угодно, что в голову первое придет, чтобы вышло как можно более естественно... Этакая дурочка из милиции... Выпал случай познакомить-
ся со знаменитостями, вот она и приперлась... А там
уж по обстановке — улучить момент и попытаться поговорить с младшей сестрой о ее таинственном брате-
убийце.

Мысль несется со скоростью света, может, это и не
совсем так, но ВСЕ ЭТО пронеслось в Катиной голове
как вихрь в тот самый момент, когда она подносила
розовый блеск к губам, глядя на себя в зеркало.

В эту самую минуту полковник Елистратов, при-
бывший во двор Института Склифосовского следом за
злополучной «Скорой», уже звонил на Петровку. Оперативники подняли с асфальта растерявшую все свое
добро Анфису, насмерть испуганная, она еще не могла говорить. Вокруг раненых автоматчиков хлопотали
врачи.

...Катя заперла кабинет и решительным шагом дви-
нулась «выполнять задание». На втором этаже Главка
возле дежурной части она увидела...

— Опять ЧП? В каком районе?

— Москва помощи просит, только что объявили по городу план «Вулкан», — на ходу застегивая кобуру, ответил Кате на ее праздный вопрос сотрудник Управления по борьбе с экономическими преступлениями, дежуривший в этот тихий июньский вечер по Главку «от руководства». — Сейчас по рации передали — тот подонок, что людей на Арбате расстрелял, по пути в больницу сбежал!

На Малой Бронной не слышали в этот вечер ни автоматных очередей, ни стонов, ни милицейских сирен.

В просторной спальне, которую когда-то занимала великая Саломея, на широкой постели под алым бархатным балдахином громоздились чемоданы и ворох одежды, вытащенной из гардеробной. Спальню, как и кабинет, после смерти матери занимала Августа — средняя сестра-Парка.

И здесь тоже висел портрет Саломеи, не такой парадный, как там, внизу, не такой огромный, но гораздо более пикантный. Великая Саломея была изображена, как и ее еще более великая библейская тезка, пляшущей танец Семи покрывал. И на портрете на ней оставалось только одно, последнее — седьмое покрывало из прозрачнейшей кисеи, позволявшей видеть обнаженное тело. Этот портрет появился в спальне через два года после смерти Саломеи, его нарисовал никому не известный художник, использовавший для изображения лица фотографию ясновидящей. Полуобнаженное тело же ее было плодом его фантазии. И сестрам-Паркам этот плод пришелся по вкусу.

— С визой, конечно, быстро не получится, — старшая сестра-Парка Руфина появилась в дверях спальни с еще одним чемоданом и швырнула его на кровать, — надо подумать, кому можно позвонить в МИДе...

Гусеву можно было бы, но он теперь послом где-то... я забыла где... Мятлевскому? Его жена, помнишь, то и дело наведывалась чакры чистить... Но он с ней развелся, женился на балерине, совсем еще девчонке, откуда-то из Екатеринбурга, что ли... Хрен теперь поможет... Что ты делаешь? Я тебя спрашиваю, что ты делаешь?

Августа в шелковом пеньюаре сидела на постели среди всего этого хаоса. В руках у нее была ковбойская шляпа. Она надела ее и оглянулась, смотря на себя в зеркало.

— Как тебе?

— Сними, тебе не идет.

— Матери кто-то подарил, кстати, кто-то из дипломатов... наших или американских? Я помню... Она тогда впервые джинсы надела. Вот здесь. А ты помнишь?

Руфина села рядом. Белые двери спальни... Тогда еще тут не было этого ремонта, и обои... да, обои были желтые, от старых хозяев, от этого чертова журналиста или шпиона, что жил тут, на Малой Бронной, как муха в липкой паутине и держал салон под колпаком КГБ...

— Обои были желтые, а мать... да, мать впервые примерила джинсы... Какой это был год? Семьдесят восьмой? До этого она джинсы не носила — то ли комплексовала, то ли еще что, а потом как-то увидела в английском журнале фото Линды Маккартни и... Вот она стоит перед зеркалом — босая, в одних тесных джинсах, она их только что застегнула и поворачивается, оглядывая себя. И держит обеими руками свои полные обнаженные груди. И в этот момент... да, в этот момент вбегаем мы... — Руфина закрыла глаза. — Я вбегаю, и он, Тимофей, я держу его за руку...

Он такой маленький, такой юркий... шкет... Светлоголовый одуванчик... на нем ковбойская игрушечная кобура с бахромой и водяной пистолет... Там, в той комнате, слышен еще один детский голос... Это сестра... Он вырывается, визжит радостно и возбужденно и кидается к матери, упираясь головой прямо в ее грудь, и они, хохоча, падают на кровать...

А потом эта вот шляпа, ковбойская шляпа...

— Я бы не стала все так вот поспешно тут бросать и уезжать за границу, если бы не Ника, — сказала Руфина. — Согласись, что ее состояние здоровья... Чем это не предлог? Они не смогут нам отказать, если мы объявим, что хотим сейчас уехать — с целью лечения сестры. Например в Германию... Или в Швейцарию... Шенгенская виза нужна, и в три дня ее нам не получить... Ладно, подождем чуть больше. То, что они от нас хотели, мы выполнили. Я вон даже тест им какой-то сдала на ДНК, думала, кровь будут брать — нет, просто сунули тампон за щеку. Так просто все это у них, что... это даже пугает.

— Не бойся, — сказала Августа, — не бойся ничего, моя дорогая.

Она вытащила из вороха вещей красное платье — длинное, струящееся, с открытой спиной.

— Они могут прийти сюда с обыском, — сказала Руфина.

— Пусть приходят. Пусть убедятся — здесь его нет. И не было все эти одиннадцать лет.

— Да, но...

— И трупа в подвале они не найдут. Во-первых, потому, что у нас тут нет подвала. А во-вторых, потому, что нет и самого трупа.

— Как ты можешь смеяться?

Августа встала и подошла к зеркалу.

— А почему бы и нет? Каждый платит свою цену.

— С немецкой клиникой я уже договорилась по телефону, — Руфина продолжила ТУ свою мысль, — Нику они примут... спрячут без лишних формальностей, если мы заплатим за лечение. Ну и сами там поживем, а затем, может, в Баден поедем... Конечно, я не планировала уезжать, но здоровье нашей дорогой девочки... И потом, я об этом должна помнить... и ты тоже... ИЩУТ ВЕДЬ НЕ ТОЛЬКО ОНИ. Ты слышишь, что я тебе говорю? Или для тебя эта красная тряпка важнее? Ищут теперь не только они, милиция... Той ночью, когда мы впервые с этим столкнулись... ты вон руки себе все разрезала, кровь пожертвовала, и только кровью ЭТО остановила, не пустила сюда, в дом... Мне бы сразу догадаться, но я не верила. И сейчас, сейчас, понимаешь ты, не до конца еще верю. А мать всегда требовала в таких ситуациях твердой веры... А я не верю, хотя и боюсь, очень боюсь... Теперь, когда они вскрыли тот подвал, когда нашли его, только кровью... пусть мы ее всю отдадим, одной лишь кровью ЭТО уже не остановить. Ты слышишь меня? Или ты это нарочно?

— Я не нарочно. Сестренка, Руфа, ты же знаешь, я не нарочно. Делай, как считаешь нужным, тут я полностью тебе подчинюсь. Если хочешь, чтобы мы все уехали, мы уедем. Только...

— Что только?

— Только в расстоянии ли дело?

— По крайней мере я буду чувствовать себя в большей безопасности, — сказала Руфина, но уже с запинкой. — А вдруг? Вдруг это поможет хоть на какое-то время?

— Делай, как считаешь нужным.

— И потом, знаешь, в милиции тоже не дураки сидят, — уже совсем другим тоном сказала Руфина.

— Да пусть приходят, пусть обыскивают. Я же сказала — трупа они не найдут, потому что трупа не было. Я этому полковнику так в глаза и сказала — мол, Ника наша никогда не видела брата среди мертвых. В это ты хоть веришь, сестра?

— В это я верю. Оставь это платье, красный цвет тебе не идет. Слишком огрубляет лицо.

— А я хочу, пусть огрубляет. Черный цвет надоел, вечный траур. А сейчас вроде как в нем нет уже надобности, а? — Августа потянула пояс на пеньюаре. — Выйди, пожалуйста, я хочу примерить.

Руфина окинула взглядом гору вещей. Как же много тряпок... А сколько еще там обуви в гардеробной, и пальто, и шубы... И эта вот мятая старая ковбойская шляпа, американский презент из семидесятых... Ее не выбросили... Когда же ЭТО было? В том же семьдесят восьмом? Или годом позже? Они с матерью вернулись с прогулки, Ника была еще совсем кроха, сидела у матери на руках, и поднялись сюда, в спальню, и открыли вот эту дверь... Обои были все те же, желтые, и зеркало, а портрета еще не было, а вот тут посредине стоял брат Тим... шкет светлоголовый... В этой вот ковбойской шляпе, сдвинутой на затылок. Она, Руфина, сначала не поняла, а потом очень испугалась... Брат был абсолютно голый, в руках он держал бритву... Маленькое такое лезвие, но такое острое... Она помнит, потому что от окрика матери — истерического, страшного — он тут же уронил его на ковер... А до этого он пытался... Он как-то сгорбился весь и держал в руках...

Нет, он не поранил себя, не успел, рыдал вот тут на кровати, а мать гладила его по спине и качалась из стороны в сторону, потому что не могла... боялась плакать.

Каждый платит свою цену. Брат Тимофей заплатил одиннадцать лет назад. И теперь его нет. Они, кто бы ОНИ ни были, его не найдут.

Закрыв двери спальни, оставив Августу один на один с нарядами, Руфина отправилась на кухню — надо было что-то приготовить на ужин. А потом покормить Нику, которая... Где же она, что-то ее не слышно в доме?

В этот момент на парадном раздался звонок.

Глава 45
ВИДЕНИЕ ПАТРУЛЯ

Потеряла смысл... жизнь... Потеряла смысл, сорвалась с колеи, как «Невский экспресс», пущенный под откос...

И все напрасно, все совершенно напрасно...

Все было зря...

И мать...

И та ночь, давняя ночь в банке, когда вскрыли свой первый сейф...

И дыба в подвале спустя одиннадцать лет...

Пес нажрался и сдох...

А любовь, что могла расцвести...

Любовь...

Петр Дьяков стоял на перроне станции Петровско-Разумовское пьяный в дым. Как он попал на станцию — добрел ли пешком, доехали ли, он не помнил. От Малой Бронной до железнодорожных путей — путь немалый, но он не помнил ничего.

Потеряла смысл жизнь...

Наверное, он просто хотел вернуться домой, закрыть ворота, запереть дверь на засов, броситься ничком на кровать. Там, в городском морге, их с братом Григорием ждала мать. Ее надо было хоронить. Но со станции Петровско-Разумовское нельзя было доехать до подмосковного Дзержинска. А он, Петр Дьяков, стоял именно на перроне этой станции, хотя и не помнил, как сюда попал.

Надо же, чуть лицо ножом не порезала, сука...

А любовь, что могла расцвести...

Любовь...

Возможно, он и правда хотел вернуться домой. Но от одной мысли, что снова надо будет переступить порог, войти на террасу, увидеть мутные, давно не мытые стекла окон и ощутить ту вонь... ту страшную гнилую вонь, что внезапно наполнила комнаты...

Пес нажрался человечины и сдох... Что-то убило его... Что-то убило...

А мать...

Мама Лара — как теперь мы без тебя?

Чуть лицо ножом не порезала, сука...

Сестра ее...

А она... она засмеялась...

Гадина... шлюха... тебя бы в наш подвал, на дыбу, на крюк...

А любовь, что могла расцвести...

Петр Дьяков — широкоплечий, грязный, пьяный — неожиданно всхлипнул. Как мальчик, как брошенный, всеми забытый, никому не нужный ребенок.

Любовь, что могла расцвести...

Разве не хотел он любви? Всегда, всегда. И когда резал автогеном тот чертов банковский сейф под окрики Женьки Цветухина: «Быстрее, что возишься?», и когда глядел, глотая слюну, как брат его младший Гришка, развлекался там, в подвале, с той бабой...

И в гастрономе № 1, у винных стеллажей... Все бабы похожи на резиновых кукол. Все, кроме одной.

Кроме НЕЕ...

Любовь, что могла расцвести...

Выпученные глаза Мамы Лары на синем от удушья лице...

Кровь там, в подвале, что он на коленях замывал с порошком...

Жизнь, потерявшая смысл...

Гудок тепловоза...

Мост высокий над стальными путями...

Петр Дьяков прошел мимо лестницы железнодорожного моста. И увидел милицейский патруль на перроне.

Патрульные — молодые, в шнурованных ботинках, в бронежилетах — смотрели прямо на него. Вот уже сутки, как он был объявлен в федеральный розыск и его фотографии, взятые из его дома в Дзержинске в ходе обыска, уже имелись во всех отделениях милиции, были вручены каждому патрулю ППС, заступающему на дежурство по территории.

У этих молодых в бронежилетах и шнурованных ботинках оказалась отличная зрительная память. Они узнали его... ну, если и не наверняка узнали, то все равно решили остановить и проверить документы.

— Гражданин, подойдите!

Он был пьян, но все же не настолько, чтобы самому лезть на рожон.

— Гражданин, стойте! Остановитесь!

Но куда уж тут остановиться. Лестница, ведущая на железнодорожный мост, была прямо перед ним. Петр Дьяков грузно побежал наверх.

Жизнь, потерявшая смысл...

Там, на мосту, можно все кончить разом!

— Стой! Или будем стрелять!

Патруль блефовал — еще секунду назад перрон был пуст, но вот вечерний сумрак осветили сигнальные огни электрички Тверь — Москва, и платформа заполнилась пассажирами, а стрелять в толпе даже по особо опасному, объявленному в федеральный розыск преступнику строго запрещает служебная инструкция МВД.

Патрульные ринулись на мост вслед за убегавшим. Они были еще только на середине лестницы, а Дьяков был уже на середине моста. И в этот миг...

Оба патрульных очень хорошо ЭТО запомнили.

На другом, дальнем конце железнодорожного моста появилась фигура.

В сумерках летнего вечера в станционных огнях можно было лишь разглядеть, что это мужчина — среднего роста, худощавый. Но двигался он как-то уж слишком быстро, хотя и не бежал...

Секунда — и вот он поравнялся с Петром Дьяковым. А тот его не видел. Судорожно вцепившись в перила, он смотрел вниз, на рельсы... Покончить все разом... здесь, на мосту... прыгнуть туда и...

НЕТ! НЕТ, НЕ МОГУ! МАМА ЛАРА... Я НЕ МОГУ... ВЫСОКО, Я БОЮСЬ... МАМА ЛАРА, МАТЬ... ПРИДИ, СПАСИ МЕНЯ, КАК ТЫ СПАСАЛА ВСЕГДА!!

Петр Дьяков почувствовал на своем плече чью-то руку. Оглянулся и...

Не Мама Лара — какой-то парень, совсем незнакомый — худое лицо, выступающие скулы, темные шрамы на тыльной стороне ладоней, и глаза — запавшие, непроглядные, как ночь, хотя вроде и светлые, водянисто-серые глаза...

Что-то было в этих глазах такое, что Дьяков, не помня себя, рванулся прочь... Но ощутил себя точно в стальных тисках. И вдруг... лицо незнакомца начало плавиться, двоиться, гнить, распадаться, осыпаться могильной землей... И сквозь него проступило ДРУ-ГОЕ лицо.

Петр Дьяков узнал ЕГО сразу, хотя они не виделись одиннадцать лет, хотя искали, везде, везде искали, кроме...

— Эй, стоять! Эй, отойди от него! Будем стрелять!

Крик патрульных заглушил гудок приближавшегося тепловоза. Скорый «Красная стрела». Москва — Санкт-Петербург.

Патрульные замерли, забыв про оружие. Потом, уже спустя несколько часов, когда они писали рапорты в транспортном отделе милиции в присутствии следователя прокуратуры, прибывшего на место, ВСЕ ими увиденное было описано так, чтобы... чтобы их самих не сочли спятившими — как самоубийство подозреваемого.

Но это не было самоубийством. Петр Дьяков так и не прыгнул с моста на рельсы, потому что...

НЕЧТО, появившееся на мосту рядом с ним, секунду назад выглядевшее как человек, а потом в мгновение ока изменившее свой облик... Мертвая тварь ощерила пасть и на глазах очумелых от страха патрульных разорвала тело Петра Дьякова пополам, точно и кожа, и кости, и плоть его были из гнилого картона. А затем с торжествующим воем швырнула окровавленные куски вниз с моста прямо под колеса «Красной стрелы».

Гудок тепловоза...

Силуэт там, на мосту, что явил свой истинный лик и в мгновение ока как будто растаял...

— Господи, пассажир на рельсах! Пассажира поездом задавило!!

Глава 46
ГОСТИ

Катя пулей вылетела из Главка и помчалась вверх по Большой Никитской. Мимо консерватории, мимо любимого кафе, модных магазинов, мимо серой громады ТАСС. Через дорогу — на бульвар, потом направо и... вот она, Малая Бронная. Сколько минут она потратила на свой путь? Семь? Десять?

Огромный город плыл в сизых сумерках. Огромный город таял как снег в этот летний вечер. Катя оглянулась: на пешеходном переходе зажегся красный, словно предупреждая — путь закрыт, не ходи, не суйся туда. Но она не слышала предостережений, не замечала знаков, и внутренний голос ее молчал. В мозгу как в силках билось только одно:

ПЕПЕЛЯЕВ БЕЖАЛ.

ЗНАЧИТ, И ТОТ, ДРУГОЙ...

ЧЕМ ЖЕ ЗАКОНЧИТСЯ ПОИСК ТРЕТЬЕГО?

Огромный город был похож на мираж. А тихая Малая Бронная казалась ущельем, стиснутым со всех сторон мрачными скалами. Стены домов... В этот час в окнах еще не зажигают света, и фонари не горят. Только сумерки, серые сумерки, полоса заката, там, над покатыми крышами...

Театр — она миновала его. Пестрые афиши. Катя замедлила шаг. Отчего-то хочется остановиться здесь, прочесть все афиши до конца и... не ходить дальше.

Ерунда... просто нервы. Самая обычная московская улочка — сонная и тихая, забитая машинами, а то, что народа в этот час нет, ей никто не встретился по пути, так это же центр, в конце рабочего дня центр города вымирает. Все спешат по домам, к семье, к телевизору, и только кошки бездомные...

Какая яркая витрина вон у того магазина белья. А дальше обувные бутики. И тот, где продают лучшие на свете туфли с алыми подошвами... как будто прежде чем поставить их на полку, в них прошлись по кровавым лужам и запачкали их... Загрязнили, а может быть, так украсили?

Катя снова оглянулась. Пепеляев, здесь тебя нет? Возле этой витрины не ждешь ты меня? Тут можно увидеть то, что ты так любил, прежде чем пошел убивать, — туфли из черной замши, божественные туфли из серебряной парчи, сияющие стразы, каблуки, похожие на стилеты.

Мимо домов, мимо гранитных фасадов с темными слепыми окнами — к тому перекрестку. Путь знакомый, совсем недавно мы шли здесь с полковником Гущиным — к ним, к сестрам. Перед тем как идти сюда, на Малую Бронную, она написала Гущину записку и оставила ее в дежурной части — на всякий случай, как того требует инструкция. Знает ли он, что Пепеляев бежал? А значит, и Другой...

Чем же закончатся их поиски Третьего?

Кто умрет?

Зеленые огни аптеки на перекрестке. Огни кондитерской, полной пирожных, витрина кафе и...

Желтый особняк на противоположной стороне. В окнах нет света, маленький сад шумит за невысокой оградой, парадное...

Странно, как ей раньше не приходило в голову — а ведь дома-то похожи. Этот на Малой Бронной и тот — в Никитниках. Как много в Москве похожих старых домов.

Нет, все же это другой дом. Здесь когда-то жила ясновидящая Саломея, про которую столько ходило сплетен, столько рассказов. Если хоть сотая доля из того, что говорили, — правда, если она действительно обладала неким особым даром, смогла бы она уберечь своего сына-убийцу от участи, что ему уготовили ОНИ — Пепеляев и тот, Другой...

С Пепеляевым они никогда не встречались при жизни.

А Другого он, сын Саломеи, оставил умирать в том подвале.

Катя нажала кнопку домофона. Если ЕГО сестер нет дома, что ж... будем считать, что она напрасно проделала этот долгий путь...

Всего семь минут ходьбы — и такой долгий, долгий путь. Вот что имел в виду полковник Гущин.

Шаги, женский голос:

— Кто? Кого нужно?

— Откройте, пожалуйста, капитан милиции Петровская.

Дверь медленно, нехотя открылась, и Катя увидела старшую сестру-Парку.

— В чем дело? — спросила Руфина.

— Мне необходимо с вами поговорить. Я могу войти?

— Что опять случилось? В чем дело? Когда милиция нас оставит в покое? — Руфина впустила ее и резко захлопнула дверь.

Сумрачный холл, лестница наверх. Кто еще дома? Где они держат свою младшую? Там, на втором этаже?

— Простите за вторжение, но когда вы были у нас в управлении... Одним словом я подумала... — Катя взяла себя в руки и начала играть роль «дурочки из милиции». — Я никогда прежде не сталкивалась с людьми вашей профессии, то есть с теми, кто умеет... то есть имеет возможность видеть... ну, видеть дальше своего носа, понимаете? Это же феноменальный дар!

Печально, что мы с вами познакомились при таких вот обстоятельствах, но... Я все же решилась к вам обратиться, так сказать, в частном порядке. Вы не могли бы и для меня посмотреть... я не знаю, как это называется... проконсультировать, погадать мне или увидеть там что-то... Ну, ТАМ. Поверьте, для меня это сейчас так важно!

— Это называется — прочитать, — сказала Руфина. — Наша мать это так называла — читать как по книге. Вон там, на стене, ее портрет. А мы все — тайные книги. Вы хотите открыть свою?

— Да, да, я... Я еще в тот раз, когда мы впервые были здесь у вас, решила. Хотела записаться к вам на прием. Но все так усложнилось разом. А мне просто необходимо с вами посоветоваться чисто по личным причинам...

— Ну, что ж, садитесь сюда на диван, — Руфина смотрела на нее слегка насмешливо. — Обойдемся без карт Таро... Вы про карты Таро сейчас хотели спросить?

— Да, но... Как вы догадались?

— Обойдемся без них. Есть много других способов открывать тайные книги. Но я должна подготовиться. Подождите здесь, хорошо?

Она как тень — бесшумно и быстро скрылась за дверью.

Катя встала с дивана. Этого ты хотела? Остаться одной здесь, в доме. А сестра-Парка словно угадала твое желание и покинула тебя.

Портрет на стене...

ТЫ ЖЕ СОБИРАЛАСЬ ИСКАТЬ ТУТ В ДОМЕ ИХ МЛАДШУЮ СЕСТРУ. ЗАДАТЬ ЕЙ ВОПРОСЫ О БРАТЕ, КОТОРОГО ТА «НИКОГДА НЕ ВИДЕЛА СРЕДИ МЕРТВЫХ».

Что же ты не идешь туда, наверх? «Ника, вы здесь? Ника, откликнитесь! Я из милиции, мне необходимо с вами поговорить!»

Как глупо... Словно в дешевых боевиках... И еще пистолет достать, пистолета нет...

Глупо... В доме у НИХ ЭТО не сработает.

Портрет на стене...

Катя не поверила своим глазам, ей показалось, что еще одна тень, еле различимая в сумерках, сочившихся из окон, наливавшихся тьмой, как гноем, отделилась от портрета и...

Нет, это всего лишь открылась дверь — другая, рядом с портретом, открылась, не скрипнув петлями, впустив кого-то...

Щелкнул выключатель, вспыхнула хрустальная люстра, но свет был тусклым, неживым.

Катя увидела младшую сестру-Парку. Ника, которую она так жаждала видеть, тоже как будто угадала, прочла... И явилась на зов.

Она была босая, на ней было лишь черное шерстяное пончо, открывавшее голые ноги. Кожа обтягивала ее исхудавшее лицо, а глаза горели...

Этот сухой лихорадочный блеск... Эта вонь, исходившая от ее давно не мытого тела... Катя невольно сделала шаг назад. Эта женщина явно больна, безумна, и что-то выпытывать у нее, оставаясь в комнате один на один, было... было бы, наверное, большой ошибкой, но...

НО ОНА ЖЕ ИМЕННО ЗА ЭТИМ ПРИШЛА В ЭТОТ ДОМ — ВЫПЫТЫВАТЬ У БЕЗУМНОЙ, ПОТОМУ ЧТО ПРОЧИЕ ЛГАЛИ...

— За мной пришла?

— Ника, я хочу с вами поговорить о вашем брате Тимофее...

— Ты за мной пришла, да? Это у тебя вот здесь, — Ника-Победительница, путешественница в страну мертвых, протянула скрюченный палец, пытаясь коснуться Катиного лба. — За мной... Я вижу... И боишься меня... Я чувствую, боишься...

— Где Тимофей? Ты знаешь, где он?

С безумной бесполезно лукавить, надо спрашивать прямо. Этот блеск в глазах, как у дикого зверя...

— Скажи, где твой брат. Ведь он не умер. И не исчезал. Скажи мне, где он сейчас.

— Ты боишься...

— Да, я боюсь... И я не умею читать, как ты, Ника... Но я знаю одно — твоему брату грозит опасность, и, если ты любишь его, скажи мне, где он сейчас.

— Если я — что? — Ника-Победительница склонила голову набок.

— Если ты его любишь, то...

— Что?

— Где он сейчас? Ведь ты не встречала его ТАМ.

— Нет.

— Значит, он жив? Мы знаем, что он жив. Где он?

— Он уехал, — Ника словно ослабела, поднесла руку ко лбу.

— Куда уехал? Когда?

— Давно... уехал... а потом...

— Что потом?

— Она вернулась.

— Что?

— Телефон сейчас зазвонит... твой...

Катя услышала эти слова Ники, и... спустя мгновение раздался звонок ее сотового телефона.

— Екатерина, ты где? — спросил полковник Гущин. — Мне дежурный передал записку... Ты что, там?

— Да.

— Уходи оттуда. Арбатский выродок бежал, там что-то случилось в боксе перед тем, как ему плохо стало... Елистратов толком объяснить не может, я понял лишь, что там речь зашла о них, о сестрах... Уходи оттуда сейчас же. У меня данные из ФСБ, здесь их сотрудники, они обыск в квартире Мазина проводили. Мазин не только о леснике и о пожаре в лесничестве кое-что раскопал, он и на них в спецархиве добыл досье... На НИХ, понимаешь, на всю семью. Тимофей ездил в Бангкок — вместе с Цветухиным, а потом один, не только на отдых, не только по делам их чертова магазина, там клиника по изменению пола... А в досье, что КГБ собирало на их мать, в досье, которое Мазин достал для шантажа, значится, что их семья состояла из четырех человек, понимаешь? Не из пяти, из четырех — она, Саломея, и ее дети... У НЕЕ БЫЛО ТРОЕ ДЕТЕЙ... Их всегда было только трое — две сестры и брат! Их всех троих надо немедленно задержать и делать повторный анализ на ДНК.

Словно клещи сжали Катину руку и вырвали телефон, поранив, ободрав кожу когтями. Ника вцепилась в нее истерически, радостно визжа на весь дом:

— Она узнала! Она все узнала! Я поймала ее! Я ее держу!!

В тусклом мертвом электрическом свете хрустальной люстры...

— Я поймала ее! Она здесь! Идите сюда!

КТО КОГО ПОЙМАЛ? КТО КОГО ЗОВЕТ?

Катя рванулась, пытаясь отбросить от себя это смрадное ликующее существо, эту тварь. Но сильный удар сзади оглушил ее, поверг на пол. Точно такой же — неожиданный, быстрый, беспощадный удар, что когда-то испытали на себе две прежние, ничего не подозревавшие жертвы — Цветухин и Мазин.

ТЬМА...

Сколько времени прошло?

Запах воска, запах бензина...

Плеск...

Катя лежала на полу, ощущая щекой старый паркет.

Запах бензина, все сильнее... плеск...

Голоса... что-то бубнят, о чем-то лихорадочно спорят...

Голоса во тьме...

— Я ГОВОРИЛА, Я ТЕБЕ ГОВОРИЛА, ЧТО ВОТ ТАК ВСЕ И КОНЧИТСЯ КОГДА-НИБУДЬ — КАТАСТРОФОЙ, БЕДОЙ... Все эти годы, все эти одиннадцать проклятых лет, но ты же ничего, ничего не желала слушать... Думаешь, это сейчас все прахом пошло — сейчас, когда эта милицейская дрянь к нам явилась? Ты ее убила...

— Я ее не убила, слышишь ты, Я НЕ УБИЛ ЕЕ! Она просто без сознания, можно прикончить совсем, но некогда возиться... Тут и так все сгорит дотла, дотла...

— Пожары устраивать ты мастер! Это ты мастерица! Думаешь, только сейчас все это началось? Это тогда началось, одиннадцать лет назад, тогда уже кровь на тебе была, но ты даже следы толком не сумел уничтожить — тот дом не сгорел и подвал цел, оказывается... И они все нашли, они обо всем узнали. Они нашли ЕГО труп и... они выпустили ЭТО оттуда!

— Замолчи! Ты дура! Ты же сама не веришь в то, что плетешь!

— Я верю, и ты веришь... Смотри мне в глаза! Брось канистру, смотри мне в глаза... ты... На тебе уже тогда была ЕГО кровь, и ты... ты втянул в этот кошмар всех нас — всю нашу семью! Из-за тебя мать умерла!

— Она не хотела понять, она ничего не желала понимать! Отказывалась понимать, кем я был на самом деле, кем хотел стать. А ведь это она... она всегда была для меня идеалом, идолом, на нее мне хотелось быть похожим... Я примерял этот образ на себя и... Это была такая мука, такое счастье — и в детстве, и потом, когда я вырос. Ты же помнишь, сестра, ты же видела, ты замечала все это, ты была мудрой... И ты принимала меня таким, каков я есть, а мать... мать ничего не желала замечать! А я хотел изменить себя, стать тем, кто я есть сейчас. Я задыхался в своем теле, как в клетке. Все, все было против меня, а потом появилась реальная возможность. Ты это понимаешь? Реальная возможность осуществить свою мечту... даже не мечту, жизнь свою продолжить, потому что я не мог так больше жить, порой я хотел умереть, покончить с собой... А тут узнал об этой клинике под Бангкоком... я узнал, что это возможно... Только нужны были деньги, очень большие деньги... А потом появилась возможность их взять, и я взял... Там, в нашем магазине, в подвале, когда я забрал их у НЕГО... ОН сам был во всем виноват, он тоже не хотел понять, что мне необходимо все... Эти деньги нужны были мне больше, чем ему, потому что я не мог больше оставаться прежним. Я должен был либо изменить себя полностью, начать жить заново, либо сдохнуть! Но мать... когда я говорил ей об этом, она... она ничего не хотела слышать, не хотела понять меня!

— Она понимала лишь одно — она страстно желала иметь сына, и она его родила, она любила тебя больше всех нас... Тима... Тим... Что осталось ей после того, как ты... как ты это над собой сделал? После того как ты вернулся из той клиники... Из той кунсткамеры, куда кладут на операцию таких уродов, таких извращенцев, как ты, и отпускают их потом в мир еще большими уродами... Что ей, нашей матери, осталось от тебя? Голос, образ? Что? Я тебя спрашиваю! Только слог, коротенький слог в новом имени, которое ты взял, которое стало твоим! Две буквы — и это все! Все, чем ты мог расплатиться с ней, матерью, родившей, обожавшей тебя? Она всегда хотела иметь сына, а ты отнял у нее эту возможность, и все, все для нее потеряло смысл. Знаешь, что она сказала мне перед смертью? «Лучше бы он умер, пропал»!

— Ты лжешь, она не могла так сказать обо мне. Я ведь и вернулся только из-за нее, я мог там остаться и жить... Но я вернулся!

— Ты вернулся, потому что без нас ты — ничто. Преображенный урод, трансвестит, ошибка природы, и только с нами — со мной, с матерью, с Никой, обладающей даром, ты что-то значишь. Но мать умерла из-за тебя, а Ника... Куда ты льешь столько бензина?

— Здесь все сгорит, они тут ничего не найдут. А мы уедем... мы все сядем сейчас в машину и уедем... Ты не думай, ЭТИМ все не кончится, этот дом сгорит, только и всего, а мы... мы все трое будем жить... Ты знаешь, у меня деньги спрятаны, и паспорта есть... Поедем в Украину, там много мест, где нас никогда не найдут, оттуда в Прагу, потом куда-нибудь дальше... На Восток... В мире много мест, были бы деньги, а у нас они есть... Я не знаю, почему ТОТ дом, тот проклятый дом и тот подвал не сгорели тогда. Я все сделал, понимаешь ты это, сестра, я старался... я очень старалась.

— Все бросить, бежать... Столько лет, и все прахом, столько вещей... Столько всего покупали, столько ценного... И все бросить... Я всегда знала, что ЭТИМ все и кончится. Ты вернулся, и наша жизнь превратилась в ад — мать умерла, а потом появился тот старик... лесник... Как он нас нашел?

— В газетах прочел...

— В газетах? И ты еще смеешься? Он явился требовать денег, шантажировать нас, и ты...

— Это не я, это ты его убила, не забывай!

— Потому что ты вынудила меня это сделать... ты так просила помощи, ты так просил... умолял... Когда я ударила его бампером, он так закричал... Там, на той дороге... Тебя со мной не было, я была за рулем, ты в это время сжег его хибару... Только это ты и умеешь — поджигать!

— ЗДЕСЬ ТОЖЕ ВСЕ СГОРИТ!

— Странно, что ты не сжег тачку того кагэбэшника, там, в лесу... Когда он явился к нам и сказал, что готов продать информацию о... Он же о тебе говорил! О тебе, глядя тебе же в глаза... Здесь, в доме, он так и не догадался, кто есть кто, он видел только нас двоих, но знал, что нас всегда было трое у матери... А там, в лесу, у дома того лесника, куда ты его заманил, там, на пожарище, он догадался, он понял, что ты это ты...

— Он понял... потом, в самом конце... Он был просто жадный скот, шантажист, вымогатель, не жалей его, сестра.

— Я себя жалею, наш дом, нашу жизнь — ты все погубила, ты все принесла в жертву. И ради чего? Чтобы из парня превратиться в это вот...

— Замолчи, или я и тебя убью!

— Осторожнее, у меня на платье бензин!

Во тьме вспыхнул крохотный синий огонек. Катя увидела его. Она лежала на полу в луже бензина. От его запаха было уже трудно дышать, Катя попыталась подняться, руки подламывались...

Огонек плыл высоко-высоко... Ярко-голубой язычок зажигалки, чья-то рука вот-вот швырнет сюда, прямо сюда, на середину зала, и огонь...

Катя все пыталась подняться, но руки ее подламывались... А тьма таяла, превращаясь в серые сумерки... И вот стал виден зал, окна и на фоне окон три фигуры... три силуэта... Босые ноги... Черное платье... Красное платье...

И вдруг раздался ТОТ звук.

Что-то проскребло... словно когтями провели по стене или по бетону, пытаясь нащупать самое слабое, самое уязвимое место...

Этот звук — ОНИ все услышали его, он шел уже со всех сторон, и вдруг...

Портрет Саломеи сорвался со стены, а потом раздался грохот, и полетели осколки стекла, куски штукатурки...

Это было как взрыв гранаты.

Это было как взрыв, выбивающий окна, срывающий двери с петель, ломающий перегородки и стены.

В первую секунду Катя подумала, что взорвался бензин, но пламени... пламени не было... И синий огонек зажигалки погас.

В центре зала появилась еще одна фигура.

Еще один гость явился незваным.

Глава 47
ПРЕОБРАЖЕНИЕ.
ВСЕМ СЕСТРАМ — ПО СЕРЬГАМ

ОН стоял, наступив ногой на упавший со стены портрет. Катя, лежавшая на полу у окна, видела его сквозь туман, застилавший глаза. Но другие видели его четко — среди бензиновых луж, в свете хрустальной люстры, что внезапно вспыхнула под потолком, когда огонь зажигалки, готовый вот-вот поджечь все, вдруг погас.

Свет люстры был такой же, как свет ламп там, в боксе Центра судебной психиатрии. И человек был тот же самый, только вот уже его не отделяло от других пуленепробиваемое стекло.

У него не было в руках пистолета. В этот раз он был безоружен. Катя снова попыталась подняться... туман, все плывет...

Пепеляев...

В этот раз он был безоружен, но...

Раздался пронзительный крик, и Ника, Ника-Победительница, одна из немногих способная уходить ТУДА и возвращаться, встречать и узнавать на своем пути ТЕХ, ДРУГИХ, бросилась на него сзади с ритуальным ножом:

— ОНО... ЭТО ОНО, ОНО ЗДЕСЬ! БЕРЕГИТЕСЬ!

Пепеляев... Катя видела, как он обернулся и поймал Нику, перехватив в ее безумном броске, когда она в последний раз пыталась спасти тех, кого любила.

Его лицо внезапно изменилось — как будто сквозь кожу, плавившуюся как воск на огне, проступили другие черты. И что-то было такое в этих чертах — в глазах, горевших как угли, что хотелось бежать без оглядки.

Прочь...

Но никто не мог пошевелиться, сделать и шага. Ника хрипела. Но две других сестры-Парки не могли сделать и шага... Они узнали ЕГО.

Пепеляев...

Нет, это был уже не Пепеляев. Это было нечто иное.

От этого ИНОГО не осталось ничего — лишь оперативное фото в уголовном деле об ограблении банка, лишь полуистлевший труп там, в подвале обувного склада.

Но память...

Одна из сестер — та, что была в алом платье, вскрикнула, попятилась.

— Куда ты? — Голос гостя тоже изменился. Это был тот, другой голос, что возникал внезапно в тиши медицинского бокса и потом исчезал, ставя в тупик профессора Геворкяна и других психиатров.

Сестра-Парка, одетая в красное платье... Августа бросилась к разбитому окну. Но отчаянный вопль Ники, младшей сестры, заставил ее остановиться.

ОН оторвал Нике правую кисть, сжимавшую нож, и швырнул ее прямо к подолу красного платья, скрывавшего...

— Я ПРИШЕЛ К ТЕБЕ... Я ИСКАЛ ТЕБЯ...

АХ, МОЙ МИЛЫЙ АВГУСТИН, АВГУСТИН, АВГУСТИН... АХ, МОЙ МИЛЫЙ АВГУСТИН. ВСЕ ПРОШЛО... ВСЕ...

Детская песенка... словно открыли музыкальную шкатулку или поставили старую пластинку на проигрыватель.

— Я ИСКАЛ ТЕБЯ ВЕЗДЕ. Я ПРИШЕЛ ЗА ТОБОЙ. ПОКАЖИ МНЕ СЕБЯ...

Августа медленно, словно через силу, как будто что-то заставляло ее это сделать, подняла руку... пальцы ее вцепились в волосы и...

Светлый парик упал, обнажая лысину... мужскую лысину, которую так странно было видеть... И черты лица, когда-то вылепленного заново несколькими пластическими операциями в клинике по изменению пола, сразу погрубели, стали резкими... старыми и какими-то неживыми, искусственными.

— Отпусти сестру. Пожалуйста... ради всего, что...

Тело Ники ударилось о паркет. ОН отпустил Победительницу. ОН сломал ей шею.

— НЕТ!

Словно острый коготь рассек сумерки, а может, то было лезвие ритуального ножа. Алое платье скользнуло вниз, и стало видно тело... живот, бедра, покрытые шрамами бесчисленных операций, удалявших лишнее, наращивавших необходимое. Шрамы, успевшие зажить за эти долгие одиннадцать лет, сглаженные ежедневными втираниями антиколлоидных мазей и кремов, но все равно оставившие свой след, шрамы, которые так страшно было показать даже любовникам в постели — во избежание опасных, смертельно опасных вопросов...

ОН, явившийся за своим убийцей, искавший, нашедший его, зарычал как зверь, почуявший кровь... Теперь их разделяло всего несколько шагов, но... Катя все же сумела подняться. И ОН обернулся сначала к ней.

Пепеляев...

Да, это снова был он, хотя глаза его были слепы и черны, как две ямы. Катя не могла пошевелиться, только слышала, как стучат ее зубы...

Пепеляев протянул руку — та самая рука, когда-то державшая пистолет, тоже вся в шрамах, не оставившая отпечатков пальцев...

Пальцы коснулись Кати...

Невесомое касание, точно птица... тварь ночная во мраке задела крылом...

И тут какая-то могучая сила подхватила Катино тело... как вихрь, как ворвавшийся в залитый бензином зал торнадо, и выбросила ее вон — через разбитое окно, во внутренний двор — прямо на клумбы, на траву.

В ту же секунду в доме раздался нечеловеческий вопль. Но Катя, оглушенная, снова потерявшая сознание, спасенная Пепеляевым Катя не слышала жутких криков, перепугавших всю Малую Бронную.

Она не видела того, что случилось там, в доме дальше. Это видела только сестра Руфина.

Пистолет не потребовался. Острые как бритва когти впились в Августу, когда-то звавшуюся Тимом... и начали кромсать тело, сдирая кожу и плоть, как мясник обдирает коровью тушу на бойне...

Удаляя все лишнее...

Тут же залечивая раны...

Снова кромсая, истязая, калеча...

А может, преображая, возвращая все на круги своя...

Вибрирующий на самой высокой ноте вопль оборвался.

ПЛАМЯ ВСПЫХНУЛО И РАЗОМ ОБЪЯЛО ВЕСЬ ЗАЛ.

Крики жильцов соседних домов, вой пожарной сигнализации, перекличка милицейских сирен...

В разбитое окно, багровое от пожара, ударила густая струя белой пены из пожарного брандспойта.

Ничего этого Катя не слышала. Она была далеко.

Она дышала глубоко, как во сне.

Ей снился страшный сон.

Сейчас... вот сейчас она проснется...

Глава 48
РАПОРТ О РАСКРЫТИИ

Анфиса переминалась с ноги на ногу возле витрины с пирожными. Какой крутой супермаркет! Глаза разбегаются, сколько тут всего вкусного, с кремом, с джемом, и если все это съесть, растолстеешь как бочка, как слон, как гиппопотам.

Ну и пусть. Все равно — один раз живем.

И если даже не один...

Как ей на сотую долю секунды почудилось там, во дворе Института Склифосовского...

Если даже не один, то...

Все равно.

ТАК ВЕСЕЛЕЕ!

Она зашла в гастроном в ГУМе по пути.

Песочные корзиночки с жирным кремом, пирожное «розочка», «грибочки», пирожное «Ленинградское»...

Она шла по гастроному мимо винных стеллажей к кондитерскому отделу.

А до этого ее путь пролегал через Биржевую площадь к Никитникову переулку, где она фотографировала ДОМ.

Вдруг пленка что-то удержит, поймает... хоть какое-нибудь доказательство... не видимое человеческим глазом. Еще одно, последнее доказательство.

— А можно набрать разных пирожных? Да, все в одну коробку, пожалуйста. Две «розочки», два «Ленинградских», эти вот шоколадные и эти с орехами, тоже по два...

Глянув на наручные часы, Анфиса заторопилась, вытащила телефон.

— Алло, ну ты как? Скоро? Я в кондитерский отдел зашла. Буду минут через двадцать, ты выходи, и вместе поедем домой.

— Ладно, — сказала Катя, — я тебя жду.

Она была в кабинете полковника Гущина. Был уже конец июля, время отпусков.

На письменном столе Гущина топорщилась кипа бумаг.

В кабинет то и дело заглядывали сотрудники розыска: «Федор Матвеевич, командировку подпишите», «Рапорт на отпуск я с двадцать второго числа планирую». «Федор Матвеевич, тут отдельное поручение пришло из Питера, кому отписать?»

Был уже конец июля.

И все шло своим путем.

День за днем.

Ночь...

Острые грани...

Гущин писал рапорт о раскрытии ДЕЛА, которым они все занимались эти последние месяцы. Катя наблюдала, как он пишет. Как он доходит до середины листа и комкает его, берет чистый и начинает свой рапорт заново.

— Хоть бы помогла мне, ты ж у нас истории сочинять мастерица!

— Я только еще больше все запутаю, Федор Матвеевич.

— Куда уж больше-то... Вот раскрыли дело, а ЧТО раскрыли? — Гущин бросил ручку в сердцах и достал платок, промокнул лысину. — Полжизни я в розыске, а такого... Да что говорить. Эксперт, что на Малую Бронную в тот вечер выезжал, и он до сих пор тоже малость того... А ведь он всего этакого, как и я, грешный, видел-перевидел...

Катя кивнула.

ВСЕМ ПОРОЙ СНЯТСЯ СНЫ.

И НАМ, ПОЛКОВНИК ГУЩИН.

— Руфину-то, старшую сестру, сам областной прокурор приезжал допрашивать. Временами-то она ничего, вроде проясняется сознание у нее, — Гущин снова потянулся к чистому листу, — показывает, что Тимофей, их брат, с самого, мол, детства склонен был... Мать на него, что ли, так сильно влияла, Саломея... Походить жаждал на нее во всем. Руфина говорит, что когда подрос, возмужал, парнем стал, смена пола для него стала прямо навязчивой идеей. А с Цветухиным Евгением они действительно дружили, и даже, как Руфина говорит, может, это и больше чем дружба была, учитывая наклонности Тимофея. Может, Цветухин и на ограбление банка-то пошел, с Ларкой Дьяковой и

344

ее сынками связался, чтобы они с Тимофеем могли... Но, это теперь только догадки. А факт в том, что Тимофей его предал из-за денег, искалечил насмерть и бросил умирать там, в подвале... На операции, каких он над собой добивался, вагон денег нужен был, вот он все себе и забрал. Все ворованное. А так как на нем убийство висело, представил все дело, будто он пропал без вести. Тимофей — средний брат пропал. А через год появилась Августа — средняя сестра. Руфина бормочет что-то про две буквы из имени «Тимофей», что он себе... то есть она, оставила: Августа — АвгусТИна... И семья их на это пошла. Только вот мать не сумела этой тайны, этого горя вынести... М-да... Про это Руфина на допросе у прокурора еще кое-как рассказывала, а как дальше стали вопросы задавать, то... Дальше — глухо, умом она повредилась, в психушке теперь самое место ей, — Гущин глянул на Катю.

Но она молчала.

ТО БЫЛ ЛИШЬ СОН.

НАДО ЛИ ПОМНИТЬ ЕГО ВСЕГДА?

— И судить ведь некого... По такому-то делу! — Гущин смял уже совсем чистый лист бумаги. — Вот сижу, пишу, черкаю, а что... Хорошо тогда пожарные на Малую Бронную моментально приехали, а так бы вообще сгорело все к черту. А может, и нет... Может, и не сгорело... КТО ЗНАЕТ, КАК ТАМ ОНО БЫЛО ЗАДУМАНО... А так что мы там обнаружили? Ее — Руфину, живую, умом тронувшуюся. И три трупа...

Гущин наклонился и полез в ящик стола, достал конверт с фотографиями.

— Младшая их... Ника, как они ее звали, медиум, перелом шейных позвонков, правая кисть оторвана... В старину бесы так с ведьмами расправлялись. Но не это эксперта в шок повергло. Такое он видел. Второй труп принадлежит Роману Пепеляеву. Только этот единственный труп из всех сильно обгорел практически до неузнаваемости. По ДНК личность подтверждали. Вот я тут в рапорте пишу: «При жизни подозреваемый Пепеляев никогда не встречался ни с Цветухиным, ни тем более с Тимофеем Зикорским» когда тот еще... когда тот еще к мужскому полу принадлежал, не к женскому... Факт ведь это, а?

— Факт, Федор Матвеевич. При жизни эти трое действительно никогда не встречались.

Гущин с грохотом отодвинул стул и встал.

— И по арбатскому расстрелу его теперь суду не предашь. Горелый труп, головешка. Но опять-таки не это эксперта нашего до самых печенок пробрало. Вот от чего он никак в себя до сих пор прийти не может.

Он достал из плотного пакета два снимка. Катя уже видела их не раз.

Одно было фото Тимофея Зикорского, взятое при обыске дома сестер-Парок. То самое фото, что стояло в бывшем кабинете Саломеи на бюро, где Тимофей — средний брат был снят совсем молодым.

Золотая булавка для галстука в форме змеи... Здесь на фото. И там, среди вещдоков уголовного дела, отправленного на вечное хранение — в архив.

На другом фото был заснят труп молодого мужчины, совершенно обнаженного, лежавшего на полу, — паркет, залитый бензином, раскинутые руки, светлые волосы — никакой лысины, и лицо...

Сходство было абсолютным.

— Тимофей, это он — никаких сомнений быть не может. — Гущин взял фотографию так осторожно, точно она была испачкана ядом. — И визуально, и все экспертизы — все подтверждает: это он. Но ведь одиннадцать лет прошло! И мы с тобой вместе видели эту стерву... Августу... Ей было уже почти сорок, значит, и ему, ему тоже! Ведь это же он фактически был, он самый. А ЗДЕСЬ ПЕРЕД НАМИ ТЕЛО ДВАД-ЦАТИСЕМИЛЕТНЕГО ПАРНЯ! Даже если это была какая-то фантастическая биологическая метаморфоза... мгновенное возвращение в прежний свой пол, то... Он здесь такой, каким был тогда... Когда поднялся из подвала вместе с деньгами, оставив ЕГО там... эту не-жить... Когда закрыл за собой люк и замуровал ЕГО. А потом поджег дом.

Катя собрала снимки и спрятала их в плотный конверт.

Чистый лист бумаги ждал своей очереди на столе.

Порой легче записать страшный сон, чем то, что было на самом деле.

А ЧТО БЫВАЕТ НА САМОМ ДЕЛЕ — КТО СКАЖЕТ? КТО ЗНАЕТ ЭТО НАВЕРНЯКА?

Литературно-художественное издание

ДЕТЕКТИВ&THRILLER

Степанова Татьяна Юрьевна

ТРИ БОГИНИ СУДЬБЫ

Ответственный редактор *О. Рубис*
Редактор *Т. Другова*
Художественный редактор *С. Курбатов*
Технический редактор *Н. Носова*
Компьютерная верстка *И. Кондратюк*
Корректор *Е. Родишевская*

ООО «Издательство «Эксмо»
127299, Москва, ул. Клары Цеткин, д. 18/5. Тел. 411-68-86, 956-39-21.
Home page: **www.eksmo.ru** E-mail: **info@eksmo.ru**

Подписано в печать 11.02.2010. Формат 84×108 $^1/_{32}$.
Гарнитура «Таймс». Печать офсетная. Усл. печ. л. 18,48.
Тираж 17 100 экз. Заказ № 1879.

Отпечатано в полном соответствии
с качеством предоставленных диапозитивов
в ОАО «Можайский полиграфический комбинат».
143200, г. Можайск, ул. Мира, 93.

ISBN 978-5-699-40821-4

Оптовая торговля книгами «Эксмо»:
ООО «ТД «Эксмо». 142702, Московская обл., Ленинский р-н, г. Видное,
Белокаменное ш., д. 1, многоканальный тел. 411-50-74.
E-mail: reception@eksmo-sale.ru

По вопросам приобретения книг «Эксмо»
зарубежными оптовыми покупателями
обращаться в отдел зарубежных продаж ТД «Эксмо»
E-mail: international@eksmo-sale.ru

International Sales: International wholesale customers should contact
Foreign Sales Department of Trading House «Eksmo» for their orders.
international@eksmo-sale.ru

По вопросам заказа книг корпоративным клиентам,
в том числе в специальном оформлении,
обращаться по тел. 411-68-59 доб. 2115, 2117, 2118.
E-mail: vipzakaz@eksmo.ru

Оптовая торговля бумажно-беловыми
и канцелярскими товарами для школы и офиса «Канц-Эксмо»:
Компания «Канц-Эксмо»: 142700, Московская обл., Ленинский р-н,
г. Видное-2, Белокаменное ш., д. 1, а/я 5.
Тел./факс +7 (495) 745-28-87 (многоканальный).
e-mail: kanc@eksmo-sale.ru, сайт: www.kanc-eksmo.ru

Полный ассортимент книг издательства «Эксмо» для оптовых покупателей:
В Санкт-Петербурге: ООО СЗКО, пр-т Обуховской Обороны, д. 84Е.
Тел. (812) 365-46-03/04.
В Нижнем Новгороде: ООО ТД «Эксмо НН», ул. Маршала Воронова, д. 3.
Тел. (8312) 72-36-70.
В Казани: Филиал ООО «РДЦ-Самара», ул. Фрезерная, д. 5.
Тел. (843) 570-40-45/46.
В Самаре: ООО «РДЦ-Самара», пр-т Кирова, д. 75/1, литера «Е».
Тел. (846) 269-66-70.
В Ростове-на-Дону: ООО «РДЦ-Ростов», пр. Стачки, 243А.
Тел. (863) 220-19-34.
В Екатеринбурге: ООО «РДЦ-Екатеринбург», ул. Прибалтийская, д. 24а.
Тел. (343) 378-49-45.
В Киеве: ООО «РДЦ Эксмо-Украина», Московский пр-т, д. 9.
Тел./факс (044) 495-79-80/81.
Во Львове: ТП ООО «Эксмо-Запад», ул. Бузкова, д. 2.
Тел./факс (032) 245-00-19.
В Симферополе: ООО «Эксмо-Крым», ул. Киевская, д. 153.
Тел./факс (0652) 22-90-03, 54-32-99.
В Казахстане: ТОО «РДЦ-Алматы», ул. Домбровского, д. 3а.
Тел./факс (727) 251-59-90/91. rdc-almaty@mail.ru

Полный ассортимент продукции издательства «Эксмо»:
В Москве в сети магазинов «Новый книжный»:
Центральный магазин — Москва, Сухаревская пл., 12.
Тел.: 937-85-81, 780-58-81.
Волгоградский пр-т, д. 78, тел. 177-22-11; ул. Братиславская, д. 12.
Тел. 346-99-95.
В Санкт-Петербурге в сети магазинов «Буквоед»:
«Магазин на Невском», д. 13. Тел. (812) 310-22-44.

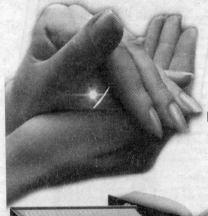

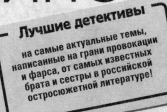